고등 국어
HIGH SCHOOL

문제은행 실전기출

미래엔 | 신유식

이 책의 단원 구성

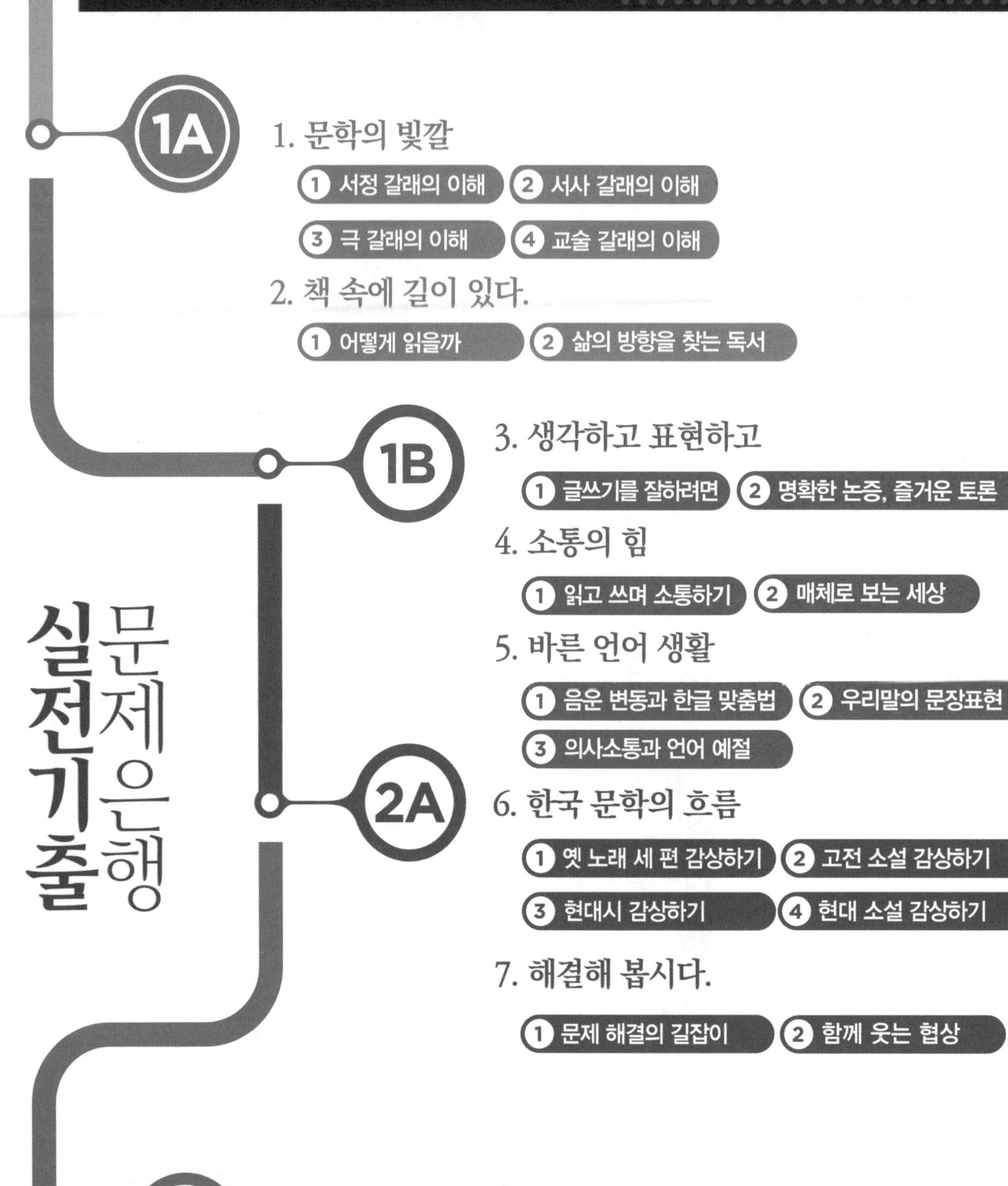

실전기출 문제은행

이 책의 구성 및 특징

교과서 확인학습

- 교과서 핵심내용 해설 및 확인 문제
- 교과서 지문의 핵심내용 파악, 어휘 및 구문 풀이
- O,X 문제 및 서답형 문제 학습

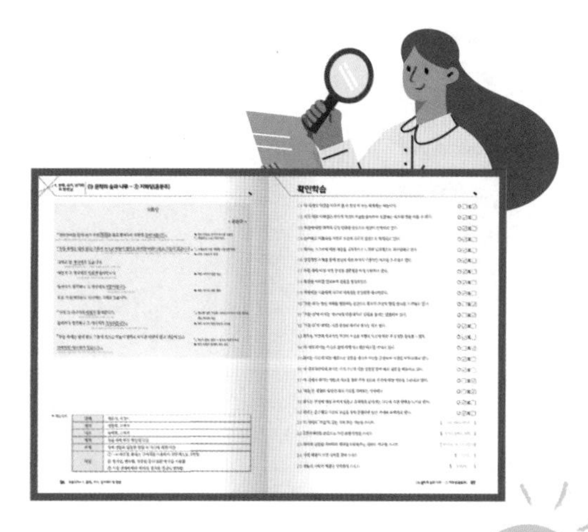

객관식 기본문제

- 기초단계 기출문제 제시 및 풀이능력 체크
- 각 단원의 핵심문제 제시
- 교과서 기반의 기본적인 학습능력 제공

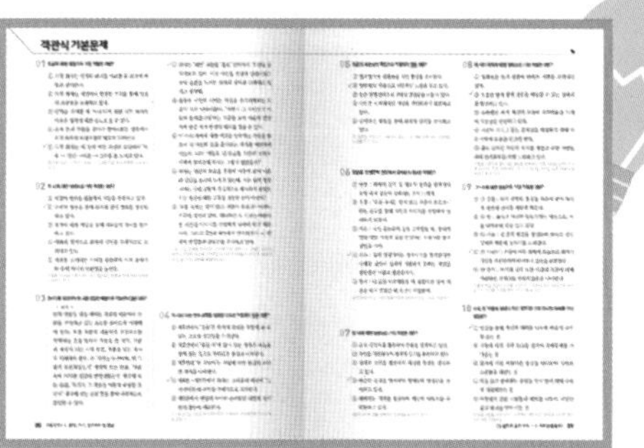

객관식 심화문제

- 중상급 난이도 기출문제 제시 및 오답풀이
- 전국 고등학교 중요 기출문제 엄선 및 풀이
- 변별력 있는 문제 중심으로 기출유형 분석
- 교과서 밖 연계지문 활용 고난도 문제풀이

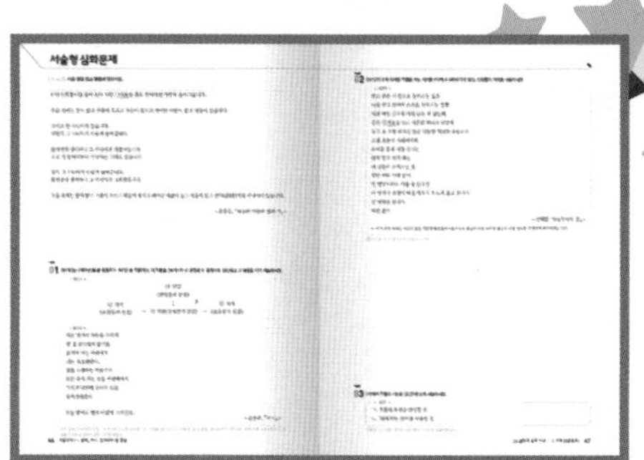

서술형 심화문제

- 서술형 기출문제 제시 및 풀이능력 향상
- 배점 높은 서술형 문제의 적중도를 높임

단원별 종합평가

- 단원별 학습 후 모의시험을 통한 수준평가
- 각 단원의 최종 점검 및 학습 마무리

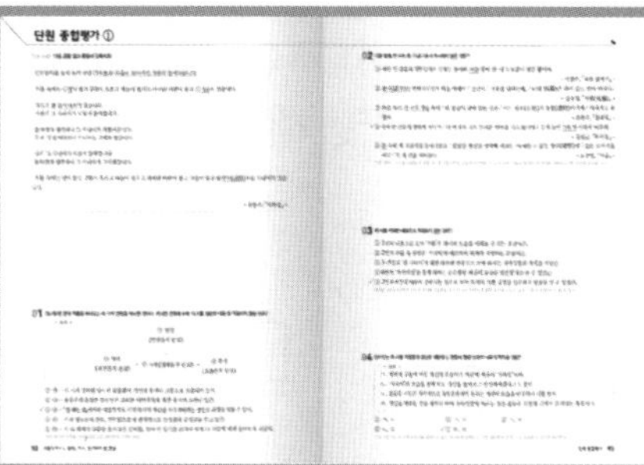

Contents

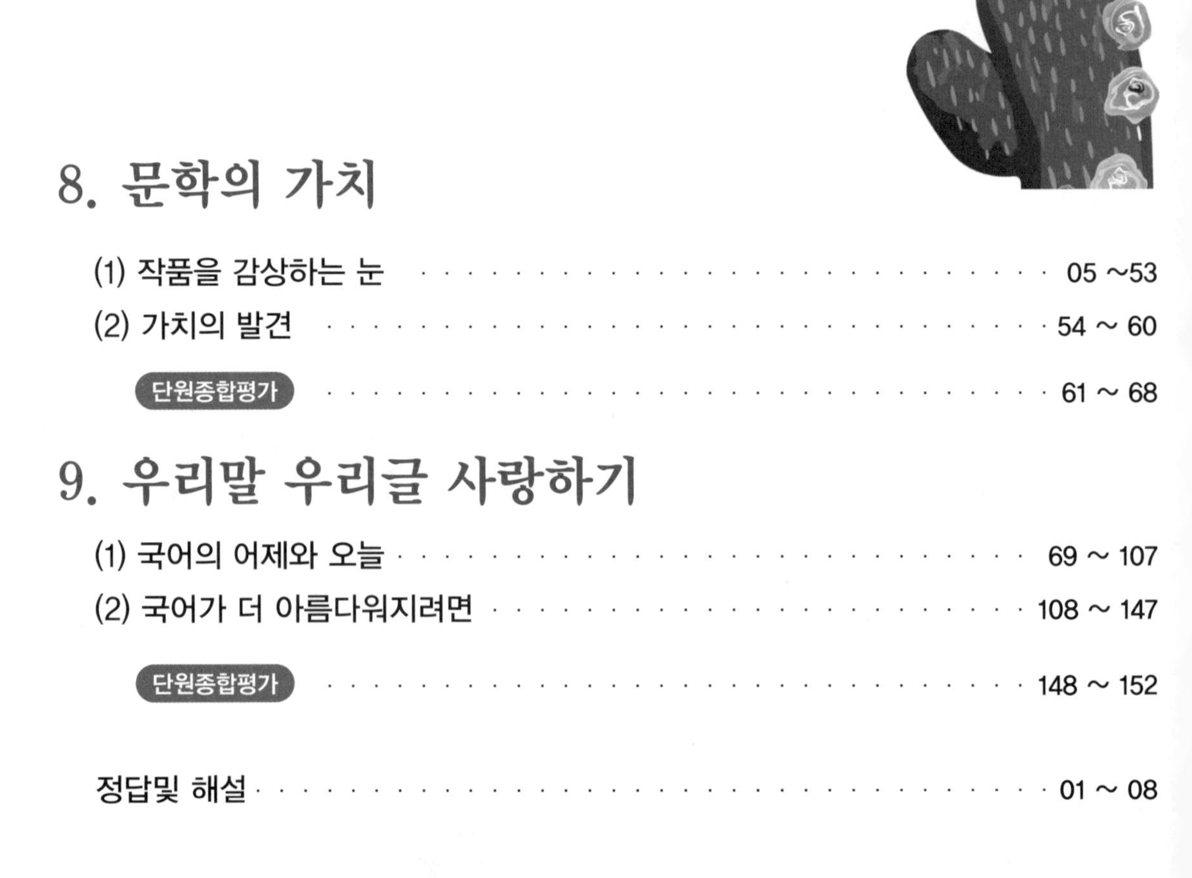

8. 문학의 가치

9. 우리말 우리글 사랑하기

8

문학의 가치

(1) 작품을 감상하는 눈

(2) 가치의 발견

고양이가 기른 다람쥐

\- 이상권 -

자식 같은 동물

맨 처음 다람쥐가 나타난 것은 1994년 3월이다. 어머니는 마당에서 씨 고구마를 고르고 있었다. 추위에 약한 고구마는 조금만 찬바람을 맞아도 얼어서 썩어 버린다. 물론 따뜻한 방에다 보관하지만 봄이 되면 썩은 게 절반이다. 환갑을 넘긴 어머니는 점점 농사를 줄이는 중이지만, 자식들에게 부쳐 줄 농사는 최소한으로 지으신다. 고구마, 감자, 고추, 콩, 팥, 쌀농사 따위다. 쌀농사야 기계로 한다지만, 밭농사는 모두 손으로 해야 한다. 고구마를 좋아하는 자식은 둘째인 나다. 어머니는 나 때문에 해마다 고구마 농사를 짓는다.

서술자가 주인공인 '어머니'의 둘째 자식임을 알 수 있음.

그날따라 어머니는 내 생각으로 눈을 감고 있었다. 그런데 뭔가 발등을 타고 넘어갔다. 눈을 떠 보니 아주 귀여운 다람쥐다. 숱하게 보아 온 동물이지만 그날은 특별하게 보였다. 사람이 나이가 들면 동물을 좋아한다는 말이 있다. 자연과 가까워진다는 뜻이다. 자연과 가깝다는 말은 죽을 날이 가까워졌다는 뜻도 된다. 아무튼 평소에는 거들떠보지도 않던 동물이지만 어머니는 다람쥐를 유심히 바라보았다. 겨울잠에서 깬 후 충분히 먹지 못했는지 여위어 보였다. 하긴, 아직은 다람쥐들이 배고픈 계절이다.

사람이 나이가 들면 자연의 이치를 이해함.

"옜다. 이거 먹으렴."

어머니는 고구마 한 개를 반으로 쪼개서 던져 주었다. 다람쥐가 어머니 눈치를 살폈다. 어머니가 웃어 주었다.

야생 동물로서 인간을 경계함.

"괜찮다, 어서 먹으렴. 나는 너를 잡을 만큼 빠르지도 않단다. 너를 잡아서 키울 만큼 부지런하지도 않고, 너를 잡아서 팔 만큼 욕심도 없단다. 그러니까 안심하고 먹으렴."

어머니는 다람쥐가 사람 말을 알아듣는다고 생각했다. 그것은 어머니의 어머니가 가르쳐 준 진리였다. 사람하고 가깝게 살아가는 동물 앞에서는 말을 함부로 하지 말라고.

동물에 대한 어머니의 애정이 드러남.

"특히 집에서 기르는 짐승들은 사람 말을 알아들어. 소도 알아듣고, 돼지, 개, 닭, 염소도……. 쥐는 사람이 기르지는 않지만 사람과 같이 살지. 그래서 쥐도 사람 말을 알아듣는단다."

어머니는 우리에게도 그런 말을 자주 하셨다. 과연 다람쥐는 어머니의 말을 알아들었다. 어머니가 옆에 가도 도망치지 않았다. 하루 이틀 날이 가고, 어머니는 그날 일을 까마득히 잊어버렸다.

한 달쯤 지났을까. 어머니가 씨감자를 고르고 있을 때 그 다람쥐가 다시 나타났다.

씨앗으로 쓸 감자

"오냐, 너로구나, 그래, 잘 왔다. 배고플 텐데, 자 먹으렴. 이제 조금만 참으면 배고픈 계절은 지나간단다. 그러니까 부지런히 일해서 식량을 모아 둬야지. 그래야 겨울부터 봄까지 굶주리지 않거든. 다람쥐는 개미보다 더 부지런하다고 들었는데, 안 그러니? 식량 창고를 수십 개나 만들어 둔다던데. 괜찮다. 올해부터 부지런히 일하면 되니까."

순수한 마음으로 다람쥐에게 선의를 베푸는 어머니

어머니는 하도 반가워서 은연중●에 다람쥐를 쓰다듬었다. 그러다가 어머니는 놀라 일어섰다. 아무리 작은 동물이라고 해도 그놈은 야생 다람쥐가 아닌가. 잘못 건드리다가는 물릴 수도 있다. 다람쥐는 이빨 독이 있는지라 물리면 잘 낫지도 않는데……. 하지만 다람쥐는 어머니를 전혀 경계하지 않았다. 그제야 어머니는 다람쥐에게 미안함을 느꼈다.

이전에 보였던 야생 동물로서의 습성이 약해짐

"미안하다. 사람이란 이래. 늘 의심하고, 걱정하고, 두려워하고, 남을 못 믿고……. 그렇게 평생을 살거든. 그래서 늙으면 교활해지지. 이해하렴."

다람쥐가 자신을 해치지 않을까 의심한 것에 대해 미안함.

커다란 집에 혼자 사는 어머니는 마치 말벗을 만난 듯했다.

어머니의 외로운 처지가 드러남

다음 날 아침이었다. 부엌에서 혼자 밥을 먹는데 그 다람쥐가 나타났다. 어머니는 놀라면서도 반가워했다.

"허허, 너로구나. 아직 밥 안 먹었지야? 자, 가만있자……. 이 밥그릇은 우리 막내가 먹던 것이란다. 이 수저도……. 참, 너는 수저질을 할 수가 없지."

막내를 서울로 떠나보낸 지도 10년이 넘는다. 자식들은 철들기도 전에 모두 서울로 떠났다. 어머니는 갑자기 눈시울을 문질렀다. 눈물이 났다. 외로움 때문이다. 그리움 때문이다. 다람쥐가 어머니의 가슴속에 있는 그리움을 불러낸 셈이다.

자식에 대한 그리움이 다람쥐에 대한 애정으로 전이됨.

"자아, 많이 먹어라. 아침이 든든해야 해. 요즘 젊은 것들은 아침을 빵에다 우유로 때운다고 하더라만, 사람은 아침이 든든해야 써. 내일도 오너라. 알았지?"

어머니는 꼭 자식을 보는 심정이었다. 어머니는 자식들을 키우는 데 평생을 바쳤다. 하지만 자식들이 커 버리자 이상하게도 허탈했다. 모두 손에 잡히지 않는 곳으로 떠나가 버린 듯했다.

자식들이 모두 서울로 떠나고 홀로 남아 외롭게 살아가는 어머니에게, 어느 날 나타난 야생 다람쥐는 자식처럼 애정을 쏟을 수 있는 존재이기 때문에

그날부터 다람쥐는 매일 어머니를 찾아왔다. 「어머니는 다람쥐에게 많은 이야기를 들려주었다. 자식들 이야기, 농사일 이야기, 세상 돌아가는 이야기, 못할 이야기가 없다. 다람쥐는 어머니를 비웃지 않는다. 항상 어머니의 이야기를 들어 준다.

「 」: 자식처럼 다람쥐는 아끼는 어머니

야생 동물이던 다람쥐가 애완동물처럼 길들여짐

전에는 밤늦게 일에 지쳐서 들어오면 그냥 쓰러져 잤다. 손발도 씻지 않았다. 밥상 차릴 기운도 없었다. 그런데 다람쥐가 반기면서부터 달라졌다. 어머니는 아무리 몸이 고달파도 밥을 먹는다. 막내의 밥그릇을 차지한 다람쥐는 이제 하찮은 동물이 아니다. 언제부턴가 어머니는 외롭지 않다는 생각을 하였다. 그러고 보니 외로움도 별게 아니었다. 누군가와 이야기를 하니까 쉽게 없어지니 말이다.」

어머니에게 가족과 같은 의미를 지닌 존재임.

확인학습

01 이 글은 대상에 대한 인물의 따뜻한 시선이 드러난다. O□ ×□

02 이 글은 동물을 주인공으로 한 우화이다. O□ ×□

03 이 글은 어머니의 자식인 '나'를 서술자로 하여 이야기가 전개된다. O□ ×□

04 다람쥐는 어머니와의 첫 만남부터 어머니를 매우 따랐다. O□ ×□

05 어머니가 다람쥐에게 미안함을 느낀 이유는 무엇인가?

[ ]

그러던 어느 날, 어머니는 아침부터 허둥댔다. 다람쥐가 보이지 않았기 때문이다. 그런 일은 한 번도 없었다. 불안했다. 혹시 고양이나 개한테 물려 죽은 건 아닐까? 족제비나 담비●에게 당했을지도 모른다. 부엉이나 올빼미의 짓일지도 모르고. 아, 그러고 보니 다람쥐를 노리는 눈이 너무 많았다.

'왜 그 생각을 못 했을까? 불쌍한 것…….'

어머니는 그날 종일토록 아무 일도 하지 않았다. 밥도 들어가지 않았다. 서울에 있는 자식들에게 전화를 해도 마찬가지였다. 그래서 옛날 사람들은,

진심으로 다람쥐를 걱정함.

"동물한테 정을 주면 못쓴다. 어차피 동물은 사람이 잡아먹을 수밖에 없는 운명이여. 그런데 동물한테 정을 주면 그런 자연의 이치가 무너지거든……."

하고 말했던가.

그날 밤 어머니는 눈물까지 흘렸다. 자식들을 하나씩 서울로 보낼 때마다 흘리던 눈물이다. 어머니는 다람쥐에게 너무 많은 정을 주었다. 어머니는 술을 마셨다. 그래야만 잠을 잘 수 있었던 것 같았다.

다람쥐를 자식처럼 여기는 어머니

술기운으로 막 잠이 들 참이었는데, 방문을 긁는 소리가 들렸다. 아, 다람쥐였다.

"오매, 이놈아! 어디 갔다가 이제 오냐? 나는 부엉이한테 잡아먹힌 줄 알았다!"

다시 만나게 된 것에 대해 안도감과 그간의 걱정에 대한 원망 등을 드러냄.

어머니는 한 줌도 안 되는 다람쥐를 안고 울었다.

다람쥐는 한동안 어머니를 바라보다가,

'이쪽으로 와 보세요.'

하듯이 부엌으로 뛰어갔다. 어머니가 움직이지 않자, 다람쥐는 몇 번이나 그 행동을 되풀이했다. 그제야 어머니는 다람쥐를 따라갔다. 다람쥐는 부엌 밖으로 나갔다. 부엌 밖에는 자그마한 문이 있다. 보일러실이다. 그곳도 예전에는 부엌이었다. 다만 부엌을 고치면서 보일러실 겸 창고로 칸막이했을 뿐이다. 다람쥐는 보일러실 구석으로 가더니 땅바닥에 조그마하게 나 있는 구멍으로 들어갔다. 어머니는 호미로 그 구멍을 팠다. 그러자 판자가 보였다. 판자를 들어내자 커다란 독이 나왔다.

어머니에게 자신의 새끼를 보여 주기 위해서

"술독이 어디에 묻혔나 했더니 여기에 있구먼. 그래, 다행이구나. 너희가 술독에서 편안히 살고 있으니 말이다. 이 술독은 우리 집 대대로 내려온 것이지. 우리 집에서는 시우 할아버지가 돌아가시면서부터 술독이 필요 없어졌어. 그러다 보니 잊어버렸구나. 아무튼 잘됐다."

어머니의 시아버지

술독 안을 손전등으로 비춰 본 어머니는 깜짝 놀랐다. 지푸라기로 동그랗게 만들어진 둥지 안에 다람쥐 새끼들이 있었기 때문이다.

"옳아, 새끼를 낳았구나. 허허허, 경사로군. 금줄●을 만들어야겠다. 금줄은 왼새끼로 만들지. 금줄을 치면 나쁜 병이나 무서운 동물이 들어오지 못한단다."

다람쥐가 새끼를 낳은 것을 가족의 일처럼 기뻐하고 축복함

어머니는 보일러실 문에다 새끼줄을 꼬아서 금줄을 걸었다.

확인학습

01 어머니는 다람쥐에게 세상일에 대해 말할 만큼 어리숙하다. O□ X□

02 다람쥐의 행동을 보고, 서술자가 상상하여 진술한 부분이 있다. O□ X□

어미 잃은 새끼들

어머니는 다람쥐 어미를 정성스럽게 보살폈다. 보고 들은 경험으로 다람쥐의 먹이를 구하고, 밥도 주었다. 묵은 밤도 구해다 주었다. 열매라고 생겼으면 무엇이든지 따다 주었다.「사실 지난봄부터 다람쥐는 스스로 먹이를 구하지 않았다. 애써서 먹이를 구할 필요가 없었다. 어머니가 다 구해다 주었기 때문이다. 어머니는 다람쥐의 식성● 을 잘 알았다. 곤충도 먹고, 생선도 먹는다. 가끔씩 풀도 먹고 물도 마셔야 한다. 새끼들은 무럭무럭 자랐다. 수컷 다람쥐는 서너 번 보이더니 사라졌다. 다른 동물들에게 당한 모양이다. 그래서 암컷 다람쥐는 더욱 먹이를 어머니에게 의존했는지 모른다. 어머니는 암컷 다람쥐가 얼마만큼 게을러져 있는지 몰랐다. 다람쥐는 먹이를 구하려는 노력을 전혀 하지 않았다.」 야생 동물이 먹이 구하는 본능을 잃어 간다는 사실이 얼마나 큰 불행을 가져오는지 어머니는 미처 생각하지 못했다. 다람쥐도 마찬가지였다.

「 」: 어머니에게 의존하기 시작하면서 야생의 습성을 잃어버린 다람쥐

야생 동물이 ~ 마찬가지였다: 앞으로 전개될 사건에 대한 암시(복선)

그해 늦여름.

어머니는 오랜만에 서울 나들이를 하였다. 처음에는 큰아들, 작은아들네 집에서 하룻밤씩 자고 오려고 했다. 하지만 뜻대로 되지 않았다. 자식들이 며칠만 더 쉬고 가라고 물고 늘어졌다. 게다가 서울에 있는 친척들마저 어머니를 붙들고 여기저기 구경 다녔다. 그러다 보니 열흘이 지났다. 그제야 퍼뜩 다람쥐를 떠올린 어머니가 시골집으로 내려왔을 때는 끔찍한 비극이 기다리고 있었다. 갓 눈을 뜬 다람쥐 새끼들이 애타게 어미를 찾고 있었다. 새끼들은 몸을 가누지도 못했다. 겨우 숨만 쉬고 있는 놈도 있었다. 적어도 사흘 이상은 굶었을 것 같았다. 순간 어머니는 눈앞이 캄캄했다.

그러다 보니 열흘이 지났다: 어머니에게 의존하던 다람쥐가 열흘 동안 새끼들과 남겨짐

끔찍한 비극: 어미 다람쥐의 죽음→야생의 본능을 잃어서 발생하는 불행

'죽었구나. 아, 내 실수야. 내가 먹을 것을 충분히 주고 갔어야 하는데…….'

어머니는 자신의 책임이라고 가슴을 쳤다. 배가 고픈 어미 다람쥐는 애타게 어머니를 기다렸으리라. 그러나 어머니는 하루 이틀이 지나도 돌아오지 않았다. 젖조차 말라붙은 어미 다람쥐는 어쩔 수 없이 밖으로 나갔다. 하도 오랜만에 밖으로 나와서 먹이를 구하려고 하니 쉽지 않았다. 야생의 세계에서 살려면 반드시 지켜야 할 규칙들도 다 잊어버렸다. 그러니 다른 동물들에게 잡아먹히는 건 시간 문제였으리라.

먹이를 구하려고 ~ 다 잊어버렸다: 야생에서의 생존 본능을 잃은 어미 다람쥐

어머니는 감나무 밑에 한 무더기 떨어진 부엉이 똥을 발견했다. 그 속에는 커다란 다람쥐 머리뼈가 들어 있었다. 어머니는 신을 원망했다.

그 속에는 ~ 들어 있었다: 어미 다람쥐의 죽음

신을 원망했다: 신에 대한 어머니의 태도(원망)

"죽은 어미야 어쩔 수 없다고 쳐도, 새끼들은 어떻게 합니까? 신은 공평하다고 했습니다. 강한 동물에게는 약한 새끼를 주시고, 약한 동물에게는 강한 새끼를 주신다고 했지요. 그래서 사람이나 사자, 호랑이 새끼들은 아주 약하고, 자라는 데 시간이 오래 걸리지요. 반대로 노루같이 약한 동물은 태어나자마자 뛰어다닐 정도로 강하고, 자라는 속도도 빠릅니다. 그런데 노루나 토끼보다 약한 다람쥐에게는 왜 불공평합니까? 당연히 다람쥐 새끼도 태어나자마자 눈을 뜨고, 어미처럼 뛰어다닐 수 있도록 하셔야지요……."

약한 동물에게는 강한 새끼를 주어야 한다는 어머니의 생각

어머니는 다람쥐 새끼를 볼 때마다 안타까웠다. 모든 생명체는 자기들이 가장 살기 좋게 진화•하는 법이다. 그런데 다람쥐의 자손 번식 본능만큼은 미련스러울 만큼 진화되지 않았다. 사실 다람쥐는 아주 약한 동물이다. 강한 이빨이나 발톱도 없고 소처럼 무서운 뿔도 없다. 그런 동물의 새끼는 갓 태어난 아기와 비슷하다. 갓 태어난 다람쥐 새끼는 눈도 뜨지 못하고, 어미가 보살피지 않으면 금방 죽는다. 사람이나 호랑이 새끼도 마찬가지다. 그러나 호랑이에게 잡아먹히는 노루 새끼는 태어나면서 눈을 뜨고, 곧장 뛰어다닌다. 다람쥐도 그런 새끼를 낳아야 한다. 그래야 살아남을 확률이 더 높다. 다람쥐 새끼는 태어나면서부터 자기 몸을 지킬 만큼 진화했어야 한다는 뜻이다.

다람쥐에게는 진화의 원리가 적용되지 않음→어머니가 신을 원망하는 이유

어머니는 잠을 이루지 못했다. 다람쥐 새끼들 때문이었다. 새벽에 나가 보니 세 마리가 죽어 있다. 이제 남은 새끼는 두 마리뿐. 그놈들도 살 가망이 없어 보였다. 그렇다고 어머니가 할 수 있는 일도 없었다. 이제는 다람쥐 새끼들의 죽음을 지켜보는 수밖에. 가끔씩 고양이 울음소리에 깜짝깜짝 놀라서 뛰쳐나갔을 뿐이다.

다람쥐 새끼들에 대한 걱정으로 전전긍긍함

가망: 될 만하거나 가능성이 있는 희망

확인학습

01 큰 불행이 암시하는 사건은? [ ]

02 이 글엔 어머니를 기다리는 다람쥐의 심정이 서술되어 있다. O□ ×□

03 이 글은 등장인물이 한 말을 직접 인용하여 서술하고 있다. O□ ×□

04 어미 다람쥐의 죽음은 '어머니'의 과도한 돌봄 때문이라 할 수 있다. O□ ×□

05 '어머니'는 모든 동물들은 강한 새끼를 낳아야 한다고 생각하고 있다. O□ ×□

그런데 다음 날 믿어지지 않는 일이 벌어졌다. 죽은 새끼들이나 묻어 주려고 보일러실로 들어간 어머니는 깜짝 놀라고 말았다.

그런데: 사건의 전환 암시

죽은 새끼들이나 ~ 어머니: 남은 새끼들도 죽었을 거라 생각함

"야옹, 야옹!"

갑자기 술독에서 고양이 한 마리가 뛰쳐나온 것이다. 어머니는 그 고양이가 다람쥐 새끼들을 다 잡아먹었으리라고 생각했다.「하지만 놀랍게도 어머니의 손전등을 받으며 꿈틀거리는 다람쥐 새끼들이 있었다. 고양이 새끼들도 보였다. 놀랍게도 고양이가 다람쥐 둥지에다 새끼를 낳은 모양이었다. 고양이 새끼는 네 마리였다. 고양이는 다람쥐의

「」: 고양이가 어미를 잃은 다람쥐 새끼들을 키워 줌.

무서운 천적이다. 그래서 더욱 믿어지지 않았다. 고양이가 다람쥐 새끼를 죽이지 않고 자기 새끼로 생각한다는 점이 꿈만 같았다」 순간적으로 어머니는,

"신이야말로 공평하십니다."

신에 대한 어머니의 태도(감사함)

하면서 두 손을 모았다. 어머니도 가끔씩 텔레비전이나 소문으로 염소가 송아지를 키우고, 개가 호랑이 새끼를 키웠다는 소리를 듣긴 했지만, 고양이가 다람쥐 새끼를 키웠다는 소리는 듣지 못했다. 고양이는 다람쥐 새끼를 친자식처럼 키워 주었다. 한 달이 지나자 어미 고양이는 술독을 떠났다.

다람쥐와 고양이의 생활은 전혀 다르다. 다람쥐는 어느 한 곳에다 보금자리를 정해 놓고 생활하는 반면, 고양이는 일정한 보금자리가 없다. 이 집 저 집, 이곳저곳을 돌아다니면서 잠을 잔다. 어머니는 다람쥐 새끼를 고양이한테서 뺏을 생각도 하였다. 하지만 의붓어미 격인 고양이의 슬픔을 생각하니 그럴 수가 없었다. 그 대신 다람쥐 새끼들을 가깝게 두려고 하였다. 새끼 때부터 매일 들여다보았는지라 다람쥐 새끼들도 어머니를 따랐다.

고양이와 다람쥐의 다른 습성

「 」: 고양이의 습성을 익히며 자라난 새끼 다람쥐들

「어머니는 고양이한테 전혀 간섭하지 않았다. 고양이는 자기 방식대로 다람쥐를 교육시켰다. 음식도 육식을 강요하였다. 다람쥐 새끼들도 도토리나 밤 대신 고기만 먹었다. 주로 쥐였다. 게다가 '찍찍' 울어야 하건만 '야옹야옹' 하려고 들었다. 그러다 보니 '찌옹찌옹' 하는 소리가 되었다.」

(육식: 고양이의 먹이 / 도토리나 밤: 다람쥐의 먹이 / '찍찍': 다람쥐의 울음소리 / '야옹야옹': 고양이의 울음소리 / '찌옹찌옹': 다람쥐의 본성을 잃어버리게 됨.)

「쥐나 참새를 사냥하는 방법도 배웠지만 발톱이 날카롭지 않은 다람쥐 새끼들은 번번이 실패하였다. 그럴 수밖에 없는 것이, 고양이는 예민한 코로 쥐를 찾아낸다. 그러나 다람쥐는 귀가 밝지만 코는 무딘 편이다. 그러다 보니 고양이와는 어울릴 수가 없었다. 안타깝게도 다람쥐들에게는 다람쥐만의 생활을 가르쳐 줄 어미가 없었다. 다람쥐 새끼들은 개나 다른 고양이를 보아도 도망치지 않았고, 쥐를 보면 고양이처럼 공격을 하였다. 그러다가 다람쥐 한 마리가 이웃집 고양이한테 물려 죽었다. 나머지 한 마리도 부엉이의 공격을 받았다. 다람쥐는 부엉이가 무서운 적이라는 사실도 몰랐다. 부엉이가 아무리 사나워도 고양이를 당해 낼 수는 없었기 때문이다. 다람쥐는 자신을 고양이라고 생각했던 것이다. 부엉이 발톱에 할퀴어 큰 부상을 당한 다람쥐는 어머니에게 발견되었다.」

「 」: 새끼 다람쥐들이 다람쥐의 습성이 아닌, 고양이의 습성을 익히게 되어 벌어진 폐해

확인학습

01 고양이가 새끼 다람쥐를 돌보는 모습을 보며 신에 대한 '어머니'의 태도에 변화가 나타난다. O□ X□

02 고양이가 다람쥐 어미의 방식으로 새끼를 키운다. O□ X□

03 고양이처럼 행동하던 다람쥐가 부엉이에게 공격을 당한다. O□ X□

04 어머니는 동물에게는 깊은 정을 주지 말아야 한다고 생각이 변화하였다. O□ X□

05 어머니는 다람쥐가 천적으로부터 자신의 몸을 보호하는 방법을 가르쳐 주어야 한다고 생각한다. O□ X□

■

인간과 야생 동물

어머니는 그 다람쥐를 잘 치료해 주었다. 다람쥐는 빠르게 회복되었다. 어머니는 술독에다 다람쥐를 넣어 주었다. 다람쥐의 미래는 불확실하다. 그놈은 비록 몸은 다람쥐이지만 생각은 고양이이기 때문이다. 어머니는 고민하기 시작했다. 다람쥐가 다람쥐처럼(야생 동물로서의 다람쥐 본연의 습성을 익히는 것) 생활할 수 있도록 도와주어야 한다. 하지만 사람이 다람쥐의 생활을 가르칠 수는 없다. 그렇다고 다른 방법도 없었다. 일단 알아듣든 못 듣든 간에 어머니는 직접 가르치기로 하였다.

"자, 너는 다람쥐야. 고양이가 아니란다. 자, 고기보다 도토리가 더 맛있을 거야. 먹어 봐. 옳지. 고양이는 다람쥐를 잡아먹는 무서운 동물이야. 그러니 고양이를 보면 일단 도망쳐야지. 어디로? 나무 위로 도망쳐야지. 너는 나무를 잘 타니까. 물론 고양이도 나무를 잘 타지만 너만큼 빠르지는 못해."

하지만 고양이 젖을 먹고 자란 다람쥐에게 고양이가 적이라는 말은 소용없었다. 아침에 이웃집 고양이한테 혼쭐이 나고도, 고양이만 보면 달려 나갔다.(어머니의 가르침에도 자신을 고양이로 생각함) 아슬아슬한 순간이 한두 번이 아니었다. 개나 족제비, 부엉이는 무서워하면서도 오직 고양이만은 철석같이 믿었다. 어머니는 야생에서 자란 다른 다람쥐(다람쥐의 습성을 잃지 않은 다람쥐)를 만나게 해야 한다고 생각했다.

가을 수확 철이 되었다.

어느 날 마을 사람들이 탈곡기● 안에 숨어든 다람쥐 한 마리를 잡았다. 어머니는 그 다람쥐를 달라고 하였다. 그리고 술독에서 사는 다람쥐와 함께 사흘간 가둬 놓았다.(수다람쥐에게 야생의 습성을 가르치기 위해) 그 후 술독을 열어 놓아도 야생 다람쥐는 도망치지 않았다. 그놈은 암컷이었고, 고양이 젖을 먹고 자란 다람쥐는 수컷이었으니까. 야생 암다람쥐(수다람쥐에게 다람쥐 본연의 습성을 익히게 하는 역할을 함)는 수놈에게 하나씩 교육을 시켰다. 우선 겨울 준비를 해야 한다고 했다.(암다람쥐의 가르침 ①) 알밤과 도토리를 모아다가 식량 창고를 만들었다. 식량 창고는 돌 틈이나 땅속에다 마련했다. 10여 개의 도토리나 밤을 모아 놓고 흙을 덮어 수십 개의 창고를 만든다. 지푸라기나 낙엽도 물어 날랐다. 그래야만 겨울을 따뜻하게 나기 때문이다.

또 겨울이 오기 전에 많이 먹어 두어야 한다는 사실도 알려 주었다. 겨울잠 자는 곰이나 오소리는 덩치가 크기 때문에 지방을 몸에다 많이 모아 놓을 수 있다. 몸이 작은 다람쥐는 그만큼은 못하더라도 최대한으로 지방을 모아 놓아야만 한다.

천적에 대해서도 가르쳐 주었다.(암다람쥐의 가르침 ②) 고양이나 개, 족제비, 담비 같은 천적은 주로 코를 이용하니까 그런 동물이 나타나면 무조건 도망치지 말고 바람을 이용하라는 것이다. 절대로 바람을 등져서는 안 된다고 단단히 일러 주었다. 그리고 부엉이나 올빼미들은 귀가 아주 밝다는 점을 강조하였다. 그들의 귀는 아주 미세한 움직임까지 알아내고는 먹이를 정확하게 발톱으로 움켜쥔다. 그들이 고양이 같은 육식 동물보다 더 무섭다. 어머니는 다람쥐의 생활을 지켜보기만 하였다. 이제는 절대로 밥을 주지 않았다.(다람쥐가 다람쥐처럼 살아갈 수 있도록 돕기 위해) 하지만 고양이 젖을 먹고 자란 수다람쥐는 여전히 어머니를 무척 따랐다.

「"얘야, 나가서 네 짝이랑 자거라. 너는 다람쥐야. 사람하고 가까워질수록 너는 나약해져."

어머니는 그 말을 버릇처럼 내뱉었다.」 「 」: 다람쥐가 야생 동물의 습성을 잃는 것을 경계함

눈이 펑펑 내리던 날이었다.

그날도 어머니 옆에서 재롱을 부리던 수다람쥐가 갑자기 졸기 시작하였다. 꼭 어린아이가 잠드는 모양이었다. 그러더니 아무리 흔들어도 다람쥐는 깨어나지 않았다. 겨울잠 잘 때가 되었다는 뜻이다. 어머니는 잠든 다람쥐를 술독에다 넣어 주었다. 술독에는 이미 야생 암다람쥐가 잠들어 있었다.

겨울잠에 든 다람쥐들은 사흘에 한 번씩 깨어난다. 그들은 술독에다 쌓아 둔 도토리를 먹은 다음 밖으로 나와서 물을 마신다. 그러고는 다시 잠을 잔다. 가끔씩 다람쥐들은 입을 헤벌리고 코를 골았다. 물론 사람의 코 고는 소리처럼 크지는 않다. 어머니는 잠자는 모습까지도 사람하고 똑같다는 느낌을 받았다. 그런 모습을 보니,

"사람은 죽어서 다른 생명체로 태어난단다. 뱀으로 태어날 수도 있고, 소로 태어날 수도 있지……."

하고 늘 말씀하시던 시어머니 얼굴이 스쳐 갔다.

다람쥐 부부는 무사히 겨울을 났다. (무사히 야생 다람쥐의 삶을 살아가는 수다람쥐) 술독이 워낙 컸으므로 식량 걱정은 하지 않았다. 술독에다 식량을 충분히 모아 두었기 때문이다. 다른 곳에다 모아 둔 식량은 손도 대지 않았다. 어머니는 그들의 식량 창고에다 막대기를 꽂아서 표시해 두었다. 나중에 식량이 부족해질 때 가르쳐 줄 생각이었다.

다람쥐 부부는 일곱 마리의 새끼를 낳았다. 고양이 젖을 먹고 자란 수컷은 부지런히 먹이를 찾아다녔다. 풀, 도토리, 도마뱀도 있었다. 하도 안쓰러워서 식량 창고를 가르쳐 주기도 했지만, 어머니는 그런 간섭도 필요 없다는 판단이 들었다. 사람이든 동물이든 힘든 시절이 필요하다. (어머니의 깨달음) 그 시절을 겪어야만 좀 더 성숙해지니까. 일의 필요성을 느끼고, 고통을 참고 이겨 내는 방법을 깨닫기 때문이다.

「」: 사람들의 관심이 늘어남

「어머니와 다람쥐에 대한 이야기가 소문나기 시작하였다. 처음에는 마을 사람들이 와서 구경하였다. 마을 사람들은 아주 경사스러운 일이라고 하였다. 특히 술독에서 살아가는 것으로 보아 우리 집 조상이 다람쥐로 태어난 모양이라고 입을 모았다.」 (술을 좋아하는 집의 성향과 관계가 있다고 생각함)

어머니에 대한 이야기는 읍내에서 발행되는 지역 신문에도 소개되었다. 그러자 국회 의원, 군 의원, 조합장, 면장• 같은 사람들이 찾아왔다. 그들은 어머니와 함께 사진을 찍고 싶어 했다. (어머니의 유명세를 이용하려고 함) 그러고는 다람쥐 새끼를 키워 보겠다고 하였다. 어머니는 거절할 수가 없었다. 면장에게 두 마리를 주었을 때만 해도 이런 부탁은 마지막이겠지 했다. 하지만 어머니를 만나는 사람들은 은근히,

"우리 아이들이 다람쥐를 키워 보고 싶어 해서요. 요즘 서울 사람들도 다람쥐를 많이 키운답니다. 우선 기르기가 쉽고, 무엇보다도 귀여우니까요." (야생 동물인 다람쥐를 애완동물처럼 길들이고 싶어함. (인간 중심적 사고))

하면서 다람쥐 새끼를 달라고 하였다. 조합장, 조합 직원, 지서• 주임, 군청 공무원, 심지어 학교 선생님까지도 그랬다.

다람쥐 부부는 두 달 간격으로 새끼를 낳았고, 어머니는 열두 마리의 다람쥐를 사람들에게 주었다.

지난달에는 면장 집에 초대되기도 했다. 면장의 손자들이 다람쥐를 키우고 있었다. 다람쥐 집은 앵무새를 키웠던 작은 철창 집이었는데, 그 철창 안에 작은 쳇바퀴가 있었다. 다람쥐는 그 속에서 재롱을 부렸다. 그날 어머니는 하마

터면 울 뻔하였다. 이상하게도 눈물이 났다. 물론 사람들은 애완동물이라고 했다. 텔레비전에서는 돼지를 집 안에서
본연의 습성대로 살아가지 못하고 인간의 욕심에 맞춰 길들여지고 있는 모습에 대한 안타까움
키우는 사람들 이야기도 나왔다. 목욕도 시키고, 옷도 입히고, 잠도 침대에서 잤다. 뱀이나 원숭이도 사람처럼 키운다. 하지만 그런 사람들도 반성해야 한다고 어머니는 중얼거렸다. 동물이 사람처럼 살 수는 없기 때문이다. 돼지들은 침대에서 자고 싶어 하지 않는다. 원숭이는 욕실에서 목욕하면서 살기를 원하지 않는다. 더러운 돼지우리일지언정, 무서운 천적들이 도사린 숲속일지라도 동물들은 그곳에서 자유롭게 살고 싶어 한다.

「 」: 글의 주제가 직접적으로 드러남.
어머니는 그날 집에 오면서 많은 생각을 했다.「야생 동물의 자유를 알아야만 사람도 진정으로 자유로울 수 있다는 것. 그 사실을 사람들은 왜 모를까? 귀여워서 갖고 싶을수록 놓아 주어야 한다. 동물은 야생에서 스스로 살아갈 때 가장 행복하고 아름답기 때문이다.」

확인학습

01 이 글엔 불교적 윤회사상이 드러나있다. O☐ X☐

02 어머니는 다람쥐가 사람을 두려워하지 않도록 적극적으로 교감해야 한다고 생각함. O☐ X☐

03 이 글은 소제목을 통해 미래의 사건을 압축적으로 제시하고 있다. O☐ X☐

04 이 글은 장면마다 서술자를 달리하여 입체감을 주고 있다. O☐ X☐

05 이 글을 통해 다람쥐가 술독에 사는 일은 흔히 볼 수 있는 일임을 알 수 있다. O☐ X☐

06 국회 의원, 군 의원, 조합장 같은 사람들은 동물 보호를 위해 어머니를 찾아왔다. O☐ X☐

07 면장은 동물을 사람처럼 키우는 일을 비판적으로 생각하고 있다 O☐ X☐

08 어머니는 야생의 동물은 야생의 환경에서 본연의 습성을 지니고 살아야 자유롭게 살아갈 수 있다고 생각한다. O☐ X☐

그 후 어머니는 다람쥐 새끼를 한 마리도 사람들에게 주지 않았다. 그래서 아주 곤란해진 적도 있고, 이상한 오해를 받기도 하였다. 심지어 읍내에 사는 어머니의 조카 손주가 와서 매달려도 고개를 흔들었다. 그 아이는 울고 난리가 났다. 어머니가 아무리 설명해도 알아듣지 못했다. 조카도 화를 냈다.

"이모, 그까짓 다람쥐가 뭔데 이러세요! 제가 돈 주고 사겠다는데요. 얘가 잠도 안 자고 밥도 안 먹어요. 이모, 이렇게 제가 부탁할게요. 두 마리만 파세요."

그래도 어머니는 들어주지 않았다. 마음이 아팠지만 어쩔 수 없었다. 아무리 사람이 야생 동물을 행복하게 해 줘
동물에 대한 인간 중심적 사고에 대한 비판
도, 야생 동물은 결코 행복해질 수 없다. 어머니는 그 말을 몇 번이나 되풀이하였다.

한번은 면 소재지에 있는 초등학교 교장이 와서,

"아이들 교육용으로 기를 테니, 몇 마리만 잡아서 기증• 해 주십시오."

하고 부탁한 일도 있다. 어머니가 거절하자, 교장은 아이들 교육보다 더 중요한 것이 있냐고 했다. 그래도 어머니는

머리를 흔들었다.

여름휴가 때 아이들을 데리고 고향을 찾아온 사람들도,

"시우 어머니, 우리가 잘 키울게요. 두 마리만 파십시오."

하고는 많은 돈을 내밀었다. 어머니가 거절하자, 밤에 몰래 와서 잡아 가는 사람도 있었다. 심지어 다람쥐에게 총을 쏘고 도망치는 사람도 있었다 한다. 그게 다 사람들의 부질없는 욕심 때문이다.

어머니는 내 딸을 안더니,

「 」: 자연이 본연의 습성을 지킬 수 있도록 도울 때, 인간도 함께 행복해질 수 있음을 의미함.

「"우리 강아지가 크면 다람쥐 덕을 보게 될 거야. 다람쥐는 여름내 부지런히 일하지. 밤도 모으고, 도토리도 모으고, 창고를 수십 개 만들어서 밤이나 도토리를 저장하거든. 허허허. 그런데 말이야, 그 녀석들은 그 많은 식량 창고를 다 기억 못 해. 그래서 어떤 건 땅에 그대로 묻혀 있게 돼. 땅에 묻힌 밤이나 도토리는 싹을 틔운단다. 우리 집 뒤란에도 그렇게 해서 싹을 틔운 밤나무가 많아. 바로 그 밤나무가 자라면 우리 강아지도 따 먹을 테니까……."」

(다람쥐 덕: 다람쥐가 땅에 묻어 놓은 밤이나 도토리에서 싹이 나서 밤나무가 되고, 밤나무에서 열매가 남→사람이 먹음.)

(뒤란: 집 뒤 울타리의 안)

하시며 달궁달궁 흔들면서 재우기 시작하셨다.

확인학습

01 어머니는 면장 집에 초대된 후, 사람들의 오해로 곤란에 빠지기도 했다. O□ X□

02 이 작품은 '어머니'가 '다람쥐'에 대해 보이는 태도를 통해서 주제를 구현하고 있다. O□ X□

03 이 글을 더 넓게 이 작품을 해석하면 인간 중심적인 가치관을 버리고, 인간은 자연의 본성을 존중하며 살아야 한다고 이해할 수 있다. O□ X□

04 '다람쥐'는 갈등의 중재자로, 자연이 지닌 관용과 포용력을 드러내 주는 역할을 하고 있다고 할 수 있다. O□ X□

⊙ 핵심정리

갈래	단편 소설	성격	생태적, 교훈적, 비판적
배경	현대, 시골 어느 마을	제재	고양이를 어미라 생각하는 다람쥐
주제	• 동물에 대한 인간 중심적 사고에 대한 비판 • 동물들이 야생의 본성을 잃지 않도록 배려하는 것의 중요성		
특징	• 주인공 '어머니'의 자식인 '나'를 서술자로 하여 이야기가 전개되고 있다. • 대상에 대한 인물의 애정을 따뜻한 시선으로 제시하고 있다.		

⊙ 어휘풀이

- **은연중(隱然中)** 남이 모르는 가운데.
- **담비** 족제빗과의 하나. 몸은 45~50cm, 꼬리는 20cm 정도이다. 족제비보다 약간 크고 누런 갈색이나 겨울에는 담색으로 변한다.
- **금줄** 부정한 것의 침범이나 접근을 막기 위하여 문이나 길 어귀에 건너질러 매거나 신성한 대상물에 매는 새끼줄.
- **식성(食性)** 음식에 대하여 좋아하거나 싫어하는 성미.
- **진화(進化)** 생물이 생명의 기원 이후부터 점진적으로 변해 가는 현상.
- **탈곡기(脫穀機)** 벼, 보리 따위의 이삭에서 낟알을 떨어내는 농기계.
- **면장(面長)** 면(面)의 행정을 맡아보는 으뜸 직위에 있는 사람.
- **지서(支署)** 본서에서 갈려 나가, 그 관할 아래 서 지역의 일을 맡아 하는 관서. 주로 경찰 지서를 이른다.
- **기증(寄贈)** 선물이나 기념으로 남에게 물품을 거저 줌.

객관식 기본문제

[01~04] 다음 글을 읽고 물음에 답하시오.

(가) 맨 처음 다람쥐가 나타난 것은 1994년 3월이다. ⓐ어머니는 마당에서 씨 고구마를 고르고 있었다. 추위에 약한 고구마는 조금만 찬바람을 맞아도 얼어서 썩어 버린다. 물론 따뜻한 방에다 보관하지만 봄이 되면 썩은 게 절반이다. 환갑을 넘긴 어머니는 점점 농사를 줄이는 중이지만, 자식들에게 부쳐 줄 농사는 최소한으로 지으신다. 고구마, 감자, 고추, 콩, 팥, 쌀농사 따위다. 쌀농사야 기계로 한다지만, 밭농사는 모두 손으로 해야 한다. 고구마를 좋아하는 자식은 둘째인 나다. 어머니는 나 때문에 해마다 고구마 농사를 짓는다.

(나) 어머니는 하도 반가워서 은연중*에 다람쥐를 쓰다듬었다. 그러다가 어머니는 놀라 일어섰다. 아무리 작은 동물이라고 해도 그놈은 야생 다람쥐가 아닌가. ⓑ잘못 건드리다가는 물릴 수도 있다. 다람쥐는 이빨 독이 있는지라 물리면 잘 낫지도 않는데……. 하지만 다람쥐는 어머니를 전혀 경계하지 않았다. 그제야 어머니는 다람쥐에게 미안함을 느꼈다.

"미안하다. 사람이란 이래. 늘 의심하고, 걱정하고, 두려워하고, 남을 못 믿고…… 그렇게 평생을 살거든. 그래서 늙으면 교활해지지. 이해하렴."

커다란 집에서 혼자 사는 어머니는 마치 말벗을 만난 듯했다.

(다) 어미 잃은 새끼들

ⓒ어머니는 다람쥐 어미를 정성스럽게 보살폈다. 보고 들은 경험으로 다람쥐의 먹이를 구하고, 밥도 주었다. 묵은 밤도 구해다 주었다. 열매라고 생겼으면 무엇이든지 따다 주었다. 사실 지난봄부터 다람쥐는 스스로 먹이를 구하지 않았다. 애써서 먹이를 구할 필요가 없었다. 어머니가 다 구해다 주었기 때문이다. 어머니는 다람쥐의 식성*을 잘 알았다. 곤충도 먹고, 생선도 먹는다. 가끔씩 풀도 먹고 물도 마셔야 한다. 새끼들은 무럭무럭 자랐다. 수컷 다람쥐는 서너 번 보이더니 사라졌다. 다른 동물에게 낭한 보양이다. ⓓ그래서 암컷 다람쥐는 더욱 먹이를 어머니에게 의존했는지 모른다. 어머니는 암컷 다람쥐가 얼마만큼 게을러져 있는지 몰랐다. 다람쥐는 먹이를 구하려는 노력을 전혀 하지 않았다. 야생 동물이 먹이 구하는 본능을 잃어 간다는 사실이 얼마나 큰 불행을 가져오는지 어머니는 미처 생각하지 못했다. 다람쥐도 마찬가지였다.

(라) 야생 암다람쥐는 수놈에게 하나씩 교육을 시켰다. 우선 겨울 준비를 해야 한다고 했다. 알밤과 도토리를 모아다가 식량 창고를 만들었다. 식량 창고는 돌 틈이나 땅속에다 마련했다. 10여개의 도토리나 밤을 모아 놓고 흙을 덮어 수십 개의 창고를 만든다. 지푸라기나 낙엽도 물어 날랐다. 그래야만 겨울을 따뜻하게 나기 때문이다. 〈중략〉 다람쥐 부부는 일곱 마리의 새끼를 낳았다. 고양이 젖을 먹고 자란 수컷은 부지런히 먹이를 찾아다녔다. 풀, 도토리, 도마뱀도 있었다. 하도 안쓰러워서 식량 창고를 가르쳐 주기도 했지만, 어머니는 그런 간섭도 필요 없다는 판단이 들었다. 사람이든 동물이든 힘든 시절이 필요하다. 그 시절을 겪어야만 좀 더 성숙해지니까. 일의 필요성을 느끼고, 고통을 참고 이겨내는 방법을 깨닫기 때문이다.

(마) ⓔ그 후 어머니는 다람쥐 새끼를 한 마리도 사람들에게 주지 않았다. 그래서 아주 곤란해진 적도 있고, 이상한 오해를 받기도 하였다. 심지어 읍내에 사는 어머니의 조카 손주가 와서 매달려도 고개를 흔들었다. 그 아이는 울고 난리가 났다. 어머니가 아무리 설명해도 알아듣지 못했다. 조카도 화를 냈다.

"이모, 그까짓 다람쥐가 뭔데 이러세요! 제가 돈 주고 사겠다는데요. 얘가 잠도 안 자고, 밥도 안 먹어요. 이모, 이렇게 제가 부탁할게요. 두 마리만 파세요."

그래도 어머니는 들어주지 않았다. 마음이 아팠지만 어쩔 수 없었다. 아무리 사람이 야생 동물을 행복하게 해줘도, 야생 동물은 결코 행복해질 수 없다.

– 이상권, 「고양이가 기른 다람쥐」 –

***은연중(隱然中)** : 남이 모르는 가운데.
***식성(食性)** : 음식에 대하여 좋아하거나 싫어하는 성미.

01 윗글에 대한 설명으로 적절하지 <u>않은</u> 것은?

① 앞으로 일어날 일을 예고하는 복선이 나타난다.
② 장면마다 서술자를 달리하여 입체감을 주고 있다.
③ 허구적 이야기로 작가의 상상에 의해 쓰여진 것이다.
④ 시간의 흐름에 따라 이야기가 진행되는 순행적 구성이다.
⑤ 소제목을 통해 미래의 사건을 압축적으로 제시하고 있다.

02 다음 중 ㉮의 관점으로 작품을 해석한 것으로 적절한 것은?

보기

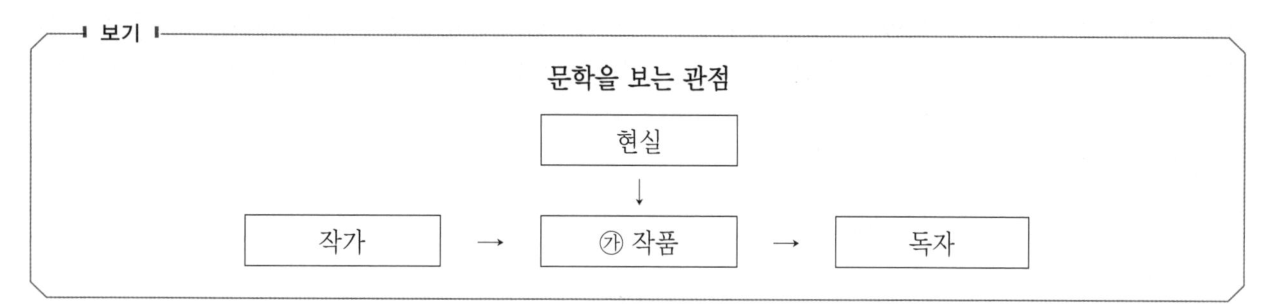

① 현대의 우리의 모습을 보여주는 것 같아서 많이 부끄러웠어.
② 돼지를 침대에 재우거나 알파카를 집 안에 키우는 세태가 담겨져 있어.
③ 이 작품은 인간 중심적으로 동물을 바라보는 사고방식을 비판이라는 주제를 담고 있어.
④ 나는 이 작품을 통해 동물들이 야생의 본성을 잃지 않도록 배려하는 것의 중요성을 깨달았어.
⑤ 소설가 이상권은 어렸을 때 시골에서 자랐는데, 그것이 글을 쓸 때 많은 영향을 줬다고 해.

03 〈보기〉는 윗글에 나타난 서술상의 특징이다. 밑줄 친 특징이 나타난 곳은?

보기

이글에는 작품 속 서술자가 주인공과 다람쥐의 이야기를 전달해주고 있다. 이 경우 말과 행동을 관찰하여 객관적으로 전달하기 마련인데, 이 글에서는 <u>주인공의 속마음과 감정을 직접적으로 전달하여</u> 독자들의 이해를 돕고 있다.

① ⓐ　② ⓑ　③ ⓒ　④ ⓓ　⑤ ⓔ

04 다음 중 윗글의 내용과 일치하지 <u>않는</u> 것은?

① 어머니가 농사를 짓는 것은 고구마를 좋아하는 둘째를 위해서이다.
② 다시 만난 다람쥐를 본 어머니의 감정은 '반가움→놀람→미안함'으로 바뀌게 된다.
③ '묵은 밤'은 다람쥐에 대한 어머니의 애정을 보여준다.
④ 고양이 젖을 먹고 자란 수컷은 그 결과 야생성을 찾게 되었다.
⑤ 사람들은 동물들을 사람의 소유물로 생각했지만, 마지막에는 다람쥐가 야생동물임을 인식하게 된다.

[05~06] 다음 글을 읽고 물음에 답하시오.

(가) 사실 지난봄부터 다람쥐는 스스로 먹이를 구하지 않았다. 애써서 먹이를 구할 필요가 없었다. 어머니가 다 구해다 주었기 때문이다. 어머니는 다람쥐의 식성을 잘 알았다. 곤충도 먹고, 생선도 먹는다. 가끔씩 풀도 먹고 물도 마셔야 한다. 새끼들은 무럭무럭 자랐다. 수컷 다람쥐는 서너 번 보이더니 사라졌다. 다른 동물에게 당한 모양이다. 그래서 암컷 다람쥐는 더욱 먹이를 어머니에게 의존했는지 모른다. 어머니는 암컷 다람쥐가 얼마만큼 게을러져 있는지 몰랐다.

(나) 어머니가 시골집으로 내려왔을 때는 끔찍한 비극이 기다리고 있었다. 갓 눈을 뜬 다람쥐 새끼들이 애타게 어미를 찾고 있었다. 새끼들은 몸을 가누지도 못했다. 겨우 숨만 쉬는 놈도 있었다. 적어도 사흘 이상은 굶었을 것 같았다. 순간 어머니는 눈앞이 캄캄했다.

'죽었구나. 아, 내 실수야. 내가 먹을 것을 충분히 주고 갔어야 하는데…….'

어머니는 자신의 책임이라고 가슴을 쳤다. 배가 고픈 어미 다람쥐는 애타게 어머니를 기다렸으리라. 그러나 어머니는 하루 이틀이 지나도 돌아오지 않았다. 젖조차 말라붙은 어미 다람쥐는 어쩔 수 없이 밖으로 나갔다. 하도 오랜만에 밖으로 나와서 먹이를 구하려고 하니 쉽지 않았다. 야생의 세계에서 살려면 반드시 지켜야 할 규칙들도 다 잊어버렸다. 그러니 다른 동물들에게 잡아먹히는 건 시간 문제였으리라. 어머니는 감나무 밑에 한 무더기 떨어진 부엉이 똥을 발견했다. 그 속에는 커다란 다람쥐 머리뼈가 들어 있었다.

(다) 고양이는 다람쥐의 무서운 천적이다. 그래서 더욱 믿어지지 않았다. 고양이가 다람쥐 새끼를 죽이지 않고 자기 새끼로 생각한다는 점이 꿈만 같았다. 순간적으로 어머니는

"신이야말로 공평하십니다." / 하면서 두 손을 모았다.

〈중략〉

어머니는 고양이한테 전혀 간섭하지 않았다. 고양이는 자기 방식대로 다람쥐를 교육시켰다. 음식도 육식을 강요하였다. 다람쥐 새끼들은 도토리나 밤 대신 고기만 먹었다. 주로 쥐였다. 게다가 '찍찍' 울어야 하건만, '야옹야옹' 하려고 들었다. 그러다 보니, '찌옹찌옹'하는 소리가 되었다.

쥐나 참새를 사냥하는 방법도 배웠지만 발톱이 날카롭지 않은 다람쥐 새끼들은 번번이 실패하였다. 그럴 수밖에 없는 것이, 고양이는 예민한 코로 쥐를 찾아낸다. 그러나 다람쥐는 귀가 밝지만 코는 무딘 편이다.

(라) 가을 수확 철이 되었다. 어느 날 마을 사람들이 탈곡기 안에 숨어든 다람쥐 한 마리를 잡았다. 어머니는 그 다람쥐를 달라고 하였다. 그리고 술독에서 사는 다람쥐와 함께 사흘간 가둬 놓았다. 〈중략〉

야생 암다람쥐는 수놈에게 하나씩 교육을 시켰다. 우선 겨울 준비를 해야 한다고 했다. 알밤과 도토리를 모아다가 식량 창고를 만들었다. 식량 창고는 돌 틈이나 땅 속에다 마련했다. 10여 개의 도토리나 밤을 모아 놓고 흙을 덮어 수십 개의 창고를 만든다. 지푸라기나 낙엽도 물어 날랐다. 그래야만 겨울을 따뜻하게 나기 때문이다. 또 겨울이 오기 전에 많이 먹어 두어야 한다는 사실도 알려 주었다. 겨울잠 자는 곰이나 오소리는 덩치가 크기 때문에 지방을 몸에다 많이 모아 놓을 수 있다. 몸이 작은 다람쥐는 그만큼은 못하더라도 최대한으로 지방을 모아 놓아야만 한다. 천적에 대해서도 가르쳐 주었다. 고양이나 개, 족제비, 담비 같은 천적은 주로 코를 이용하니까 그런 동물이 나타나면 무조건 도망치지 말고 바람을 이용하라는 것이다. 어머니는 다람쥐의 생활을 지켜보기만 하였다.

(마) 그 후 어머니는 다람쥐 새끼를 한 마리도 사람들에게 주지 않았다. 그래서 아주 곤란해진 적도 있고, 이상한 오해를 받기도 하였다. 심지어 읍내에 사는 어머니의 조카 손주가 와서 매달려도 고개를 흔들었다. 그 아이는 울고 난리가 났다. 어머니가 아무리 설명해도 알아듣지 못했다. 조카도 화를 냈다.

"이모, 그까짓 다람쥐가 뭔데 이러세요! 제가 돈 주고 사겠다는데요. 애가 잠도 안 자고, 밥도 안 먹어요. 이모, 이렇게 제가 부탁할게요. 두 마리만 파세요."

그래도 어머니는 들어주지 않았다. 마음이 아팠지만 어쩔 수 없었다. 아무리 사람이 야생 동물을 행복하게 해줘도, 야생 동물은 결코 행복해질 수 없다. 어머니는 그 말을 몇 번이나 되풀이하였다.

– 이상권, 「고양이가 기른 다람쥐」 –

05 (가)~(마)에 대한 설명으로 적절하지 않은 것은?

① (가) : 어머니의 보살핌 때문에 어미 다람쥐가 야생성을 잃음
② (나) : 어머니가 집을 비운 동안 어미 다람쥐가 죽음
③ (다) : 새끼 다람쥐가 고양이처럼 자란 탓에 공격을 당하게 됨
④ (라) : 수컷 다람쥐는 야생 다람쥐를 만나 야생성을 익히게 됨
⑤ (마) : 사람들이 다람쥐를 애완동물로 생각하는 것을 안타까워함

06 〈보기1〉을 참고하여, 〈보기2〉에 나타난 감상의 관점으로 적절한 것은?

보기 1

[현실(반영론)]
↓
[작가(표현론)] → [작품(절대론)] → [독자(효용론)]

ㄱ. 반영론적 관점 : 작품을 단순한 상상력의 산물이 아니라 구체적 현실의 반영이라고 보는 관점
ㄴ. 표현론적 관점 : 작품을 특정 작가의 사상, 감정, 체험, 의도가 담긴 것으로 보는 관점
ㄷ. 절대론적 관점 : 작품을 작가나 시대 등과 분리하여 감상하는 관점
ㄹ. 효용론적 관점 : 작품을 읽고 난 후의 독자의 미적 쾌감, 교훈, 감동 등에 초점을 두어 작품을 평가하는 관점
ㅁ. 표현론, 반영론, 효용론은 외재적 관점, 절대론은 내재적 관점에 해당함

보기 2

[갑] 작가는 시골에서 어린 시절을 보낸 경험을 살려 동물이나 식물을 소재로 글을 쓰고 있다는 말을 들었는데 〈고양이가 기른 다람쥐〉 속에서도 작가의 그런 가치관이 드러나고 있어.
[을] 그렇구나. 그래서 〈고양이가 기른 다람쥐〉에서 다람쥐가 야생성을 유지하며 살아가는 게 제일 행복하다는 것을 강조하고 싶었던 거구나.
[병] 나는 〈고양이가 기른 다람쥐〉를 읽고, 예전에 부엉이를 기르고 싶다며 어머니에게 무리하게 졸랐던 일을 반성하게 되었어.

	[갑]	[을]	[병]
①	내재적 관점	외재적 관점	내재적 관점
②	반영론적 관점	표현론적 관점	절대론적 관점
③	표현론적 관점	절대론적 관점	효용론적 관점
④	절대론적 관점	효용론적 관점	반영론적 관점
⑤	효용론적 관점	반영론적 관점	표현론적 관점

[07~09] 다음 글을 읽고 물음에 답하시오.

(가) 맨 처음 다람쥐가 나타난 것은 1994년 3월이다. 어머니는 마당에서 씨 고구마를 고르고 있었다. 추위에 약한 고구마는 조금만 찬바람을 맞아도 얼어서 썩어 버린다. 물론 따뜻한 방에다 보관하지만 봄이 되면 썩은 게 절반이다. 환갑을 넘긴 어머니는 점점 농사를 줄이는 중이지만, 자식들에게 ⓐ부쳐 줄 농사는 최소한으로 지으신다. 고구마, 감자, 고추, 콩, 팥, 쌀농사 따위다. 쌀농사야 기계로 한다지만, 밭농사는 모두 손으로 해야 한다. 고구마를 좋아하는 자식은 둘째인 나다. 어머니는 나 때문에 해마다 고구마 농사를 짓는다.

그날따라 어머니는 내 생각으로 눈을 감고 있었다. 그런데 뭔가 발등을 타고 넘어갔다. 눈을 떠 보니 아주 귀여운 다람쥐다. 숱하게 보아 온 동물이지만 그날은 특별하게 보였다. 사람이 나이 들면 동물을 좋아한다는 말이 있다. 자연과 가까워진다는 뜻이다. 자연과 가깝다는 말은 죽을 날이 가까워졌다는 뜻도 된다. 아무튼 평소에는 거들떠보지도 않던 동물이지만 어머니는 다람쥐를 유심히 바라다보았다. 겨울잠에서 깬 후 충분히 먹지 못했는지 여위어 보였다. 하긴, 아직은 다람쥐들이 배고픈 계절이다.

(나) 어머니는 다람쥐 어미를 정성스럽게 보살폈다. 보고 들은 경험으로 다람쥐의 먹이를 구하고, 밥도 주었다. 묵은 밤도 구해다 주었다. 열매라고 생겼으면 무엇이든지 따다 주었다. 사실 지난봄부터 다람쥐는 스스로 먹이를 구하지 않았다. ⓑ애써서 먹이를 구할 필요가 없었다. 어머니가 다 구해다 주었기 때문이다. 어머니는 다람쥐의 식성을 잘 알았다. 곤충도 먹고, 생선도 먹는다. 가끔씩 풀도 먹고 물도 마셔야 한다. 새끼들은 무럭무럭 자랐다. 수컷 다람쥐는 서너 번 보이더니 사라졌다. 다른 동물들에게 당한 모양이다. 그래서 암컷 다람쥐는 더욱 먹이를 어머니에게 의존했는지 모른다. 어머니는 암컷 다람쥐가 얼마만큼 게을러져 있는지 몰랐다. 다람쥐는 먹이를 구하려는 노력을 전혀 하지 않았다. 야생 동물이 먹이 구하는 본능을 잃어 간다는 사실이 얼마나 큰 불행을 가져오는지 어머니는 미처 생각하지 못했다. 다람쥐도 마찬가지였다.

(다) '죽었구나. 아, 내 실수야. 내가 먹을 것을 충분히 주고 갔어야 하는데…….'

어머니는 자신의 책임이라고 가슴을 쳤다. 배가 고픈 어미 다람쥐는 애타게 어머니를 기다렸으리라. 그러나 어머니는 하루 이틀이 지나도 돌아오지 않았다. 젖조차 말라붙은 어미 다람쥐는 어쩔 수 없이 밖으로 나갔다. 하도 오랜만에 밖으로 나와서 먹이를 구하려고 하니 쉽지 않았다. 야생의 세계에서 살려면 반드시 지켜야 할 규칙들도 다 잊어버렸다. 그러니 다른 동물들에게 잡아먹히는 건 시간 문제였으리라.

어머니는 감나무 밑에 한 무더기 떨어진 부엉이 똥을 발견했다. 그 속에는 커다란 다람쥐 머리뼈가 들어 있었다. 어머니는 신을 원망했다.

"죽은 어미야 어쩔 수 없다고 ⓒ쳐도, 새끼들은 어떻게 합니까? 신은 공평하다고 했습니다. 강한 동물에게는 약한 새끼를 주시고, 약한 동물에게는 강한 새끼를 주셨다고 했지요. 그래서 사람이나 사자, 호랑이 새끼들은 아주 약하고, 자라는 데 시간이 오래 걸리지요. 반대로 노루같이 약한 동물은 태어나자마자 뛰어다닐 수 있을 정도로 강하고, 자라는 속도도 빠릅니다. 그런데 노루나 토끼보다 약한 다람쥐에게는 왜 불공평합니까? 당연히 다람쥐 새끼도 태어나자마자 눈을 뜨고, 어미처럼 뛰어다닐 수 있도록 하셔야지요……."

(라) 갑자기 술독에서 고양이 한 마리가 뛰쳐나온 것이다. 어머니는 그 고양이가 다람쥐 새끼들을 다 잡아먹었으리라고 생각했다. 하지만 놀랍게도 어머니의 손전등을 받으며 꿈틀거리는 다람쥐 새끼들이 있었다. 고양이 새끼들도 보였다. 놀랍게도 고양이가 다람쥐 둥지에다 새끼를 낳은 모양이었다. 고양이 새끼는 네 마리였다. 고양이는 다람쥐의 무서운 천적이다. 그래서 더욱 믿어지지 않았다. 고양이가 다람쥐 새끼를 죽이지 않고 자기 새끼로 생각한다는 점이 꿈만 같았다. 순간적으로 어머니는,

"신이야말로 공평하십니다."

하면서 두 손을 모았다. 어머니도 가끔씩 텔레비전이나 소문으로 염소가 송아지를 키우고, 개가 호랑이 새끼를 키웠다

는 소리를 듣긴 했지만, 고양이가 천적인 다람쥐 새끼를 키웠다는 소리는 듣지 못했다. 고양이는 다람쥐 새끼를 친자식처럼 키워 주었다. 한 달이 지나자 어미 고양이는 술독을 떠났다.

다람쥐와 고양이의 생활은 전혀 다르다. 다람쥐는 어느 한 곳에다 보금자리를 정해 놓고 생활하는 반면, 고양이는 일정한 보금자리가 없다. 이 집 저 집, 이 곳 저 곳을 돌아다니면서 잠을 잔다.

(마) 야생 암다람쥐는 수놈에게 하나씩 교육을 시켰다. 우선 겨울 준비를 해야 한다고 했다. 알밤과 도토리를 모아다가 식량 창고를 만들었다. 식량 창고는 돌 틈이나 땅 속에다 마련했다. 10개의 도토리나 밤을 모아 놓고 흙을 덮어 수십 개의 창고를 만든다. 지푸라기나 낙엽도 물어 날랐다. 그래야만 겨울을 따뜻하게 나기 때문이다.

또 겨울이 오기 전에 많이 먹어 두어야 한다는 사실도 알려 주었다. 겨울잠 자는 곰이나 오소리는 덩치가 크기 때문에 지방을 몸에다 많이 모아 놓을 수 있다. 몸이 작은 다람쥐는 그만큼은 못하더라도 최대한으로 지방을 모아 놓아야만 한다.

천적에 대해서도 가르쳐 주었다. 고양이나 개, 족제비, 담비 같은 천적은 주로 코를 이용하니까 그런 동물이 나타나면 무조건 도망치지 말고 바람을 이용하라는 것이다. 절대로 바람을 등져서는 안 된다고 단단히 일러주었다. 그리고 부엉이나 올빼미들은 귀가 아주 ⓓ<u>밝다</u>는 점을 강조하였다. 그들의 귀는 아주 미세한 움직임까지 알아내고는 먹이를 정확하게 발톱으로 움켜쥔다. 그들이 고양이 같은 육식 동물보다 더 무섭다.

(바) 면장에게 두 마리를 주었을 때만 해도 이런 부탁은 마지막이겠지 했다. 하지만 어머니를 만나는 사람들은 ⓔ<u>은근히</u>,

"우리 아이들이 다람쥐를 키워 보고 싶어 해서요. 요즘 서울 사람들도 다람쥐를 많이 키운답니다. 우선 기르기가 쉽고, 무엇보다도 귀여우니까요."

하면서 다람쥐 새끼를 달라고 하였다. 조합장, 조합 직원, 지서 주임, 군청 공무원, 심지어 학교 선생님까지도 그랬다.

다람쥐 부부는 두 달 간격으로 새끼를 낳았고 어머니는 열두 마리의 다람쥐를 사람들에게 주었다.

지난달에는 면장 집에 초대되기도 했다. 면장의 손자들이 다람쥐를 키우고 있었다. 다람쥐 집은 앵무새를 키웠던 작은 철장 집이었는데, 그 철창 안에 작은 쳇바퀴가 있었다. 다람쥐는 그 속에서 재롱을 부렸다. 그날 어머니는 하마터면 울 뻔하였다. 이상하게도 눈물이 났다. 물론 사람들은 애완동물이라고 했다. 텔레비전에서는 돼지를 집 안에서 키우는 사람들 이야기도 나왔다. 목욕도 시키고, 옷도 입히고, 잠도 침대에서 잤다. 뱀이나 원숭이도 사람처럼 키운다. 하지만 그런 사람들도 반성해야 한다고 어머니는 중얼거렸다. 동물이 사람처럼 살 수는 없기 때문이다. 돼지들은 침대에서 자고 싶어 하지 않는다. 원숭이는 욕실에서 목욕하면서 살기를 원하지 않는다. 더러운 돼지우리일지언정, 무서운 천척들이 도사린 숲속일지라도 동물들은 그곳에서 자유롭게 살고 싶어 한다.

– 이상권, 「고양이가 기른 다람쥐」 –

07 (가)~(바)에 대한 설명으로 적절하지 <u>않은</u> 것은?

① (가)에는 서술자와 주인공의 관계를 확인할 수 있는 내용이 제시되어 있다.
② (나)에는 앞으로 전개될 사건에 대해 암시가 나타나있다.
③ (다)와 (라)에는 주인공의 말을 통해 특정 대상에 대한 상반된 태도가 나타내고 있다.
④ (마)에서는 주인공의 과거 회상을 통해 사건이 전개되고 있다.
⑤ (바)에서는 대립적인 공간을 제시하여 주제를 드러내고 있다.

08 윗글을 읽은 학생들이 〈보기〉의 기사를 읽고 보인 반응으로 가장 적절한 것은?

보기

멸종위기 야생동물 복원사업을 벌이는 국립공원관리공단 종복원기술원은 반달가슴곰을 러시아에서 데려와 지리산국립공원에 방사했다. 곰은 'RM-62'라는 이름도 얻었다. 이 반달가슴곰은 불행히도 지리산 노고단(높이 1천507m) 주변에서 등산객들에 자주 노출됐다. 등산객들은 크기가 작은 새끼 곰인 RM-62를 귀여워해 사진을 찍으며 초콜릿, 과일, 음료 등을 건넸다. RM-62 또한 사람을 경계하지 않고 '선물'에 길들였다. 종복원기술원은 이를 심각한 문제로 받아들였다. 문광선 센터장은 연합뉴스와 통화에서 "곰의 야생성이 유지되지 않아 사람에 계속 접근하며 자칫 사고가 발생해 사람과 곰 모두에게 문제가 생길 수 있다"고 설명했다. 한 번 사람 손을 탄 RM-62는 계속해서 등산객 주변을 어슬렁거리며 먹이를 얻어먹었다. 결국, 지난달 26일 잡힌 이 곰은 전날 구례군에 있는 종복원기술원의 우리에 갇히는 신세가 됐다. 확정되지는 않았지만, RM-62는 여생을 우리에 갇혀 지내며 반달가슴곰 증식을 위한 정자 공급원 역할을 하게 될 가능성이 크다.

– 연합뉴스, 2018.11.04 –

① 윗글과 〈보기〉 모두 인간의 개입으로 인해 동물이 야생의 습성을 회복하고 있군.
② 윗글과 〈보기〉 모두 야생 동물이 본성을 지키며 살아가야 한다고 주장하는 인물이 등장하고 있군.
③ 윗글과 〈보기〉 모두 전문가가 인간과 동물이 공존할 수 있는 다양한 방법을 구체적으로 제시하고 있군.
④ 윗글과 달리 〈보기〉는 인간의 개입으로 야생 상태계의 먹이 사슬이 붕괴된 사례가 등장하고 있군.
⑤ 〈보기〉와 달리 윗글은 인간의 개입이 야생 동물의 생존에 미치는 부정적인 영향을 보여주고 있군.

09 ⓐ~ⓔ의 사전적 의미로 적절하지 않은 것은?

① ⓐ : 논밭을 이용하여 농사를 짓다.
② ⓑ : 마음과 힘을 다하여 무엇을 이루려고 힘쓰다.
③ ⓒ : 어떠한 상태라고 인정하거나 사실인 듯 받아들이다.
④ ⓓ : 감각이나 지각의 능력이 뛰어나다.
⑤ ⓔ : 행동 따위가 함부로 드러나지 아니하고 은밀하게.

[10~11] 다음 글을 읽고 물음에 답하시오.

(가) 맨 처음 다람쥐가 나타난 것은 1994년 3월이다. 어머니는 마당에서 씨 고구마를 고르고 있었다. 추위에 약한 고구마는 조금만 찬바람을 맞아도 얼어서 썩어 버린다. 물론 따뜻한 방에다 보관하지만 봄이 되면 썩은 게 절반이다. 환갑을 넘긴 어머니는 점점 농사를 줄이는 중이지만, 자식들에게 부쳐 줄 농사는 최소한으로 지으신다. 고구마, 감자, 고추, 콩, 팥, 쌀농사 따위다. 쌀농사야 기계로 한다지만, 밭농사는 모두 손으로 해야 한다. 고구마를 좋아하는 자식은 둘째인 나다. 어머니는 나 때문에 해마다 고구마 농사를 짓는다.

(나) 그날따라 어머니는 내 생각으로 눈을 감고 있었다. 그런데 뭔가 발등을 타고 넘어갔다. 눈을 떠 보니 아주 귀여운 다람쥐다. 숱하게 보아 온 동물이지만 그날은 특별하게 보였다. 사람이 나이 들면 동물을 좋아한다는 말이 있다. 자연과 가까워진다는 뜻이다. 자연과 가깝다는 말은 죽을 날이 가까워졌다는 뜻도 된다. 아무튼 평소에는 거들떠보지도 않던 동물이지만 어머니는 다람쥐를 유심히 바라다보았다. 겨울잠에서 깬 후 충분히 먹지 못했는지 여위어 보였다. 하긴, 아직은 다람쥐들이 배고픈 계절이다.

"옜다, 이거 먹으렴."

어머니는 고구마 한 개를 반으로 쪼개서 던져 주었다. ㉠다람쥐가 어머니 눈치를 살폈다. 어머니가 웃어 주었다.

"괜찮다. 어서 먹으렴. 나는 너를 잡을 만큼 빠르지도 않단다. 너를 잡아서 키울 만큼 부지런하지도 않고, 너를 잡아서 팔 만큼 욕심도 없단다. 그러니까 안심하고 먹으렴."

어머니는 다람쥐가 사람 말을 알아듣는다고 생각했다. 그것은 어머니의 어머니가 가르쳐 준 진리였다. 사람하고 가깝게 살아가는 동물 앞에서는 말을 함부로 하지 말라고.

"특히 집에서 기르는 짐승들은 사람 말을 알아들어. 소도 알아듣고, 돼지, 개, 닭, 염소도…… 쥐는 사람이 기르지는 않지만 사람과 같이 살지. 그래서 쥐도 사람 말을 알아듣는단다."

어머니는 우리에게도 그런 말을 자주 하셨다. 과연 다람쥐는 어머니의 말을 알아들었다. 어머니가 옆에 가도 도망치지 않았다. 하루 이틀 날이 가고, 어머니는 그날 일을 까마득히 잊어버렸다.

(다) 어머니는 다람쥐 어미를 정성스럽게 보살폈다. 보고들은 경험으로 다람쥐의 먹이를 구하고, ㉡밥도 주었다. 묵은 밤도 구해다 주었다. 열매라고 생겼으면 무엇이든지 따다 주었다. 사실 지난봄부터 ㉢다람쥐는 스스로 먹이를 구하지 않았다. 애써서 먹이를 구할 필요가 없었다. 어머니가 다 구해다 주었기 때문이다. 어머니는 다람쥐의 식성을 잘 알았다. 곤충도 먹고, 생선도 먹는다. 가끔씩 풀도 먹고 물도 마셔야 한다. 새끼들은 무럭무럭 자랐다. 수컷 다람쥐는 서너 번 보이더니 사라졌다. 다른 동물에게 당한 모양이다. 그래서 암컷 다람쥐는 더욱 먹이를 어머니에게 의존했는지 모른다. 어머니는 암컷 다람쥐가 얼마만큼 게을러져 있는지 몰랐다. 다람쥐는 먹이를 구하려는 노력을 전혀 하지 않았다. 야생 동물이 먹이 구하는 본능을 잃어 간다는 사실이 얼마나 큰 불행을 가져오는지 어머니는 미처 생각하지 못했다. 다람쥐도 마찬가지였다.

그해 늦여름.

어머니는 오랜만에 서울 나들이를 하였다. 처음에는 큰아들, 작은아들네 집에서 하룻밤씩 자고 오려고 했다. 하지만 뜻대로 되지 않았다. 자식들이 며칠만 더 쉬고 가라고 물고 늘어졌다. 게다가 서울에 있는 친척들마저 어머니를 붙들고 여기저기 구경 다녔다. 그러다 보니 열흘이 지났다. 그제야 퍼뜩 다람쥐를 떠올린 어머니가 시골집으로 내려왔을 때는 ㉣끔찍한 비극이 기다리고 있었다. 갓 눈을 뜬 다람쥐 새끼들이 애타게 어미를 찾고 있었다. 새끼들은 몸을 가누지도 못했다. 겨우 숨만 쉬는 놈도 있었다. 적어도 사흘 이상은 굶었을 것 같았다. 순간 어머니는 눈앞이 캄캄했다.

'죽었구나. 아, 내 실수야. 내가 먹을 것을 충분히 주고 갔어야 하는데…….'

어머니는 자신의 책임이라고 가슴을 쳤다. 배가 고픈 어미 다람쥐는 애타게 어머니를 기다렸으리라. 그러나 어머니는 하루 이틀이 지나도 돌아오지 않았다. 젖조차 말라붙은 어미 다람쥐는 어쩔 수 없이 밖으로 나갔다. 하도 오랜만에 밖으로 나와서 먹이를 구하려고 하니 쉽지 않았다. 야생의 세계에서 살려면 반드시 지켜야 할 규칙들도 다 잊어버렸다. 그러니 다른 동물들에게 잡아먹히는 건 시간 문제였으리라.

어머니는 감나무 밑에 한 무더기 떨어진 부엉이 똥을 발견했다. 그 속에는 커다란 다람쥐 머리뼈가 들어 있었다. ㉤어머니는 신을 원망했다.

(라) 그런데 다음 날 믿어지지 않는 일이 벌어졌다. 죽은 새끼들이나 묻어 주려고 보일러실로 들어간 어머니는 깜짝 놀라고 말았다.

"야옹, 야옹!"

갑자기 술독 속에서 시커먼 고양이 한 마리가 뛰쳐나온 것이다. 어머니는 그 고양이가 다람쥐 새끼들을 다 잡아먹었으리라고 생각했다. 하지만 놀랍게도 어머니의 손전등을 받으며 꿈틀거리는 다람쥐 새끼들이 있었다. 고양이 새끼들도 보였다. 놀랍게도 고양이가 다람쥐 둥지에다 새끼를 낳은 모양이었다. 고양이 새끼는 네 마리였다. 고양이는 다람쥐의 무서운 천적이다. 그래서 더욱 믿어지지 않았다. 고양이가 다람쥐 새끼를 죽이지 않고 자기 새끼로 생각한다는 점이 꿈만 같았다.

순간적으로 어머니는

㉥"신이야말로 공평하십니다."

하면서 두 손을 모았다.

(마) 하지만 고양이 젖을 먹고 자란 다람쥐에게 고양이가 적이라는 말은 소용없었다. 아침에 이웃집 고양이한테 혼쭐이 나고도, 고양이만 보면 달려 나갔다. 아슬아슬한 순간이 한두 번이 아니었다. 개나 족제비, 부엉이는 무서워하면서도 오직 고양이만은 철석같이 믿었다. 어머니는 야생에서 자란 다른 다람쥐를 만나게 해야 한다고 생각했다.

가을 수확 철이 되었다.

어느 날 마을 사람이 탈곡기 안에 숨어든 다람쥐 한 마리를 잡았다. 어머니는 그 다람쥐를 달라고 하였다. 그리고 술독에서 사는 다람쥐와 함께 사흘간 가둬 놓았다. 그 후 술독을 열어 놓아도 야생 다람쥐는 도망치지 않았다. 그놈은 암컷이었고, 고양이 젖을 먹고 자란 다람쥐는 수컷이었으니까. 야생 암다람쥐는 수놈에게 하나씩 교육을 시켰다. 우선 겨울 준비를 해야 한다고 했다. 알밤과 도토리를 모아다가 식량 창고를 만들었다. 식량 창고는 돌 틈이나 땅 속에다 마련했다. 10여 개의 도토리나 밤을 모아 놓고 흙을 덮어 수십 개의 창고를 만든다. 지푸라기나 낙엽도 물어 날랐다. 그래야만 겨울을 따뜻하게 나기 때문이다.

또 겨울이 오기 전에 많이 먹어 두어야 한다는 사실도 알려 주었다. 겨울잠 자는 곰이나 오소리는 덩치가 크기 때문에 지방을 몸에다 많이 모아 놓을 수 있다. 몸이 작은 다람쥐는 그만큼은 못하더라도 최대한으로 지방을 모아 놓아야만 한다.

천적에 대해서도 가르쳐 주었다. 고양이나 개, 족제비, 담비 같은 천적은 주로 코를 이용하니까 그런 동물이 나타나면 무조건 도망치지 말고 바람을 이용하라는 것이다. 절대로 바람을 등져서는 안 된다고 단단히 일러주었다. 그리고 부엉이나 올빼미들은 귀가 아주 밝다는 점을 강조하였다. 그들의 귀는 아주 미세한 움직임까지 알아내고는 먹이를 정확하게 발톱으로 움켜쥔다. 그들이 고양이 같은 육식 동물보다 더 무섭다.

어머니는 다람쥐의 생활을 지켜보기만 하였다. 이제는 절대로 밥을 주지 않았다. 하지만 고양이 젖을 먹고 자란 수다람쥐는 여전히 어머니를 무척 따랐다.

"얘야, 나가서 네 짝이랑 자거라. 너는 다람쥐야. 사람하고 가까워질수록 너는 나약해져."

어머니는 그 말을 버릇처럼 내뱉었다.

10 윗글에 대한 설명으로 적절하지 않은 것은?

① (가), (나)에는 서술자가 직접 겪은 경험이 서술되어 있다.
② (나)는 (가)와 달리 인물의 심리 상태가 서술되어 있다.
③ (다)에는 앞으로 전개될 사건에 대한 암시가 나타난다.
④ (다)에서는 그 동안 일어난 사건을 추측을 통해 서술하고 있다.
⑤ (마)에는 이전과 다른 다람쥐에 대한 어머니의 인식이 드러난다.

11 ㉠~㉥에 대한 설명으로 적절하지 않은 것은?

① ㉠은 야생의 다람쥐이다.
② ㉡은 ㉢의 행동을 초래한 원인이다.
③ ㉢은 ㉣의 원인 중 하나이다.
④ ㉢은 야생의 습성을 잃은 다람쥐이다.
⑤ ㉥은 ㉤으로 인해 나타난 결과이다.

[12~16] 다음 글을 읽고 물음에 답하시오.

(가) 어머니는 다람쥐 어미를 정성스럽게 보살폈다. 보고 들은 경험으로 다람쥐의 먹이를 구하고, 밥도 주었다. 묵은 밤도 구해다 주었다. 열매라고 생겼으면 무엇이든지 따다 주었다. 사실 지난봄부터 다람쥐는 스스로 먹이를 구하지 않았다. 애써서 먹이를 구할 필요가 없었다. 어머니가 다 구해다 주었기 때문이다. 어머니는 다람쥐의 식성을 잘 알았다. 곤충도 먹고, 생선도 먹는다. 가끔씩 풀도 먹고 물도 마셔야 한다. 새끼들은 무럭무럭 자랐다. 수컷 다람쥐는 서너 번 보이더니 사라졌다. 다른 동물들에게 당한 모양이다.

(나) 그해 늦여름. 어머니는 오랜만에 서울 나들이를 하였다. 처음에는 큰아들, 작은아들네 집에서 하룻밤씩 자고 오려고 했다. 하지만 뜻대로 되지 않았다. 자식들이 며칠만 더 쉬고 가라고 물고 늘어졌다. 게다가 서울에 있는 친척들마저 어머니를 붙들고 여기저기 구경 다녔다. 그러다 보니 열흘이 지났다. 그제야 퍼뜩 다람쥐를 떠올린 어머니가 시골집으로 내려왔을 때는 끔찍한 비극이 기다리고 있었다. 갓 눈을 뜬 다람쥐 새끼들이 애타게 어미를 찾고 있었다. 새끼들은 몸을 가누지도 못했다. 겨우 숨만 쉬는 놈도 있었다. 적어도 사흘 이상은 굶었을 것 같았다. 순간 어머니는 눈앞이 캄캄했다.

'죽었구나. 아, 내 실수야. 내가 먹을 것을 충분히 주고 갔어야 하는데…….'

어머니는 자신의 책임이라고 가슴을 쳤다. 어머니는 감나무 밑에 한 무더기 떨어진 부엉이 똥을 발견했다. 그 속에는 커다란 다람쥐 머리뼈가 들어 있었다. 어머니는 신을 원망했다.

"죽은 어미야 어쩔 수 없다고 쳐도, 새끼들은 어떻게 합니까? 신은 공평하다고 했습니다. 강한 동물에게는 약한 새끼를 주시고, 약한 동물에게는 강한 새끼를 주셨다고 했지요. 그래서 사람이나 사자, 호랑이 새끼들은 아주 약하고, 자라는 데 시간이 오래 걸리지요. 반대로 노루같이 약한 동물은 태어나자마자 뛰어다닐 수 있을 정도로 강하고, 자라는 속도도 빠릅니다. 그런데 노루나 토끼보다 약한 다람쥐에게는 왜 불공평합니까? 당연히 다람쥐 새끼도 태어나자마자 눈을 뜨고, 어미처럼 뛰어다닐 수 있도록 하셔야지요……."

어머니는 잠을 이루지 못했다. 새벽에 나가 보니 세 마리가 죽어 있었다. 이제 남은 새끼는 두 마리뿐. 그놈들도 살 가망이 없어 보였다. 그렇다고 어머니가 할 수 있는 일도 없었다. 이제는 다람쥐 새끼들의 죽음을 지켜보는 수밖에. 그런데 다음 날 믿어지지 않는 일이 벌어졌다. 죽은 새끼들이나 묻어 주려고 보일러실로 들어간 어머니는 깜짝 놀라고 말았다.

"야옹, 야옹!"

갑자기 술독 속에서 시커먼 고양이 한 마리가 뛰쳐나온 것이다. 어머니는 그 고양이가 다람쥐 새끼들을 다 잡아먹었으리라고 생각했다. 하지만 놀랍게도 어머니의 손전등을 받으며 꿈틀거리는 다람쥐 새끼들이 있었다. 고양이 새끼들도 보였다. 놀랍게도 고양이가 다람쥐 둥지에다 새끼를 낳은 모양이었다. 고양이 새끼는 네 마리였다. 고양이는 다람쥐의 무서운 천적이다. 그래서 더욱 믿어지지 않았다. 고양이가 다람쥐 새끼를 죽이지 않고 자기 새끼로 생각한다는 점이 꿈만 같았다. 순간적으로 어머니는

"신이야말로 공평하십니다." 하면서 두 손을 모았다.

고양이는 다람쥐 새끼를 친자식처럼 키워 주었다. 어머니는 고양이한테 전혀 간섭하지 않았다. 고양이는 자기 방식대로 다람쥐를 교육시켰다. 음식도 육식을 강요하였다. 다람쥐 새끼들은 도토리나 밤 대신 고기만 먹었다. 주로 쥐였다. 게다가 '찍찍' 울어야 하건만 '야옹야옹' 하려고 들었다. 그러다 보니 '찌옹찌옹'하는 소리가 되었다. 안타깝게도 다람쥐들에게는 다람쥐만의 생활을 가르쳐 줄 어미가 없었다. 다람쥐 새끼들은 개나 다른 고양이들을 보아도 도망치지 않았고, 쥐를 보면 고양이처럼 공격을 하였다. 그러다가 다람쥐 한 마리가 이웃집 고양이한테 물려 죽었다. 나머지 한 마리도 부엉이의 공격을 받았다. 다람쥐는 부엉이가 무서운 적이라는 사실을 몰랐다. 부엉이가 아무리 사나워도 고양이를 당해 낼 수는 없었기 때문이다. 다람쥐는 자신을 고양이라고 생각했던 것이다. 부엉이 발톱에 할퀴어 큰 부상을 당한 다람쥐는 어머니에게 발견되었다. 그래서 암컷 다람쥐는 더욱 먹이를 어머니에게 의존했는지 모른다.

(다) 어머니는 그 다람쥐를 잘 치료해 주었다. 다람쥐는 빠르게 회복되었다. 어머니는 술독에다 다람쥐를 넣어 주었다. 다람쥐의 미래는 불확실하다. 그놈은 비록 몸은 다람쥐이지만 생각은 고양이기 때문이다. 어머니는 고민하기 시작했다. 다람쥐가 다람쥐처럼 생활할 수 있도록 도와주어야 한다. 하지만 사람이 다람쥐의 생활을 가르칠 수는 없다. 어느 날 마을 사람들이 탈곡기 안에 숨어든 다람쥐 한 마리를 잡았다. 어머니는 그 다람쥐를 달라고 하였다. 그리고 술독에서 사는 다람쥐와 함께 사흘간 가둬 놓았다. 그 후 술독을 열어 놓아도 야생 다람쥐는 도망치지 않았다. 그놈은 암컷이었고 고양이 젖을 먹고 자란 다람쥐는 수컷이었으니까. 야생 암다람쥐는 수놈에게 하나씩 교육을 시켰다. 우선 겨울 준비를 해야 한다고 했다. 알밤과 도토리를 모아다가 식량 창고를 만들었다. 식량 창고는 돌 틈이나 땅 속에다 마련했다. 10여 개의 도토리나 밤을 모아 놓고 흙을 덮어 수십 개의 창고를 만든다. 지푸라기나 낙엽도 물어 날랐다. 그래야만 겨울을 따뜻하게 나기 때문이다.

또 겨울이 오기 전에 많이 먹어 두어야 한다는 사실도 알려 주었다. 겨울잠 자는 곰이나 오소리는 덩치가 크기 때문에 지방을 몸에다 많이 모아 놓을 수 있다. 몸이 작은 다람쥐는 그만큼은 못하더라도 최대한으로 지방을 모아 놓아야만 한다.

천적에 대해서도 가르쳐 주었다. 고양이나 개, 족제비, 담비 같은 천적은 주로 코를 이용하니까 그런 동물이 나타나면 무조건 도망치지 말고 바람을 이용하라는 것이다. 절대로 바람을 등져서는 안 된다고 단단히 일러 주었다. 그리고 부엉이나 올빼미들은 귀가 아주 밝다는 점을 강조하였다. 그들의 귀는 아주 미세한 움직임까지 알아내고는 먹이를 정확하게 발톱으로 움켜쥔다. 그들이 고양이 같은 육식 동물보다 더 무섭다.

어머니는 다람쥐의 생활을 지켜보기만 하였다. 이제는 절대로 밥을 주지 않았다. 하지만 고양이 젖을 먹고 자란 수다람쥐는 여전히 어머니를 무척 따랐다.

"애야, 나가서 네 짝이랑 자거라. 너는 다람쥐야. 사람하고 가까워질수록 너는 나약해져."

어머니는 그 말을 버릇처럼 내뱉었다.

다람쥐 부부는 무사히 겨울을 났다. 술독이 워낙 컸으므로 식량 걱정은 하지 않았다. 술독에다 식량을 충분히 모아 두었기 때문이다. 다람쥐 부부는 일곱 마리의 새끼를 낳았다. 고양이 젖을 먹고 자란 수컷은 부지런히 먹이를 찾아다녔다. 풀, 도토리, 도마뱀도 있었다. 하도 안쓰러워서 식량 창고를 가르쳐 주기도 했지만, 어머니는 그런 간섭도 필요 없다는 판단이 들었다. 사람이든 동물이든 힘든 시절이 필요하다. 그 시절을 겪어야만 좀 더 성숙해지니까. 일의 필요성을 느끼고, 고통을 참고 이겨내는 방법을 깨닫기 때문이다.

(라) 어머니와 다람쥐에 대한 이야기가 소문나기 시작하였다. 처음에는 마을 사람들이 와서 구경하였다. 마을 사람들은 아주 경사스러운 일이라고 하였다. 어머니에 대한 이야기는 읍내에서 발행되는 지역 신문에도 소개되었다. 그러자 국회의원, 군 의원, 조합장, 면장 같은 사람들이 찾아왔다. 그들은 어머니와 함께 사진을 찍고 싶어 했다. 그러고는 다람쥐 새끼를 키워 보겠다고 하였다. 어머니는 거절할 수가 없었다. 면장에게 두 마리를 주었을 때만 해도 이런 부탁은 마지막이겠지 했다. 하지만 어머니는 열두 마리의 다람쥐를 사람들에게 주었다.

지난 달에는 면장 집에 초대되기도 했다. 면장의 손자들이 다람쥐를 키우고 있었다. 다람쥐 집은 앵무새를 키웠던 작은 철장집이었는데, 그 철창 안에 작은 쳇바퀴가 있었다. 다람쥐는 그 속에서 재롱을 부렸다. 그날 어머니는 하마터면 울 뻔하였다. 이상하게도 눈물이 났다. 어머니는 그날 집에 오면서 많은 생각을 했다. 야생 동물의 자유를 알아야만 사람도 진정으로 자유로울 수 있다는 것. 그 사실을 사람들은 왜 모를까? 귀여워서 갖고 싶을수록 놓아 주어야 한다. 동물은 야생에서 스스로 살아갈 때 가장 행복하고 아름답기 때문이다.

그 후 어머니는 다람쥐 새끼를 한 마리도 사람들에게 주지 않았다. 그래서 아주 곤란해진 적도 있고, 이상한 오해를 받기도 하였다. 그래도 어머니는 들어주지 않았다. 마음이 아팠지만 어쩔 수 없었다. 아무리 사람이 야생 동물을 행복하게 해 줘도, 야생 동물은 결코 행복해질 수 없다. 어머니는 그 말을 몇 번이나 되풀이하였다.

(마) 어머니는 내 딸을 안더니

"우리 강아지가 크면 다람쥐 덕을 보게 될 거야. 다람쥐는 여름내 부지런히 일하지. 밤도 모으고, 도토리도 모으고, 창고를 수십 개 만들어서 밤이나 도토리를 저장하거든. 허허허, 그런데 말이야, 그 녀석들은 그 많은 식량 창고를 다 기억 못해. 그래서 어떤 건 땅에 그대로 묻혀 있게 돼. 땅에 묻힌 밤이나 도토리는 싹을 틔운 밤나무가 많아. 바로 그 밤나무가 자라면 우리 강아지도 따 먹을 테니까……."

하시며 달궁달궁 흔들면서 재우기 시작하셨다.

– 이상권, 「고양이가 기른 다람쥐」 –

12 위 작품 전개에 대한 이해로 틀린 것은?

① 비극의 발단은 수컷 다람쥐의 죽음과는 무관하다.
② 어머니의 적극적 먹이주기 개입이 1차 비극의 그 원인이군!
③ 어머니가 집을 오랫동안 비우지 않았더라도 비극은 있었을 듯!
④ 인간의 욕심이 가족과의 이별이라는 3차 비극을 안겼군!
⑤ 3차 비극엔 매정하게 거절하지 못한 어머니의 성격도 무관치 않군!

13 위 작품의 흐름 속에서 '어머니'의 감정 기복이 가장 큰 곳은?

① (가) ② (나) ③ (다) ④ (라) ⑤ (마)

14 위 작품에서, 자라나는 청소년들 또는 이제 막 가정을 꾸린 젊은 가장들에게 인생을 살아가는데 있어서 지침이 될 만한 말씀이 담겨 있는 곳을 지목한다면?

① (가) ② (나) ③ (다) ④ (라) ⑤ (마)

15 위 작품에서, 다람쥐 가계의 거듭되는 비극을 보면서 야생동물에 대해 인간이 가져야 할 바람직한 입장은?

① 인간 중심적 사고
② 생태 중심적 사고
③ 물질적 사고
④ 생명을 경시하는 태도
⑤ 애완동물로 보는 태도

16 위 작품에 미루어 야생 동물에 대한 가장 바람직한 입장은?

① 눈에 띄면 먹을 것을 나누어 준다.
② 곁에 오지 못하도록 위협한다.
③ 귀여우니까 잡아서 데려온다.
④ 데려와 씻기고 잘 먹인다.
⑤ 아무 것도 하지 않는다.

객관식 심화문제

[01~04] 다음 글을 읽고 물음에 답하시오.

(가) 그날따라 어머니는 내 생각으로 눈을 감고 있었다. 그런데 뭔가 발등을 타고 넘어갔다. 눈을 떠 보니 아주 귀여운 다람쥐다. 숱하게 보아 온 동물이지만 그날은 특별하게 보였다. 사람이 나이 들면 동물을 좋아한다는 말이 있다. 자연과 가까워진다는 뜻이다. 자연과 가깝다는 말은 죽을 날이 가까워졌다는 뜻도 된다. 아무튼 평소에는 거들떠보지도 않던 동물이지만 어머니는 다람쥐를 유심히 바라다보았다. 겨울잠에서 깬 후 충분히 먹지 못했는지 여위어 보였다. 하긴, 아직은 다람쥐들이 배고픈 계절이다.

"옜다, 이거 먹으렴."

어머니는 고구마 한 개를 반으로 쪼개서 던져 주었다. 다람쥐가 어머니 눈치를 살폈다. 어머니가 웃어 주었다.

"괜찮다. 어서 먹으렴. 나는 너를 잡을 만큼 빠르지도 않단다. 너를 잡아서 키울 만큼 부지런하지도 않고, 너를 잡아서 팔 만큼 욕심도 없단다. 그러니까 안심하고 먹으렴."

(나) 다음 날 아침이었다. 부엌에서 혼자 밥을 먹는데 그 다람쥐가 나타났다. 어머니는 놀라면서도 반가워했다.

"허허, 너로구나. 아직 밥 안 먹었지야? 자, 가만있자…… 이 밥그릇은 우리 막내가 먹던 것이란다. 이 수저도 …… 참, 너는 수저질을 할 수가 없지."

막내를 서울로 떠나 보낸 지도 10년이 넘는다. 자식들은 철들기도 전에 모두 서울로 떠났다. 어머니는 갑자기 눈시울을 문질렀다. 눈물이 났다. 외로움 때문이다. 그리움 때문이다. 다람쥐가 어머니의 가슴속에 있는 그리움을 불러낸 셈이다.

"자아, 많이 먹어라. 아침이 든든해야 해. 요즘 젊은 것들은 아침을 빵에다 우유로 때운다고 하더라만, 사람은 아침이 든든해야 써. 내일도 오너라, 알았지?"

어머니는 꼭 자식을 보는 심정이었다. 어머니는 자식들을 키우는 데 평생을 바쳤다. 하지만 자식들이 커 버리자 이상하게도 허탈했다. 모두 손에 잡히지 않는 곳으로 떠나가 버린 듯했다.

그날부터 다람쥐는 매일 어머니를 찾아왔다. 어머니는 다람쥐에게 많은 이야기를 들려주었다. 자식들 이야기, 농사일 이야기, 세상 돌아가는 이야기, 못할 이야기가 없다. 다람쥐는 어머니를 비웃지 않는다. 항상 어머니의 이야기를 들어준다.

(다) ㉠<u>어머니는 오랜만에 서울 나들이를 하였다. 처음에는 큰아들, 작은아들네 집에서 하룻밤씩 자고 오려고 했다. 하지만 뜻대로 되자 않았다.</u> 자식들이 며칠만 더 쉬고 가라고 물고 늘어졌다. 게다가 서울에 있는 친척들마저 어머니를 붙들고 여기저기 구경 다녔다. 그러다 보니 열흘이 지났다. 그제야 퍼뜩 다람쥐를 떠올린 어머니가 시골집으로 내려왔을 때는 끔찍한 비극이 기다리고 있었다. 갓 눈을 뜬 다람쥐 새끼들이 애타게 어미를 찾고 있었다. 새끼들은 몸을 가누지도 못했다. 겨우 숨만 쉬는 놈도 있었다. 적어도 사흘 이상은 굶었을 것 같았다. 순간 어머니는 눈앞이 캄캄했다.

'죽었구나. 아, 내 실수야. 내가 먹을 것을 충분히 주고 갔어야 하는데…….'

어머니는 자신의 책임이라고 가슴을 쳤다. 배가 고픈 어미 다람쥐는 애타게 어머니를 기다렸으리라. 그러나 어머니는 하루 이틀이 지나도 돌아오지 않았다. 젖조차 말라붙은 어미 다람쥐는 어쩔 수 없이 밖으로 나갔다. 하도 오랜만에 밖으로 나와서 먹이를 구하려고 하니 쉽지 않았다. 야생의 세계에서 살려면 반드시 지켜야 할 규칙들도 다 잊어버렸다. 그러니 다른 동물들에게 잡아먹히는 건 시간 문제였으리라.

(라) 그런데 다음 날 믿어지지 않는 일이 벌어졌다. 죽은 새끼들이나 묻어주려고 보일러실로 들어간 어머니는 깜짝 놀라고 말았다.

"야옹, 야옹!"

갑자기 술독에서 고양이 한 마리가 뛰쳐나온 것이다. 어머니는 그 고양이가 다람쥐 새끼들을 다 잡아먹었으리라고 생각했다. 하지만 놀랍게도 어머니의 손전등을 받으며 꿈틀거리는 다람쥐 새끼들이 있었다. 고양이 새끼들도 보였다. 놀랍게도 고양이가 다람쥐 둥지에다 새끼를 낳은 모양이었다. 고양이 새끼는 네 마리였다. 고양이는 다람쥐의 무서운 천적이다. 그래서 더욱 믿어지지 않았다. 고양이가 다람쥐 새끼를 죽이지 않고 자기 새끼로 생각한다는 점이 꿈만 같았다. 순간적으로 어머니는,

㉡"신이야말로 공평하십니다."

하면서 두 손을 모았다. 어머니도 가끔씩 텔레비전이나 소문으로 염소가 송아지를 키우고, 개가 호랑이 새끼를 키웠다는 소리를 듣긴 했지만, 고양이가 천적인 다람쥐 새끼를 키웠다는 소리는 듣지 못했다. 고양이는 다람쥐 새끼를 친자식처럼 키워 주었다. 한 달이 지나자 어미 고양이는 술독을 떠났다.

다람쥐와 고양이의 생활은 전혀 다르다. 다람쥐는 어느 한 곳에다 보금자리를 정해 놓고 생활하는 반면, 고양이는 일정한 보금자리가 없다. 이 집 저 집, 이 곳 저 곳을 돌아다니면서 잠을 잔다. 어머니는 다람쥐 새끼를 고양이한테서 뺏을 생각도 하였다. 하지만 의붓어미 격인 고양이의 슬픔을 생각하니 그럴 수가 없었다. 그 대신 다람쥐 새끼들을 가깝게 두려고 하였따. 새끼 때부터 매일 들여다보았는지라 다람쥐 새끼들도 어머니를 따랐다.

어머니는 고양이한테 전혀 간섭하지 않았다. 고양이는 자기 방식대로 다람쥐를 교육시켰다. 음식도 육식을 강요하였다. 다람쥐 새끼들은 도토리나 밤 대신 고기만 먹었다. 주로 쥐였다. 게다가 '찍찍' 울어야 하건만 '야옹야옹' 하려고 들었다. 그러다 보니 '찌옹찌옹'하는 소리가 되었다.

(마) 어느 날 마을 사람이 탈곡기 안에 숨어 든 다람쥐 한 마리를 잡았다. ㉢어머니는 그 다람쥐를 달라고 하였다. 그리고 술독에서 사는 다람쥐와 함께 사흘간 가둬 놓았다. 그 후 술독을 열어 놓아도 야생 다람쥐는 도망치지 않았다. 그놈은 암컷이었고, 고양이 젖을 먹고 자란 다람쥐는 수컷이었으니까. 야생 암다람쥐는 수놈에게 하나씩 교육을 시켰다. 우선 겨울 준비를 해야 한다고 했다. 알밤과 도토리를 모아다가 식량 창고를 만들었다. 식량 창고는 돌 틈이나 땅 속에다 마련했다. 10개의 도토리나 밤을 모아 놓고 흙을 덮어 수십 개의 창고를 만든다. 지푸라기나 낙엽도 물어 날랐다. 그래야만 겨울을 따뜻하게 나기 때문이다.

또 겨울이 오기 전에 많이 먹어 두어야 한다는 사실도 알려 주었다. 겨울잠 자는 곰이나 오소리는 덩치가 크기 때문에 지방을 몸에다 많이 모아 놓을 수 있다. 몸이 작은 다람쥐는 그만큼은 못하더라도 최대한으로 지방을 모아 놓아야만 한다.

천적에 대해서도 가르쳐 주었다. 고양이나 개, 족제비, 담비 같은 천적은 주로 코를 이용하니까 그런 동물이 나타나면 무조건 도망치지 말고 바람을 이용하라는 것이다. 절대로 바람을 등져서는 안 된다고 단단히 일러주었다. 그리고 부엉이나 올빼미들은 귀가 아주 밝다는 점을 강조하였다. 그들의 귀는 아주 미세한 움직임까지 알아내고는 먹이를 정확하게 발톱으로 움켜쥔다. 그들이 고양이 같은 육식 동물보다 더 무섭다. 어머니는 다람쥐의 생활을 지켜보기만 하였다. 이제는 절대로 밥을 주지 않았다. 하지만 고양이 젖을 먹고 자란 수다람쥐는 여전히 어머니를 무척 따랐다.

㉣"얘야, 나가서 네 짝이랑 자거라. 너는 다람쥐야. 사람하고 가까워질수록 너는 나약해져."

어머니는 그 말을 버릇처럼 내뱉었다.

(바) 어머니는 그날 집에 오면서 많은 생각을 했다. 야생 동물의 자유를 알아야만 사람도 진정으로 자유로울 수 있다는 것. 그 사실을 사람들은 왜 모를까? 귀여워서 갖고 싶을수록 놓아 주어야 한다. 동물은 야생에서 스스로 살아갈 때 가장 행복하고 아름답기 때문이다.

그 후 어머니는 다람쥐 새끼를 한 마리도 사람들에게 주지 않았다. 그래서 아주 곤란해진 적도 있고, 이상한 오해를 받기도 하였다. 심지어 읍내에 사는 어머니의 조카 손주가 와서 매달려도 고개를 흔들었다. 그 아이는 울고 난리가 났다. 어머니가 아무리 설명해도 알아듣지 못했다. 조카도 화를 냈다.

㉤"이모, 그까짓 다람쥐가 뭔데 이러세요! 제가 돈 주고 사겠다는데요. 얘가 잠도 안 자고, 밥도 안 먹어요. 이모, 이렇게 제가 부탁할게요. 두 마리만 파세요."

그래도 어머니는 들어주지 않았다. 마음이 아팠지만 어쩔 수 없었다. 아무리 사람이 야생 동물을 행복하게 해줘도, 야생 동물은 결코 행복해질 수 없다. 어머니는 그 말을 몇 번이나 되풀이하였다.

– 이상권, 「고양이가 기른 다람쥐」 –

01 윗글을 읽고 내용을 이해한 것으로 가장 적절한 것은?

① (가)에서 어머니는 다람쥐가 귀여워서 키워보고 싶은 마음에 고구마를 주었다.
② (나)에서 어머니는 다람쥐에게 먹이를 챙겨주면서, 자식에 대한 그리움이 다람쥐에 대한 애정으로 전이되었다.
③ (다)에서 어머니는 이미 다람쥐의 죽음을, 안타깝지만 생태계의 자연스러운 섭리라 생각하고 받아들인다.
④ (라)에서 어미 고양이는 새끼 다람쥐들을 자신의 친자식처럼 정성스레 키워주어 새끼 다람쥐들은 야생성을 잃지 않고 다람쥐답게 성장했다.
⑤ (마)에서 암다람쥐와 수다람쥐는 서로 같은 공간에서 생활하면서 암다람쥐는 수다람쥐에게 천적을 가르쳐주고 수다람쥐는 고양이의 습성을 암다람쥐에게 가르쳐준다.

02 ㉠~㉤에 대한 설명으로 적절한 것은?

① ㉠에서 다람쥐 돌보기에 지친 어머니가 스스로 서울에 있는 기간을 연장하였음을 알 수 있다.
② ㉡에서는 비록 어미 다람쥐는 죽었지만 강하게 태어난 다람쥐 새끼들에 대한 감사가 드러난다.
③ ㉢에서 길을 잃은 다람쥐를 돌보아 주어야 된다고 생각하는 어머니의 생각이 드러난다.
④ ㉣에서 암다람쥐를 따라 변해버린 수다람쥐에게 서운함을 느끼고 멀리하려 하는 어머니의 마음이 드러난다.
⑤ ㉤에서 다람쥐를 소유물로 생각하며 애완동물로 기르고 싶어 하는 사람들의 심리가 드러난다.

03 윗글에 대한 설명으로 적절한 것만을 〈보기〉에서 있는 대로 고른 것은?

보기

ㄱ. 주인공은 대상을 따뜻한 시선으로 바라보고 있다.
ㄴ. 동물에 대한 인간 중심적인 사고에 대한 비판이 드러난다.
ㄷ. 실제 경험한 일을 실감나게 전달하여 주제를 전달하고 있다.
ㄹ. 주인공 '어머니'의 자식인 '나'를 서술자로 한 '1인칭 주인공 시점'으로 이야기를 전개하고 있다.
ㅁ. 교훈을 주는 내용이므로 자신의 생각보다는 작품에 반영된 가치만을 적극적으로 수용하며 감상한다.

① ㄱ, ㄴ ② ㄷ, ㅁ ③ ㄱ, ㄴ, ㄹ ④ ㄴ, ㄹ, ㅁ ⑤ ㄱ, ㄷ, ㄹ, ㅁ

04 윗글의 주제와 관련하여 다음 기사문을 읽은 후, 어머니의 반응으로 가장 적절한 것은?

> 지난 6월 ○○대학교 내에는 길고양이에게 밥을 주지 말라는 벽보가 붙었다. 길고양이 돌보는 것을 두고 학생들 간에 논쟁이 벌어졌다. 길고양이에게 밥을 주지 말자는 주장은 고양이 울음소리 때문에 공부에 방해가 된다는 것을 이유로 든다. 벽보를 본 경영학과에 다니는 최씨는 생각이 달랐다. 길고양이에게 밥을 주지 않으면 고양이들이 학교를 떠나지 않고 오히려 배고파서 쓰레기를 헤쳐 놓을 수도 있다는 생각이 들었기 때문이다. 최 씨는 "길고양이에게 중성화 수술을 하고 꾸준히 돌본다면 시끄러움이나 쓰레기를 헤쳐 놓는 문제를 해결하고 함께 살아갈 수 있을 것 같았다."라며 "길고양이를 돌보고 길고양이에 대해 정확히 알리는 역할을 하려고 인터넷 게시판을 만들었다."라고 말했다. 자발적으로 모인 이들은 길고양이 돌보는 역할을 분담하고, 누리 소통망[SNS]을 중심으로 소통한다. 지난해 11월 가장 먼저 길고양이 돌봄 활동에 나선 ㅇㅇ대학교는 50여 명의 회원이 인터넷 게시판을 만들어 급식소 4곳에서 고양이 15마리를 보살피고 있다. 이들은 '학교와 고양이가 함께 살아가야 한다.'라는 내용의 서명 운동을 벌였고, 현재 서명한 인원은 500여 명을 넘어섰다. 누리 소통망[SNS]이 발달하면서 같은 문제에 대해 공감하고 함께 활동할 수 있는 사람들이 모이기 쉬워졌다. 최 씨도 "최근 길고양이에 대한 인식이 확산되고 인터넷 게시판 등을 통해 함께 활동할 사람을 모으고, 관련 내용을 알리기 쉬워진 것 같다."라고 말했다.
>
> – 〈한국일보〉 2016년 8월 3일 자 기사 –

① 배고픈 고양이에게 밥을 주지 말라는 벽보를 붙이다니 요즘 대학생들은 참 야박해.
② 고양이는 다람쥐의 천적인데 중성화 수술로 고양이의 개체수를 줄이는 것은 다람쥐에게 좋은 일이군.
③ 저렇게 고양이를 돕는다는 이유로 먹이를 주다 보면 고양이가 독립적으로 살아가는 데 큰 어려움이 생길 수 있어.
④ 학교와 고양이가 함께 살아가야 한다는 서명 운동을 벌이는 것은 인간과 자연이 도우며 살아가야 한다는 자연의 이치지.
⑤ 나도 누리 소통망[SNS]을 통해 귀여운 다람쥐 새끼들의 모습을 더 많은 사람들에게 알리고 관심과 보살핌을 유도해야겠어.

[05~08] 다음 글을 읽고 물음에 답하시오.

사실 지난봄부터 다람쥐는 스스로 먹이를 구하지 않았다. 애써서 먹이를 구할 필요가 없었다. 어머니가 다 구해다 주었기 때문이다. 어머니는 다람쥐의 식성을 잘 알았다. 곤충도 먹고, 생선도 먹는다. 가끔씩 풀도 먹고 물도 마셔야 한다. 새끼들은 무럭무럭 자랐다. 수컷 다람쥐는 서너 번 보이더니 사라졌다. 다른 동물에게 당한 모양이다. 그래서 ㉠<u>암컷 다람쥐는 더욱 먹이를 어머니에게 의존했는지 모른다.</u> 어머니는 암컷 다람쥐가 얼마만큼 게을러져 있는지 몰랐다. 다람쥐는 먹이를 구하려는 노력을 전혀 하지 않았다. 야생 동물이 먹이 구하는 본능을 잃어 간다는 사실이 얼마나 큰 불행을 가져오는지 어머니는 미처 생각하지 못했다. 다람쥐도 마찬가지였다. 〈중략〉

서울나들이 간 어머니가 시골집으로 내려왔을 때는 끔찍한 비극이 기다리고 있었다. 갓 눈을 뜬 다람쥐 새끼들이 애타게 어미를 찾고 있었다. 새끼들은 몸을 가누지도 못했다. 겨우 숨만 쉬는 놈도 있었다.

'죽었구나. 아, 내 실수야. 내가 먹을 것을 충분히 주고 갔어야 하는데…….'

어머니는 자신의 책임이라고 가슴을 쳤다. 배가 고픈 어미 다람쥐는 애타게 어머니를 기다렸으리라. 그러나 어머니는 하루 이틀이 지나도 돌아오지 않았다. 젖조차 말라붙은 어미 다람쥐는 어쩔 수 없이 밖으로 나갔다. 하도 오랜만에 밖으로 나와서 먹이를 구하려고 하니 쉽지 않았다. 야생의 세계에서 살려면 반드시 지켜야 할 규칙들도 다 잊어버렸다. 그러니 다른 동물들에게 잡아먹히는 건 시간 문제였으리라. 〈중략〉

갑자기 술독에서 고양이 한 마리가 뛰쳐나온 것이다. 어머니는 그 고양이가 다람쥐 새끼들을 다 잡아먹었으리라고 생각했다. 하지만 놀랍게도 어머니의 손전등을 받으며 꿈틀거리는 다람쥐 새끼들이 있었다. 고양이 새끼들도 보였다. 놀랍게도 고양이가 다람쥐 둥지에다 새끼를 낳은 모양이었다. 고양이 새끼는 네 마리였다. 고양이는 다람쥐의 무서운 천적이다. 그래서 더욱 믿어지지 않았다. 고양이가 다람쥐 새끼를 죽이지 않고 자기 새끼로 생각한다는 점이 꿈만 같았다. 〈중략〉

㉡고양이는 자기 방식대로 다람쥐를 교육시켰다. 음식도 육식을 강요하였다. 다람쥐 새끼들은 도토리나 밤 대신 고기만 먹었다. 주로 쥐였다. 게다가 '찍찍' 울어야 하건만, '야옹야옹' 하려고 들었다. 그러다 보니, '찌옹찌옹'하는 소리가 되었다.

쥐나 참새를 사냥하는 방법도 배웠지만 발톱이 날카롭지 않은 다람쥐 새끼들은 번번이 실패하였다. 그럴 수밖에 없는 것이, 고양이는 예민한 코로 쥐를 찾아낸다. 그러나 다람쥐는 귀가 밝지만 코는 무딘 편이다. 그러다 보니 고양이와는 어울릴 수가 없었다. 안타깝게도 다람쥐들에게는 다람쥐만의 생활을 가르쳐 줄 어미가 없었다. 다람쥐 새끼들은 개나 다른 고양이들을 보아도 도망치지 않았고, 쥐를 보면 고양이처럼 공격을 하였다. 그러다가 ㉢다람쥐 한 마리가 이웃집 고양이한테 물려 죽었다. 나머지 한 마리도 부엉이의 공격을 받았다. 다람쥐는 부엉이가 무서운 적이라는 사실을 몰랐다. 부엉이가 아무리 사나워도 고양이를 당해 낼 수는 없었기 때문이다. 다람쥐는 자신을 고양이라고 생각했던 것이다. 부엉이 발톱에 할퀴어 큰 부상을 당한 다람쥐는 어머니에게 발견되었다.

〈중략〉

어느 날 마을 사람들이 탈곡기 안에 숨어든 다람쥐 한 마리를 잡았다. 어머니는 그 다람쥐를 달라고 하였다. 그리고 술독에서 사는 다람쥐와 함께 사흘간 가둬 놓았다. 그 후 술독을 열어 놓아도 야생 다람쥐는 도망치지 않았다. 그놈은 암컷이었고, 고양이 젖을 먹고 자란 다람쥐는 수컷이었으니까. ㉣야생 암다람쥐는 수놈에게 하나씩 교육을 시켰다. 우선 겨울 준비를 해야 한다고 했다. 알밤과 도토리를 모아다가 식량 창고를 만들었다. 식량 창고는 돌 틈이나 땅속에다 마련했다. 10여 개의 도토리나 밤을 모아 놓고 흙을 덮어 수십 개의 창고를 만든다. 지푸라기나 낙엽도 물어 날랐다. 그래야만 겨울을 따뜻하게 나기 때문이다. 〈중략〉

또 천적에 대해서도 가르쳐 주었다. 고양이나 개, 족제비, 담비 같은 천적은 주로 코를 이용하니까 그런 동물이 나타나면 무조건 도망치지 말고 바람을 이용하라는 것이다. 절대로 바람을 등져서는 안 된다고 단단히 일러 주었다. 그리고 부엉이나 올빼미들은 귀가 아주 밝다는 점을 강조하였다. 그들의 귀는 아주 미세한 움직임까지 알아내고는 먹이를 정확하게 발톱으로 움켜쥔다. 그들이 고양이 같은 육식 동물보다 더 무섭다. 어머니는 다람쥐의 생활을 지켜보기만 하였다. 이제는 절대로 밥을 주지 않았다.

〈중략〉

[A]

지난달에는 면장 집에 초대되기도 했다. 면장의 손자들이 다람쥐를 키우고 있었다. 다람쥐 집은 앵무새를 키웠던 작은 철장 집이었는데, 그 철창 안에 작은 쳇바퀴가 있었다. 다람쥐는 그 속에서 재롱을 부렸다. ㉤그날 어머니는 하마터면 울 뻔하였다. 이상하게도 눈물이 났다. 물론 사람들은 애완동물이라고 했다. 텔레비전에서는 돼지를 집 안에서 키우는 사람들 이야기도 나왔다. 목욕도 시키고, 옷도 입히고, 잠도 침대에서 잤다. 뱀이나 원숭이도 사람처럼 키운다. 하지만 그런 사람들도 반성해야 한다고 어머니는 중얼거렸다. 동물이 사람처럼 살 수는 없기 때문이다. 돼지들은 침대에서 자고 싶어 하지 않는다. 원숭이는 욕실에서 목욕하면서 살기를 원하지 않는다. 더러운 돼지우리일지언정, 무서운 천척들이 도사린 숲속일지라도 동물들은 그곳에서 자유롭게 살고 싶어 한다.

어머니는 그날 집에 오면서 많은 생각을 했다. 야생 동물의 자유를 알아야만 사람도 진정으로 자유로울 수 있다는 것. 그 사실을 사람들은 왜 모를까? 귀여워서 갖고 싶을수록 놓아 주어야 한다. 동물은 야생에서 스스로 살아갈 때 가장 행복하고 아름답기 때문이다.

– 이상섭, 「고양이가 기른 다람쥐」 –

---

05 윗글을 읽고 질문을 만들었다. 적절하지 않은 것은?

① 고양이가 다람쥐 새끼를 잡아먹지 않고 키운 이유는 무엇일까?
② 어머니는 다람쥐에게 막내가 쓰던 밥그릇을 준 이유는 무엇일까?
③ 다람쥐가 부엉이를 무서운 적으로 생각하지 못하는 까닭은 무엇일까?
④ 어머니가 야생 다람쥐를 술독에서 넣어 수다람쥐와 함께 둔 이유는 무엇일까?
⑤ 어머니가 다람쥐에게 더 이상 밥을 주지 않는 까닭은 무엇일까?

06 〈보기〉를 참고하여 윗글을 평가한 타당한 근거로 가장 적절한 것은?

보기

이 작품이 지니는 가치는 다양한 생태계의 가치를 존중하는 모습이야말로 앞으로 우리 인간이 나아가야 할 삶이라는 깨달음을 주는 작품이다.

① **수민** : 다람쥐를 철창에 가둬 두고 애완동물로 키우는 것은 생태주의적 사고야.
② **국주** : 새끼 다람쥐가 쥐나 참새를 사냥하는 모습에서 생명체가 자라는 환경의 중요성을 말하는군.
③ **지섭** : 다람쥐가 스스로 먹이를 구하고 새끼를 낳고 살아가게 하는 것이 자연을 존중해 주는 것이군.
④ **희정** : 고양이가 새끼 다람쥐를 자신의 새끼로 알고 키우는 것이야말로 자연의 위대함이야.
⑤ **재성** : 천적으로부터 다람쥐를 적극적으로 보호하는 어머니의 모습에서 생명을 존중하는 태도를 찾을 수 있어.

07 ㉠~㉤에 대한 설명으로 옳지 않은 것은?

① ㉠ : 생태계의 질서를 교란시켜 어미 다람쥐가 죽게 되는 원인이 된다.
② ㉡ : 새끼 다람쥐가 개나 고양이와도 잘 어울려 살 수 있는 이유가 된다.
③ ㉢ : 천적에 대한 정보가 없었기 때문에 벌어진 사건이다.
④ ㉣ : 암다람쥐는 다람쥐의 습성을 알려 주는 역할을 한다.
⑤ ㉤ : 애완동물로 키우는 것에 대한 비판 의식이 담겨 있다.

08 [A]의 '어머니'의 관점에서 〈보기〉를 보고 할 수 있는 이야기로 가장 적절한 것은?

보기

중국 쓰촨성 청두 지역의 한 백화점에는 지난 9월부터 백화점 외부 한쪽에 회전목마를 운영하고 있습니다. 그런데 놀랍게도 이 회전목마에는 장난감 말이 아닌 살아 있는 조랑말 4마리가 동원돼 운영되고 있었습니다. 이 회전목마는 50위안, 우리나라 돈으로 약 8000원을 내면 4분간 이용할 수 있습니다. 그렇게 회전목마에 동원된 말들은 손님들을 태우고 매일 4시간 동안을 기구에 묶인 채 하염없이 원을 그리며 움직이고 있었습니다.

– SBS 뉴스 중 –

① 아이들이 회전목마로 살아있는 조랑말을 타면 동물과 교감할 수 있어.
② 백화점 홍보에 살아있는 조랑말을 회전목마로 이용한 점이 아주 기발해.
③ 조랑말이 들판에서 자유롭게 뛰어다닐 때 인간도 진정으로 자유로울 수 있지.
④ 척박한 야생에서 사는 것보다 조랑말이 4시간 정도 원을 그리며 운동하는 것도 괜찮지.
⑤ 놀이기구에 조랑말을 이용한 것은 동물이 인간과 함께 행복해 질 수 있음을 보여주는 거야.

[09~12] 다음 글을 읽고 물음에 답하시오.

(가) 그날따라 어머니는 내 생각으로 눈을 감고 있었다. 그런데 뭔가 발등을 타고 넘어갔다. 눈을 떠 보니 아주 귀여운 다람쥐다. 숱하게 보아 온 동물이지만 그날은 특별하게 보였다. 사람이 나이 들면 동물을 좋아한다는 말이 있다. 자연과 가까워진다는 뜻이다. 자연과 가깝다는 말은 죽을 날이 가까워졌다는 뜻도 된다. 아무튼 평소에는 거들떠보지도 않던 동물이지만 어머니는 다람쥐를 유심히 바라다보았다. 겨울잠에서 깬 후 충분히 먹지 못했는지 여위어 보였다. 하긴, 아직은 다람쥐들이 배고픈 계절이다.

"옜다, 이거 먹으렴."

어머니는 고구마 한 개를 반으로 쪼개서 던져 주었다. 다람쥐가 어머니 눈치를 살폈다. 어머니가 웃어 주었다.

〈중략〉

어머니에 대한 이야기는 읍내에서 발행되는 지역 신문에도 소개되었다. 그러자 국회의원, 군 의원, 조합장, 면장 같은 사람들이 찾아왔다. 그들은 어머니와 함께 사진을 찍고 싶어 했다. 그러고는 다람쥐 새끼를 키워 보겠다고 하였다. 어머니는 거절할 수가 없었다. 면장에게 두 마리를 주었을 때만 해도 이런 부탁은 마지막이겠지 했다. 하지만 어머니를 만나는 사람들은 은근히,

"우리 아이들이 다람쥐를 키워 보고 싶어 해서요. 요즘 서울 사람들도 다람쥐를 많이 키운답니다. 우선 기르기가 쉽고, 무엇보다도 귀여우니까요."

하면서 다람쥐 새끼를 달라고 하였다. 조합장, 조합 직원, 지서 주임, 군청 공무원, 심지어 학교 선생님까지도 그랬다.

다람쥐 부부는 두 달 간격으로 새끼를 낳았고 어머니는 열두 마리의 다람쥐를 사람들에게 주었다.

지난달에는 면장 집에 초대되기도 했다. 면장의 손자들이 다람쥐를 키우고 있었다. 다람쥐 집은 앵무새를 키웠던 작은 철장집이었는데, 그 철창 안에 작은 쳇바퀴가 있었다. 다람쥐는 그 속에서 재롱을 부렸다. 그날 어머니는 하마터면 울 뻔하였다. 이상하게도 눈물이 났다. 물론 사람들은 애완동물이라고 했다. 텔레비전에서는 돼지를 집안에서 키우는 사람들 이야기도 나왔다. 목욕도 시키고, 옷도 입히고, 잠도 침대에서 잤다. 뱀이나 원숭이도 사람처럼 키운다. 하지만 그런 사람들도 반성해야 한다고 어머니는 중얼거렸다. 동물이 사람처럼 살 수는 없기 때문이다. 돼지들은 침대에서 자고 싶어 하지 않는다. 원숭이는 욕실에서 목욕하면서 살기를 원하지 않는다. 더러운 돼지우리일지언정, 무서운 천적들이 도사린 숲 속일지라도, 동물들은 그 곳에서 자유롭게 살고 싶어 한다.

어머니는 그날 집에 오면서 많은 생각을 했다. 야생 동물의 자유를 알아야만 사람도 진정으로 자유로울 수 있다는 것. 그 사실을 사람들은 왜 모를까? 귀여워서 갖고 싶을수록 놓아 주어야 한다. 동물은 야생에서 스스로 살아갈 때 가장 행복하고 아름답기 때문이다.

그 후 어머니는 다람쥐 새끼를 한 마리도 사람들에게 주지 않았다. 그래서 아주 곤란해진 적도 있고, 이상한 오해를 받기도 하였다. 심지어 읍내에 사는 어머니의 조카 손주가 와서 매달려도 고개를 흔들었다. 그 아이는 울고 난리가 났다. 어머니가 아무리 설명해도 알아듣지 못했다. 조카도 화를 냈다.

이상권, '고양이가 기른 다람쥐'에서

(나) 나는 라다크에서 낭비도 오염도 없는 사회, 범죄는 사실상 존재하지 않고, 공동체는 건강하고 튼튼하며, 십대 소년이 극히 자연스럽게 어머니나 할머니에게 유순하고 다정스럽게 대하는 사회를 알게 되었다. 그 사회가 현대화의 압력 밑에서 붕괴되기 시작하는 지금 그러한 교훈은 라다크에만 국한되지 않는 의미를 가진다.

티베트 고원의 '원시적인' 문화가 우리의 산업 사회에 가르쳐 줄 것이 있다는 것은 터무니없는 일로 보일지 모른다. 그렇지만 우리에게는 우리 자신의 복잡한 문화를 더 잘 이해할 수 있게 해 주는 기준선이 필요하다. 라다크에서 나는 진보로 인하여 사람이 땅에서, 서로서로에게서 그리고 궁극적으로 자기 자신에게서 분리되는 것을 보았다. 나는 원래 행복했던 사람들이 서구적 규범에 따라 살기 시작하면서 그들의 평온함을 잃어버리는 것을 보았다.

– 노르베리 호지, 「오래된 미래」에서 –

09 윗글에 대한 설명으로 가장 적절한 것은?

① 서술자가 인물의 행위를 해설하거나 사건의 의미를 제시하고 있다.
② 동시에 벌어진 사건들을 삽화처럼 나열하여 이야기의 흐름을 지연시킨다.
③ 자연에 대한 감각적인 묘사를 중심으로 환상적인 분위기를 자아내고 있다.
④ 인물의 과장된 말과 행동을 통해서 비극적인 분위기에 반전을 꾀하고 있다.
⑤ 빈번하게 장면을 전환하여 인물들 사이에 조성된 긴장감을 해소하고 있다.

10 다람쥐와 쳇바퀴에 대한 이해로 가장 적절한 것은?

① 사람들에게 다람쥐는 귀엽다는 생각과 함께 정신적, 물질적으로 의지하게 되는 반려자로서의 가치를 지니고 있다.
② 어머니가 분양한 다람쥐 새끼들은 어머니가 기르고 있는 다람쥐의 한 배에서 태어난 존재로 강한 야생성을 지니고 있다.
③ 쳇바퀴 안의 다람쥐는 면장의 손자들에게는 재롱꾼으로 보이며 어머니에게는 자유를 쟁취하려는 의인으로 보이고 있다.
④ 쳇바퀴는 숲 속과는 대비되는 공간으로 인간의 탐욕이 집약된 곳으로 다람쥐는 그러한 인간 군상에게 희생된 존재로 보인다.
⑤ 다람쥐는 운명적으로 사람들에 의해 길들여질 운명으로 세상에 나온 존재로서 쳇바퀴에서 끊임없이 재롱을 부려야만 생명을 연장할 수 있다.

11 (가)와 〈보기〉에 대한 설명으로 적절하지 않은 것은?

보기

다른 동물보다 유독 캣맘 · 캣대디에 대한 반감과 갈등이 부각되는 배경에는 길고양이만의 특성 때문도 있다. 길고양이는 완전한 야생동물도 아니고 그렇다고 반려동물이라고도 할 수 없는 애매한 위치에서 사람들 눈에 띄는 곳곳에 살아간다. 길고양이에 대한 다양한 시선이 있을 수밖에 없고 이로 인해 돌봄에 대한 갈등도 생기기 쉽다. 캣맘 · 캣대디는 길고양이와 관계를 맺으며 돌봄을 시작하게 되지만 주인이 없다는 것은 결국 책임 소재가 불분명하다는 것과 같다. ○ 교수는 "주인 없는 대상인 길고양이는 함부로 해도 되는 존재로 여겨지고, 그만큼 폭력과 학대에 노출되기 쉽다."며 "주민과 캣맘과의 갈등이 벌어졌을 때 고양이가 희생되는 경우도 많다"고 설명했다.

○ 교수는 그러나 길고양이들이 밖에서 살고 있긴 하지만 이미 사람에게 길들여졌고 사람에 의지해서 살 수밖에 없는 종이라고 말한다. 따라서 이들과의 평화로운 공존에 캣맘 · 캣대디의 역할이 중요하다는 것을 사람들이 인식할 필요성이 있다고 지적한다. 예를 들어 중성화수술(TNR)은 길고양이를 돌보는 사람과 불편을 느끼는 사람들 사이를 중재할 수 있는 수단 중 하나다. 개체 수가 조절되는 효과뿐 아니라 길고양이 관련 민원의 상당 부분을 차지하는 발정기 때 내는 소리도 사라지게 된다. 또 캣맘 · 캣대디가 밥을 주면 배고픈 길고양이가 음식물쓰레기 봉투를 뜯는 일을 예방할 수 있다는 장점도 있다.

무엇보다 길고양이란 사람이 개입한다고 해서 없앨 수도 없고, 없애서는 안 되는 동물이라는 점을 인식하는 일이 중요하다. 동물복지문제연구소 ○○대표는 "길고양이를 돌보는 사람들이 다른 주민에게 피해를 주는 방법으로 돌보는 건 물론 지양해야 한다."면서도 "주민들도 단지 고양이 돌보는 행위가 싫다고 방해해서는 안 된다. 고양이는 눈앞에서 사라졌으면 한다고 생각한다고 해서 사라질 수 있는 존재가 아니다"라고 말했다.

– **일보, 2018.10.30 –

① (가)와 〈보기〉 모두 '인간의 돌봄이 동물에게 어떤 의미를 지니는가'를 생각하게 해 준다.
② (가)와 〈보기〉 모두 동물도 인간과 같은 동등한 생명권을 지닌 존재이기에 인간과 공생하며 살아가는 길은 인간의 끊임없는 보살핌임을 역설하고 있다.
③ (가)에는 다람쥐에 대한 어머니의 인식의 전환이 명시적으로 드러나 있고, 〈보기〉에는 길고양이에 대해 사람들이 인식을 전환할 것을 촉구하고 있다.
④ (가)에서 어머니는 야생 동물의 자유를 알았을 때 사람도 진정으로 자유로울 수 있다고 깨닫고 있다.
⑤ 〈보기〉는 길고양이에 대한 갈등을 해결할 수 있는 방안으로 중성화수술을 들고 있다.

12 윗글 (가), (나)와 〈보기〉를 읽고 난 후의 학생들의 반응으로 적절하지 않은 것은?

보기

인간 사회에서 누구든 – 개인이든 집단이든 – 다른 사람의 행동의 자유를 침해할 수 있는 경우는 오직 한 가지, 자기 보호를 위해 필요할 때뿐이다. 다른 사람에게 해(ham)를 끼치는 것을 막기 위한 목적이라면, 당사자의 의지에 반해 권력이 사용되는 것도 정당하다고 할 수 있다. 이 유일한 경우를 제외하고는, 문명사회에서 구성원의 자유를 침해하는 그 어떤 권력의 행사도 정당화될 수 없다. 본인 자신의 물리적 또는 도덕적 이익(good)을 위한다는 명목 아래 간섭하는 것도 일절 허용되지 않는다. 당사자에게 더 좋은 결과를 가져다주거나 더 행복하게 만든다고, 또는 다른 사람이 볼 때 그렇게 하는 것이 현명하거나 옳은 일이라는 이유에서, 본인의 의사와 관계없이 무슨 일을 시키거나 금지해서는 안 된다.

– 밀, 「자유론」에서 –

① **몽룡** : (가)에서 야생의 동물은 야생의 환경에서 본연의 습성을 지니고 살아야 자유롭게 살아갈 수 있다는 작가 의식을 찾을 수 있군.
② **혈룡** : (나)에서 작가는 공동체의 무너짐이 라다크만의 문제로 한정되지 않음을 직시하고 있군.
③ **춘풍** : 〈보기〉는 어려움을 겪는 상대라면 그것이 인간이든 동물이든 도움을 주어야 한다는 (가)의 어머니의 입장을 대변하고 있군.
④ **춘향** : (가)와 (나) 모두 외래적 요소 때문에 본성이 훼손되었거나 훼손되고 있는 상황이 제시되어 있군.
⑤ **단춘** : (가)는 문학적 장치로, (나)는 작가의 체험으로, 〈보기〉는 작가의 사유 체계로 우리들의 삶의 문제를 형상화하고 있군.

[13~17] 다음 글을 읽고 물음에 답하시오.

(가) 어머니는 마당에서 씨 고구마를 고르고 있었다. 환갑을 넘긴 어머니는 점점 농사를 줄이는 중이지만, 자식들에게 부쳐 줄 농사는 최소한으로 지으신다. 고구마를 좋아하는 자식은 둘째인 나다. 어머니는 나 때문에 해마다 고구마 농사를 짓는다.

그날따라 어머니는 내 생각으로 눈을 감고 있었다. 그런데 뭔가 발등을 타고 넘어갔다. 눈을 떠 보니 아주 귀여운 다람쥐다. 숱하게 보아 온 동물이지만 그날은 특별하게 보였다. 겨울잠에서 깬 후 충분히 먹지 못했는지 여위어 보였다. 하긴, 아직은 다람쥐들이 배고픈 계절이다.

"옜다, 이거 먹으렴."

어머니는 고구마 한 개를 반으로 쪼개서 던져 주었다. 다람쥐가 어머니 눈치를 살폈다. 어머니가 웃어 주었다.

"괜찮다. 어서 먹으렴. 나는 너를 잡을 만큼 빠르지도 않단다. 너를 잡아서 키울 만큼 부지런하지도 않고, 너를 잡아서 팔 만큼 욕심도 없단다. 그러니까 안심하고 먹으렴."

㉠어머니는 다람쥐가 사람 말을 알아듣는다고 생각했다. 그것은 어머니의 어머니가 가르쳐 준 진리였다. 사람하고 가깝게 살아가는 동물 앞에서는 말을 함부로 하지 말라고.

(나) 다음 날 아침이었다. 부엌에서 혼자 밥을 먹는데 그 다람쥐가 나타났다. 어머니는 놀라면서도 반가워했다.

"허허, 너로구나. 아직 밥 안 먹었지야? 자, 가만있자…… 이 밥그릇은 우리 막내가 먹던 것이란다. 이 수저도 …… 참, 너는 수저질을 할 수가 없지."

막내를 서울로 떠나보낸 지도 10년이 넘는다. 자식들은 철들기도 전에 모두 서울로 떠났다. ㉡어머니는 갑자기 눈시울을 문질렀다. 눈물이 났다. 외로움 때문이다. 그리움 때문이다. 다람쥐가 어머니의 가슴속에 있는 그리움을 불러낸 셈이다.

어머니는 꼭 자식을 보는 심정이었다. 어머니는 자식들을 키우는 데 평생을 바쳤다. 하지만 자식들이 기 버리자 이상하게도 허탈했다.

그날부터 다람쥐는 매일 어머니를 찾아왔다. 어머니는 다람쥐에게 많은 이야기를 들려주었다. 자식들 이야기, 농사일 이야기, 세상 돌아가는 이야기, 못할 이야기가 없다. 다람쥐는 어머니를 비웃지 않는다. 항상 어머니의 이야기를 들어 준다.

(다) 어머니는 다람쥐 어미를 정성스럽게 보살폈다. 보고들은 경험으로 다람쥐의 먹이를 구하고, 밥도 주었다. 사실 지난봄부터 다람쥐는 스스로 먹이를 구하지 않았다. 애써서 먹이를 구할 필요가 없었다. 어머니가 다 구해다 주었기 때문이다. 어머니는 암컷 다람쥐가 얼마만큼 게을러져 있는지 몰랐다. 다람쥐는 먹이를 구하려는 노력을 전혀 하지 않았다. 야생 동물이 먹이 구하는 본능을 잃어 간다는 사실이 얼마나 큰 불행을 가져오는지 어머니는 미처 생각하지 못했다. 다람쥐도 마찬가지였다.

(라) 그해 늦여름. / 어머니는 오랜만에 서울 나들이를 하였다. 자식들이 며칠만 더 쉬고 가라고 물고 늘어졌다. 그러다 보니 열흘이 지났다. 그제야 퍼뜩 다람쥐를 떠올린 어머니가 시골집으로 내려왔을 때는 끔찍한 비극이 기다리고 있었다. 갓 눈을 뜬 다람쥐 새끼들이 애타게 어미를 찾고 있었다. 새끼들은 몸을 가누지도 못했다. 겨우 숨만 쉬는 놈도 있었다. 적어도 사흘 이상은 굶었을 것 같았다. 순간 어머니는 눈앞이 캄캄했다.

어머니는 자신의 책임이라고 가슴을 쳤다. 배가 고픈 어미 다람쥐는 애타게 어머니를 기다렸으리라. 그러나 어머니는 하루 이틀이 지나도 돌아오지 않았다. 젖조차 말라붙은 어미 다람쥐는 어쩔 수 없이 밖으로 나갔다. 하도 오랜만에 밖으로 나와서 먹이를 구하려고 하니 쉽지 않았다. 야생의 세계에서 살려면 반드시 지켜야 할 규칙들도 다 잊어버렸다.

어머니는 감나무 밑에 한 무더기 떨어진 부엉이 똥을 발견했다. 그 속에는 커다란 다람쥐 머리뼈가 들어 있었다.

〈중략〉

㉢어머니는 잠을 이루지 못했다. 다람쥐 새끼들 때문이었다. 새벽에 나가 보니 세 마리가 죽어 있었다. 이제 남은 새끼는 두 마리뿐. 그놈들도 살 가망이 없어 보였다. 그렇다고 어머니가 할 수 있는 일도 없었다. 이제는 다람쥐 새끼들의 죽음을 지켜보는 수밖에.

(마) 돼지들은 침대에서 자고 싶어 하지 않는다. 원숭이는 욕실에서 목욕하면서 살기를 원하지 않는다. 더러운 돼지 우리일지언정, 무서운 천척들이 도사린 숲속일지라도 동물들은 그곳에서 자유롭게 살고 싶어 한다.

어머니는 그날 집에 오면서 많은 생각을 했다. 야생 동물의 자유를 알아야만 사람도 진정으로 자유로울 수 있다는 것. 그 사실을 사람들은 왜 모를까? 귀여워서 갖고 싶을수록 놓아 주어야 한다. 동물은 야생에서 스스로 살아갈 때 가장 행복하고 아름답기 때문이다.

---

13 윗글의 서술상 특징으로 가장 적절한 것은?

① 과거와 현재를 반복 교차하여 사건에 입체감을 부여하고 있다.
② 외양 묘사를 통해 인물을 희화화하여 풍자적 시각을 드러내고 있다.
③ 주인공 '어머니'의 자식인 '나'를 서술자로 하여 이야기를 전개하고 있다.
④ 성격과 행동의 괴리를 보여 주어 심리적 갈등 상황을 부각시키고 있다.
⑤ 공간적 배경을 세밀하게 묘사하여 당시 사회 현실의 문제를 제시하고 있다.

14 ㉠을 〈보기〉의 밑줄 친 시점에서 서술한 내용으로 가장 적절한 것은?

보기

시점(視點)이란, 어떤 대상을 볼 때 시력의 중심이 가서 닿는 점을 일컫는다. 그렇다면 소설의 시점이란 이야기를 끌어가는 서술자가 소설의 중심인 사건을 보는 시각과 그 태도, 관점 같은 것을 의미한다고 볼 수 있다. 브룩스와 워렌은 〈소설의 이해〉에서 네 가지 시점을 제시하고 체계화시켰다. 그 중 1인칭 주인공 시점은 서술자가 작품의 주인공으로서 자신의 이야기를 하는 경우이다.

① 어머니는 다람쥐가 사람 말을 알아듣는다고 생각했다.
그것은 나의 어머니가 가르쳐 준 진리였다.
② 어머니는 다람쥐가 사람 말을 알아듣는다고 생각했다.
그것은 내가 어머니에게 가르쳐 준 진리였다.
③ 어머니는 다람쥐가 사람 말을 알아듣는다고 생각했다.
그것은 당신의 어머니가 가르쳐 준 진리였다.
④ 나는 다람쥐가 사람 말을 알아듣는다고 생각했다.
그것은 어머니의 어머니가 가르쳐 준 진리였다.
⑤ 나는 다람쥐가 사람 말을 알아듣는다고 생각했다.
그것은 나의 어머니가 가르쳐 준 진리였다.

15 ㉡의 '어머니'와 유사한 정서 및 태도를 보이는 작품으로 가장 적절한 것은?

① 천만리(千萬里) 머나먼 길히 고은 님 여희옵고. / ᄂᆡ ᄆᆞᄋᆞᆷ 둘 ᄃᆡ 업셔 냇ᄀᆞ의 안자시니. / 져 물도 ᄂᆡ ᄋᆞᆫ ᄀᆞᆺᄒᆞ여 우러 밤길 녜놋다.

② 뉘라셔 가마귀를 검고 흉(凶)타 ᄒᆞ돗던고. / 반포보은(反哺報恩)이 긔 아니 아름다온가. / ᄉᆞᄅᆞᆷ이 져 ᄉᆡ만 못ᄒᆞ믈 못ᄂᆡ 슬허ᄒᆞ노라.

③ ᄆᆡ암이 ᄆᆡᆸ다 울고 쓰르람이 쓰다 우니, / 산채(山菜)를 ᄆᆡᆸ다는가 박주(薄酒)를 쓰다는가. / 우리는 초야(草野)에 뭇쳐시니 ᄆᆡᆸ고 쓴 줄 몰ᄂᆡ라.

④ 장부(丈夫)로 삼겨 나셔 입신양명(立身揚名) 못ᄒᆞᆯ지면 / 출하로 다 떨치고 일 업시 늘그리라. / 이 밧긔 녹록(碌碌)ᄒᆞᆫ 영위(營爲)에 거리낄 줄 이시랴.

⑤ 천세(千歲)를 누리소셔 만세(萬歲)를 누리소셔. / 무쇠기동에 곳 픠여 여름 여러 짜 드리도록 누리소셔. / 그 밖에 억만 세(億萬歲) 외에 또 만세를 누리소셔.

16 ㉢의 상황을 나타내는 말로 가장 적절한 것은?

① 전도양양(前途洋洋)
② 전인미답(前人未踏)
③ 전전긍긍(戰戰兢兢)
④ 전전걸식(輾轉乞食)
⑤ 진화위복(轉禍爲福)

17 (마)를 참고하여 윗글의 '어머니'가 〈보기〉의 ⓐ에 대해 생각할 수 있을 내용으로 가장 적절한 것은?

보기

지난 6월 ○○대학교 내에는 길고양이에게 밥을 주지 말라는 벽보가 붙었다. 길고양이 돌보는 것을 두고 학생들 간에 논쟁이 벌어졌다. 길고양이에게 밥을 주지 말라는 주장은 고양이 울음소리 때문에 공부에 방해가 된다는 것을 이유로 든다. ○○○대학교는 ⓐ50여 명의 회원이 인터넷 게시판을 만들어 급식소 4곳에서 고양이 15마리를 보살피고 있다.

① 고양이도 사람과 공존해야 하는 하나의 생명체로 인식하고 따뜻한 도움의 손길을 건네는 모습에 동참하고 싶다.

② 고양이에게는 안정적인 보금자리도 필요하기 때문에 배려의 마음을 좀 더 확장하여 머물 수 있는 집도 만들어 주면 좋겠다.

③ 고양이로 인하여 사람들 사이에 갈등이 생기는 일은 옳지 않으므로 초등학교에 교육용으로 기증하는 등의 방안을 강구해야 한다.

④ 고양이를 돕는다는 이유로 먹이를 주고 길들이다 보면 결국 야생의 본능을 잃어버리고 독립적으로 살아가는 데 어려움이 생길 수 있다.

⑤ 고양이에게 먹이를 주는 것도 중요한 일이지만 학생들의 공부에 방해가 되는 것은 바람직하지 않으므로 학교 울타리 밖으로 급식소를 옮겨서 운행해야 한다.

[18~21] 다음 글을 읽고 물음에 답하시오.

(가) 맨 처음 다람쥐가 나타난 것은 1994년 3월이다. 어머니는 마당에서 씨 고구마를 고르고 있었다. 추위에 약한 고구마는 조금만 찬바람을 맞아도 얼어서 썩어 버린다. 물론 따뜻한 방에다 보관하지만 봄이 되면 썩은 게 절반이다. 환갑을 넘긴 어머니는 점점 농사를 줄이는 중이지만, 자식들에게 부쳐 줄 농사는 최소한으로 지으신다. 고구마, 감자, 고추, 콩, 팥, 쌀농사 따위다. 쌀농사야 기계로 한다지만, 밭농사는 모두 손으로 해야 한다. 고구마를 좋아하는 자식은 둘째인 나다. 어머니는 나 때문에 해마다 고구마 농사를 짓는다.

그날따라 어머니는 내 생각으로 눈을 감고 있었다. 그런데 뭔가 발등을 타고 넘어갔다. 눈을 떠 보니 아주 귀여운 다람쥐다. 숱하게 보아 온 동물이지만 그날은 특별하게 보였다. 사람이 나이 들면 동물을 좋아한다는 말이 있다. 자연과 가까워진다는 뜻이다. 자연과 가깝다는 말은 죽을 날이 가까워졌다는 뜻도 된다. 아무튼 평소에는 거들떠보지도 않던 동물이지만 어머니는 다람쥐를 유심히 바라다보았다. 겨울잠에서 깬 후 충분히 먹지 못했는지 여위어 보였다. 하긴, 아직은 다람쥐들이 배고픈 계절이다.

"옜다, 이거 먹으렴."

어머니는 고구마 한 개를 반으로 쪼개서 던져 주었다. 다람쥐가 어머니 눈치를 살폈다. 어머니가 웃어 주었다.

"괜찮다. 어서 먹으렴. 나는 너를 잡을 만큼 빠르지도 않단다. 너를 잡아서 키울 만큼 부지런하지도 않고, 너를 잡아서 팔 만큼 욕심도 없단다. 그러니까 안심하고 먹으렴."

㉠<u>어머니는 다람쥐가 사람 말을 알아듣는다고 생각했다.</u> 그것은 어머니의 어머니가 가르쳐 준 진리였다. 사람하고 가깝게 살아가는 동물 앞에서는 말을 함부로 하지 말라고.

"특히 집에서 기르는 짐승들은 사람 말을 알아들어. 소도 알아듣고, 돼지, 개, 닭, 염소도…… 쥐는 사람이 기르지는 않지만 사람과 같이 살지. 그래서 쥐도 사람 말을 알아듣는단다."

어머니는 우리에게도 그런 말을 자주 하셨다. 과연 다람쥐는 어머니의 말을 알아들었다. 어머니가 옆에 가도 도망치지 않았다. 하루 이틀 날이 가고, 어머니는 그날 일을 까마득히 잊어버렸다.

(나) 그러던 어느 날. 어머니는 아침부터 허둥댔다. 다람쥐가 보이지 않았기 때문이다. 그런 일은 한 번도 없었다. 불안했다. 혹시, 고양이나 개한테 물려 죽은 건 아닐까? 족제비나 담비에게 당했을지도 모른다. 부엉이나 올빼미의 짓일지도 모르고. 아, 그러고 보니 다람쥐를 노리는 눈이 너무 많았다

'왜 그 생각을 못했을까? 불쌍한 것…….'

어머니는 그날 종일토록 아무 일도 하지 않았다. 밥도 들어가지 않았다. 서울에 있는 자식들에게 전화를 해도 마찬가지였다. 그래서 옛날 사람들은

"동물한테 정을 주면 못쓴다. 어차피 동물은 사람이 잡아먹을 수밖에 없는 운명이여. 그런데 동물한테 정을 주면 그런 자연의 이치가 무너지거든……."

하고 말했던가.

그날 밤 어머니는 눈물까지 흘렸다. 자식들을 하나씩 서울로 보낼 때마다 흘리던 눈물이다. 어머니는 다람쥐에게 너무 많은 정을 주었다. 어머니는 술을 마셨다. 그래야만 잠을 잘 수 있을 것 같았다.

술기운으로 막 잠이 들 참이었는데, 방문을 긁는 소리가 들렸다. 아, 다람쥐였다.

"오매, 이놈아! 어디 갔다가 이제 오냐? 나는 부엉이한테 잡아먹힌 줄 알았다!"

㉡<u>어머니는 한줌도 안 되는 다람쥐를 안고 울었다.</u> 다람쥐는 한동안 어머니를 바라보다가

"이쪽으로 와 보세요." 하듯이 부엌으로 뛰어갔다. 어머니가 움직이지 않자, 다람쥐는 몇 번이나 그 행동을 되풀이했다.

(다) 어머니는 다람쥐 어미를 정성스럽게 보살폈다. 보고 들은 경험으로 다람쥐의 먹이를 구하고, 밥도 주었다. 묵은 밤도 구해다 주었다. 열매라고 생겼으면 무엇이든지 따다 주었다. 사실 지난봄부터 다람쥐는 스스로 먹이를 구하지 않았다. 애써서 먹이를 구할 필요가 없었다. 어머니가 다 구해다 주었기 때문이다. 어머니는 다람쥐의 식성을 잘 알았다. 곤충도 먹고, 생선도 먹는다. 가끔씩 풀도 먹고 물도 마셔야 한다. 새끼들은 무럭무럭 자랐다. 수컷 다람쥐는 서너 번 보이더니 사라

졌다. 다른 동물들에게 당한 모양이다. 그래서 암컷 다람쥐는 더욱 먹이를 어머니에게 의존했는지 모른다. 어머니는 암컷 다람쥐가 얼마만큼 게을러져 있는지 몰랐다. 다람쥐는 먹이를 구하려는 노력을 전혀 하지 않았다. ㉢야생 동물이 먹이 구하는 본능을 잃어 간다는 사실이 얼마나 큰 불행을 가져오는지 어머니는 미처 생각하지 못했다. 다람쥐도 마찬가지였다.

그해 늦여름. 어머니는 오랜만에 서울 나들이를 하였다. 처음에는 큰아들, 작은아들네 집에서 하룻밤씩 자고 오려고 했다. 하지만 뜻대로 되지 않았다. 자식들이 며칠만 더 쉬고 가라고 물고 늘어졌다. 게다가 서울에 있는 친척들마저 어머니를 붙들고 여기저기 구경 다녔다. 그러다 보니 열흘이 지났다. 그제야 퍼뜩 다람쥐를 떠올린 어머니가 시골집으로 내려왔을 때는 끔찍한 비극이 기다리고 있었다. 갓 눈을 뜬 다람쥐 새끼들이 애타게 어미를 찾고 있었다. 새끼들은 몸을 가누지도 못했다. 겨우 숨만 쉬는 놈도 있었다. 적어도 사흘 이상은 굶었을 것 같았다. 순간 어머니는 눈앞이 캄캄했다.

'죽었구나. 아, 내 실수야. 내가 먹을 것을 충분히 주고 갔어야 하는데…….'

어머니는 자신의 책임이라고 가슴을 쳤다. 배가 고픈 어미 다람쥐는 애타게 어머니를 기다렸으리라. 그러나 어머니는 하루 이틀이 지나도 돌아오지 않았다. 젖조차 말라붙은 어미 다람쥐는 어쩔 수 없이 밖으로 나갔다. 하도 오랜만에 밖으로 나와서 먹이를 구하려고 하니 쉽지 않았다. 야생의 세계에서 살려면 반드시 지켜야 할 규칙들도 다 잊어버렸다. 그러니 다른 동물들에게 잡아먹히는 건 시간 문제였으리라.

(라) 어머니는 고민하기 시작했다. 다람쥐가 다람쥐처럼 생활할 수 있도록 도와주어야 한다. 하지만 사람이 다람쥐의 생활을 가르칠 수는 없다. 그렇다고 다른 방법도 없었다. 일단 알아듣든 못 듣든 간에, 어머니는 직접 가르치기로 하였다.

"자, 너는 다람쥐야. 고양이가 아니란다. 자, 고기보다 도토리가 더 맛있을 거야. 먹어 봐. 옳지, 고양이는 다람쥐를 잡아먹는 무서운 동물이야. 그러니 고양이를 보면 일단 도망쳐야지. 어디로? 나무 위로 도망쳐야지. 너는 나무를 잘 타니까. 물론 고양이도 나무를 잘 타지만 너만큼 빠르지는 못해."

하지만 고양이 젖을 먹고 자란 다람쥐에게 고양이가 적이라는 말은 소용없었다. 아침에 이웃집 고양이한테 혼쭐이 나고도, 고양이만 보면 달려 나갔다. 아슬아슬한 순간이 한두 번이 아니었다. 개나 족제비, 부엉이는 무서워하면서도 오직 고양이만은 철석같이 믿었다. 어머니는 야생에서 자란 다른 다람쥐를 만나게 해야 한다고 생각했다.

가을 수확 철이 되었다.

어느 날 마을 사람이 탈곡기 안에 숨어 든 다람쥐 한 마리를 잡았다. 어머니는 그 다람쥐를 달라고 하였다. 그리고 술독에서 사는 다람쥐와 함께 사흘간 가둬 놓았다. ㉣그 후 술독을 열어 놓아도 야생 다람쥐는 도망치지 않았다. 그놈은 암컷이었고, 고양이 젖을 먹고 자란 다람쥐는 수컷이었으니까. 야생 암다람쥐는 수놈에게 하나씩 교육을 시켰다. 우선 겨울 준비를 해야 한다고 했다. 알밤과 도토리를 모아다가 식량 창고를 만들었다. 식량 창고는 돌 틈이나 땅속에다 마련했다. 10여 개의 도토리나 밤을 모아 놓고 흙을 덮어 수십 개의 창고를 만든다. 지푸라기나 낙엽도 물어 날랐다. 그래야만 겨울을 따뜻하게 나기 때문이다.

(마) 어머니는 그날 집에 오면서 많은 생각을 했다. 야생 동물의 자유를 알아야만 사람도 진정으로 자유로울 수 있다는 것. 그 사실을 사람들은 왜 모를까? 귀여워서 갖고 싶을수록 놓아 주어야 한다. 동물은 야생에서 스스로 살아갈 때 가장 행복하고 아름답기 때문이다.

그 후 어머니는 다람쥐 새끼를 한 마리도 사람들에게 주지 않았다. 그래서 아주 곤란해진 적도 있고, 이상한 오해를 받기도 하였다. 심지어 읍내에 사는 어머니의 조카 손주가 와서 매달려도 고개를 흔들었다. 그 아이는 울고 난리가 났다. 어머니가 아무리 설명해도 알아듣지 못했다. 조카도 화를 냈다.

"이모, 그까짓 다람쥐가 뭔데 이러세요! 제가 돈 주고 사겠다는데요. 얘가 잠도 안 자고, 밥도 안 먹어요. 이모, 이렇게 제가 부탁할게요. 두 마리만 파세요."

그래도 어머니는 들어주지 않았다. 마음이 아팠지만 어쩔 수 없었다. 아무리 사람이 야생 동물을 행복하게 해줘도, 야생 동물은 결코 행복해질 수 없다. 어머니는 그 말을 몇 번이나 되풀이하였다.

한번은 면 소재지에 있는 초등학교 교장이 와서

"아이들 교육용으로 기를 테니, 몇 마리만 잡아서 기증해 주십시오."

하고 부탁한 일도 있다. 어머니가 거절하자, 교장은 아이들 교육보다 더 중요한 것이 있냐고 했다. 그래도 어머니는 머리를 흔들었다.

여름휴가 때 아이들을 데리고 고향을 찾아온 사람들도

"시우 어머니, 우리가 잘 키울게요. 두 마리만 파십시오."

하고는 많은 돈을 내밀었다. 어머니가 거절하자, 밤에 몰래 와서 잡아가는 사람도 있었다. 심지어 다람쥐에게 총을 쏘고 도망치는 사람도 있었다 한다. ㉤그게 다 사람들의 부질없는 욕심 때문이다.

– 이상권, 「고양이가 기른 다람쥐」 –

18 윗글에 대한 설명으로 가장 적절한 것은?

① 동물들이 하는 말과 행동 속에 풍자와 교훈의 뜻을 전달하는 우화이다.
② 대상에 대한 인물의 날카로운 비판과 냉소적인 분석을 바탕으로 모순을 드러낸다.
③ 작가의 직접 경험과 그에 따른 깨달음 및 견해를 진솔하게 서술하는 수필 문학이다.
④ 현재를 기준으로 과거를 회상하는 역순행적 구성을 통해 사건을 다각도로 분석하게 한다.
⑤ 주인공 어머니의 자식인 '나'를 서술자로 하여 이야기를 전개하는 1인칭 관찰자 시점이다.

19 (가)~(마)를 읽고 파악한 내용으로 적절하지 않은 것은?

① (가) : 다람쥐는 처음에는 어머니를 경계하였지만 갈수록 어머니의 순수한 애정을 느끼면서 어머니를 잘 따랐다.
② (나) : 다람쥐가 사라지자 어머니는 아무 일도 하지 않으면서 그 동안 다람쥐에게 정을 주었던 것을 후회했다.
③ (다) : 다람쥐는 어머니에게 의존하면서 먹이를 구하는 본능까지 잃게 되어 어머니가 집을 비운 사이 죽어버렸다.
④ (라) : 다람쥐가 고양이의 습성을 지니게 된 것을 걱정한 어머니는 암다람쥐를 구해 다람쥐 본연의 습성을 익히도록 했다.
⑤ (마) : 다람쥐가 귀여워서 갖고 놀고 싶거나 교육용으로 기르고자 하는 사람들의 생각과 다람쥐에 대한 어머니의 생각은 달랐다.

20 윗글의 작가가 다음 자료의 사람들에게 해 줄 수 있는 조언으로 적절하지 않은 것은?

> 지난해 11월 가장 먼저 길고양이 돌봄 활동에 나선 ○○대학교는 50여 명의 회원이 인터넷 게시판을 만들어 급식소 4곳에서 고양이 15마리를 보살피고 있다. 이들은 '학교와 고양이가 함께 살아가야 한다.'라는 내용의 서명 운동을 벌였고, 현재 서명한 인원은 500여 명을 넘어섰다.

① 길고양이는 야생에서 자신의 힘으로 생존하는 것이 가장 행복하고 아름다울 것입니다.
② 길고양이를 옆에서 보살펴 줘야만 잘 살 수 있다는 것은 모두 인간중심적인 사고입니다.
③ 길고양이의 본성과 야생성을 지켜주려고 배려하는 것이 결국 길고양이를 위하는 일입니다.
④ 길고양이들의 삶의 조건과 환경을 고려하면서 세심하게 돌보는 것이 바람직하다고 생각합니다.
⑤ 길고양이를 아무리 사람이 행복하게 해 줘도 야생 동물인 그들은 결코 행복해질 수 없습니다.

21 ㉠~㉤에 대한 설명으로 가장 적절한 것은?

① ㉠ : 어머니는 다람쥐가 사람 말을 알아들을 정도로 영리한 동물이라는 것을 체험을 통해 터득하였다.
② ㉡ : 어머니는 다람쥐에 대한 그리움과 이별의 아쉬움으로 인해 눈물을 흘렸다.
③ ㉢ : 어머니의 행동으로 인해 앞으로 다람쥐에게 일어날 사건을 암시한다.
④ ㉣ : 어머니의 노력에도 불구하고 다람쥐들은 완전히 야생성을 잃어버렸다.
⑤ ㉤ : 어머니의 사람들에 대한 비판 의식을 우회적으로 드러내면서 주제를 전달한다.

[22~25] 다음 글을 읽고 물음에 답하시오.

〈앞부분 줄거리〉 '나'의 어머니는 고구마 농사를 짓던 어느날 우연히 다람쥐 한 마리를 보게 된다. 외로운 상황이었던 어머니는 다람쥐에게 먹이를 주며 정을 붙이게 된다. 어느 날 다람쥐는 새끼들을 낳고 어머니는 더욱 정성을 다해 다람쥐를 돌본다. 그러다 어머니가 집을 오래 비우게 되고 다시 돌아왔을 때 어미 다람쥐가 죽었음을 알게 된다. 남은 새끼들을 보며 절망감에 쌓여 있던 어머니는 어느 날 고양이가 그 다람쥐 새낄들을 돌보는 모습을 보고 크게 놀란다. 하지만 그로 인해 다람쥐들은 자신을 고양이로 생각하고 여러 위험한 상황에 처하게 된다.

어머니는 그 다람쥐를 잘 치료해 주었다. 다람쥐는 빠르게 회복되었다. 어머니는 술독에다 다람쥐를 넣어 주었다. 다람쥐의 미래는 불확실하다. 그놈은 비록 몸은 다람쥐이지만 생각은 고양이이기 때문이다. 어머니는 고민하기 시작했다. 다람쥐가 다람쥐처럼 생활할 수 있도록 도와주어야 한다. 하지만 사람이 다람쥐의 생활을 가르칠 수는 없다. 그렇다고 다른 방법도 없었다. 일단 알아듣든 못 듣든 간에, 어머니는 직접 가르치기로 하였다.

"자, 너는 다람쥐야. 고양이가 아니란다. 자, 고기보다 도토리가 더 맛있을 거야. 먹어 봐. 옳지, 고양이는 다람쥐를 잡아먹는 무서운 동물이야. 그러니 고양이를 보면 일단 도망쳐야지. 어디로? 나무 위로 도망쳐야지. 너는 나무를 잘 타니까. 물론 고양이도 나무를 잘 타지만 너만큼 빠르지는 못해."

하지만 고양이 젖을 먹고 자란 다람쥐에게 고양이가 적이라는 말은 소용없었다. 아침에 이웃집 고양이한테 혼쭐이 나고도, 고양이만 보면 달려 나갔다. 아슬아슬한 순간이 한두 번이 아니었다. 개나 족제비, 부엉이는 무서워하면서도 오직 고양이만은 철석같이 믿었다. 어머니는 야생에서 자란 다른 다람쥐를 만나게 해야 한다고 생각했다.

가을 수확철이 되었다.

어느 날 마을 사람이 탈곡기 안에 숨어 든 다람쥐 한 마리를 잡았다. 어머니는 그 다람쥐를 달라고 하였다. ㉠그리고 술독에서 사는 다람쥐와 함께 사흘간 가둬 놓았다. 그 후 술독을 열어 놓아도 야생 다람쥐는 도망치지 않았다. 그놈은 암컷이었고, 고양이 젖을 먹고 자란 다람쥐는 수컷이었으니까. 야생 암다람쥐는 수놈에게 하나씩 교육을 시켰다. 우선 겨울 준비를 해야 한다고 했다. 알밤과 도토리를 모아다가 식량 창고를 만들었다. 식량 창고는 돌 틈이나 땅속에다 마련했다. 10여 개의 도토리나 밤을 모아 놓고 흙을 덮어 수십 개의 창고를 만든다. 지푸라기나 낙엽도 물어 날랐다. 그래야만 겨울을 따뜻하게 나기 때문이다.

또 겨울이 오기 전에 많이 먹어 두어야 한다는 사실도 알려 주었다. 겨울잠 자는 곰이나 오소리는 덩치가 크기 때문에 지방을 몸에다 많이 모아 놓을 수 있다. 몸이 작은 다람쥐는 그만큼은 못하더라도 최대한으로 지방을 모아 놓아야만 한다.

천적에 대해서도 가르쳐 주었다. 고양이나 개, 족제비, 담비 같은 천적은 주로 코를 이용하니까 그런 동물이 나타나면 무조건 도망치지 말고 바람을 이용하라는 것이다. 절대로 바람을 등져서는 안 된다고 단단히 일러 주었다. 그리고 부엉이나 올빼미들은 귀가 아주 밝다는 점을 강조하였다. 그들의 귀는 아주 미세한 움직임까지 알아내고는 먹이를 정확하게 발톱으로 움켜쥔다. 그들이 고양이 같은 육식 동물보다 더 무섭다. ㉡어머니는 다람쥐의 생활을 지켜보기만 하였다. 이제는 절대로 밥을 주지 않았다. 하지만 고양이 젖을 먹고 자란 수다람쥐는 여전히 어머니를 무척 따랐다.

"얘야, 나가서 네 짝이랑 자거라. 너는 다람쥐야. 사람하고 가까워질수록 너는 나약해져."

어머니는 그 말을 버릇처럼 내뱉었다.

눈이 펑펑 내리던 날이었다.

그날도 어머니 옆에서 재롱을 부리던 수다람쥐가 갑자기 졸기 시작하였다. 꼭 어린아기가 잠드는 모양이었다. 그러더니 아무리 흔들어도 다람쥐는 깨어나지 않았다. 겨울잠 잘 때가 되었다는 뜻이다. 어머니는 잠든 다람쥐를 술독에다 넣어 주었다. 술독에는 이미 야생 암다람쥐가 잠들어 있었다.

겨울잠에 든 다람쥐들은 사흘에 한 번씩 깨어난다. 그들은 술독에다 쌓아 둔 도토리를 먹은 다음 밖으로 나와서 물을 마신다. 그러고는 다시 잠을 잔다. 가끔씩 다람쥐들은 입을 헤 벌리고 코를 골았다. 물론 사람의 코고는 소리처럼 크지는 않다. 어머니는 잠자는 모습까지도 사람하고 똑같다는 느낌을 받았다. 그런 모습을 보니,

"사람은 죽어서 다른 생명체로 태어난단다. 뱀으로 태어날 수도 있고, 소로 태어날 수도 있지……."

하고 늘 말씀하시던 시어머니 얼굴이 스쳐갔다.

㉢다람쥐 부부는 무사히 겨울을 났다. 술독이 워낙 컸으므로 식량 걱정은 하지 않았다. 술독에다 식량을 충분히 모아 두었기 때문이다. 다른 곳에다 모아 놓은 식량은 손도 대지 않았다. 어머니는 그들의 식량 창고에다 막대기를 꽂아서 표시해 두었다. 나중에 식량이 부족해질 때 가르쳐 줄 생각이었다.

다람쥐 부부는 일곱 마리의 새끼를 낳았다. 고양이 젖을 먹고 자란 수컷은 부지런히 먹이를 찾아다녔다. 풀, 도토리, 도마뱀도 있었다. 하도 안쓰러워서 식량 창고를 가르쳐 주기도 했지만, 어머니는 그런 간섭도 필요 없다는 판단이 들었다. ⓐ사람이든 동물이든 힘든 시절이 필요하다. 그 시절을 겪어야만 좀 더 성숙해지니까. 일의 필요성을 느끼고, 고통을 참고 이겨내는 방법을 깨닫기 때문이다.

어머니와 다람쥐에 대한 이야기가 소문나기 시작하였다. 처음에는 마을 사람들이 와서 구경하였다. 마을 사람들은 아주 경사스러운 일이라고 하였다. 특히 술독에서 살아가는 것으로 보아, 우리 집 조상이 다람쥐로 태어난 모양이라고 입을 모았다.

어머니에 대한 이야기는 읍내에서 발행되는 지역 신문에도 소개 되었다. 그러자 국회 의원, 군 의원, 조합장, 면장 같은 사람들이 찾아왔다. ㉣그들은 어머니와 함께 사진을 찍고 싶어 했다. 그러고는 다람쥐 새끼를 키워 보겠다고 하였다. 어머니는 거절할 수가 없었다. 면장에게 두 마리를 주었을 때만 해도 이런 부탁은 마지막이겠지 했다. 하지만 어머니를 만나는 사람들은 은근히

"우리 아이들이 다람쥐를 키워 보고 싶어 해서요. 요즘 서울 사람들도 다람쥐를 많이 키운답니다. 우선 기르기가 쉽고, 무엇보다도 귀여우니까요."

하면서 다람쥐 새끼를 달라고 하였다. 조합장, 조합 직원, 지서 주임, 군청 공무원, 심지어 학교 선생님까지도 그랬다.

다람쥐 부부는 두 달 간격으로 새끼를 낳았고 어머니는 열두 마리의 다람쥐를 사람들에게 주었다.

지난달에는 면장 집에 초대되기도 했다. 면장의 손자들이 다람쥐를 키우고 있었다. 다람쥐 집은 앵무새를 키웠던 작은 철장 집이었는데, 그 철창 안에 작은 쳇바퀴가 있었다. 다람쥐는 그 속에서 재롱을 부렸다. ㉤그날 어머니는 하마터면 울 뻔하였다. 이상하게도 눈물이 났다. 물론 사람들은 애완동물이라고 했다. 텔레비전에서는 돼지를 집안에서 키우는 사람들 이야기도 나왔다. 목욕도 시키고, 옷도 입히고, 잠도 침대에서 잤다. 뱀이나 원숭이도 사람처럼 키운다. 하지만 그런 사람들도 반성해야 한다고 어머니는 중얼거렸다. 동물이 사람처럼 살 수는 없기 때문이다. 돼지들은 침대에서 자고 싶어 하지 않는다. 원숭이는 욕실에서 목욕하면서 살기를 원하지 않는다. 더러운 돼지우리일지언정, 무서운 천적들이 도사린 숲속일지라도, 동물들은 그곳에서 자유롭게 살고 싶어 한다.

어머니는 그날 집에 오면서 많은 생각을 했다. 야생 동물의 자유를 알아야만 사람도 진정으로 자유로울 수 있다는 것. 그 사실을 사람들은 왜 모를까? 귀여워서 갖고 싶을수록 놓아 주어야 한다. 동물은 야생에서 스스로 살아갈 때 가장 행복하고 아름답기 때문이다.

그 후 어머니는 다람쥐 새끼를 한 마리도 사람들에게 주지 않았다. 그래서 아주 곤란해진 적도 있고, 이상한 오해를 받기도 하였다. 심지어 읍내에 사는 어머니의 조카 손주가 와서 매달려도 고개를 흔들었다. 그 아이는 울고 난리가 났다. 어머니가 아무리 설명해도 알아듣지 못했다. 조카도 화를 냈다.

"이모, 그까짓 다람쥐가 뭔데 이러세요! 제가 돈 주고 사겠다는데요. 얘가 잠도 안 자고, 밥도 안 먹어요. 이모, 이렇게 제가 부탁할게요. 두 마리만 파세요."

그래도 어머니는 들어주지 않았다. 마음이 아팠지만 어쩔 수 없었다. 아무리 사람이 야생 동물을 행복하게 해줘도, 야생 동물은 결코 행복해질 수 없다. 어머니는 그 말을 몇 번이나 되풀이하였다.

한번은 면 소재지에 있는 초등학교 교장이 와서

"아이들 교육용으로 기를 테니, 몇 마리만 잡아서 기증해 주십시오."

하고 부탁한 일도 있다. 어머니가 거질하자, 교장은 아이들 교육보다 더 중요한 것이 있냐고 했다. 그래도 어머니는 머리를 흔들었다.

여름휴가 때 아이들을 데리고 고향을 찾아온 사람들도

"시우 어머니, 우리가 잘 키울게요. 두 마리만 파십시오."

하고는 많은 돈을 내밀었다. 어머니가 거절하자, 밤에 몰래 와서 잡아가는 사람도 있었다. 심지어 다람쥐에게 총을 쏘고 도망치는 사람도 있었다 한다. 그게 다 사람들의 부질없는 욕심 때문이다.

어머니는 내 딸을 안더니

"우리 강아지가 크면 다람쥐 덕을 보게 될 거야. 다람쥐는 여름내 부지런히 일하지. 밤도 모으고, 도토리도 모으고, 창고를 수십 개 만들어서 밤이나 도토리를 저장하거든. 허허허, 그런데 말이야, 그 녀석들은 그 많은 식량 창고를 다 기억 못해. 그래서 어떤 건 땅에 그대로 묻혀 있게 돼. 땅에 묻힌 밤이나 도토리는 싹을 틔운단다. 우리 집 뒤란에도 그렇게 해서 싹을 틔운 밤나무가 많아. 바로 그 밤나무가 자라면 우리 강아지도 따먹을 테니까……."

하시며 달궁달궁 흔들면서 재우기 시작하셨다.

– 이상권, 「고양이가 기른 다람쥐」 –

22 윗글에 대한 설명으로 적절한 것을 〈보기〉에서 모두 고르면?

보기
ㄱ. 인물 간의 갈등을 중심으로 사건을 전개하고 있다.
ㄴ. 빠른 장면 전환으로 긴박한 분위기를 조성하고 있다.
ㄷ. 내부의 이야기와 외부의 이야기가 반복적으로 교차되고 있다.
ㄹ. 서술자가 관찰을 바탕으로 추측한 내용을 마치 사실인 듯 서술하고 있다.

① ㄴ ② ㄷ ③ ㄹ ④ ㄱ, ㄴ ⑤ ㄷ, ㄹ

23 ㉠~㉤에 대한 설명으로 가장 적절한 것은?

① ㉠ : 어머니는 수다람쥐를 안전하게 보호하려 노력하고 있다.
② ㉡ : 어머니는 자신의 마음이 편해지기 위해 다람쥐를 방치하고 있다.
③ ㉢ : 어머니의 보호가 있었기에 다람쥐가 혹독한 겨울을 견뎌냈다.
④ ㉣ : 어머니의 유명세를 이용하려고 사진을 찍으려 하고 있다.
⑤ ㉤ : 다람쥐가 어머니 곁을 떠나 잘 지내고 있는 것에 대한 허망함이 드러나고 있다.

24 ⓐ의 어머니의 심정을 나타낸 것으로 가장 적절한 것은?

① 눈물 흘리면서 겨자 먹는 심정이겠군.
② 비 온 뒤에 땅이 굳는다는 심정이겠군.
③ 지렁이도 밟으면 꿈틀한다는 심정이겠군.
④ 돌다리도 두들겨 보고 건너는 심정이겠군.
⑤ 가지 많은 나무에 바람 잘 날 없다는 심정이겠군.

25 윗글의 '어머니'에 대한 이해로 적절한 것을 〈보기〉에서 모두 고르면?

보기

ㄱ. 다람쥐에 대한 어머니의 인식 변화가 나타난다.
ㄴ. 어머니는 다람쥐의 상황에 안타까운 마음을 드러낸다.
ㄷ. 어머니는 다람쥐를 대하는 사람들의 반응에 호의적이다.
ㄹ. 어머니는 답답한 마음에 다람쥐에게 직접 말로 교육을 시도한다.

① ㄱ ② ㄴ ③ ㄱ, ㄴ ④ ㄱ, ㄴ, ㄹ ⑤ ㄴ, ㄷ, ㄹ

서술형 심화문제

[01] 다음 글을 읽고 물음에 답하시오.

(가) 그날따라 어머니는 내 생각으로 눈을 감고 있었다. 그런데 뭔가 발등을 타고 넘어갔다. 눈을 떠 보니 아주 귀여운 다람쥐다. 숱하게 보아 온 동물이지만 그날은 특별하게 보였다. 사람이 나이 들면 동물을 좋아한다는 말이 있다. 자연과 가까워진다는 뜻이다. 자연과 가깝다는 말은 죽을 날이 가까워졌다는 뜻도 된다. 아무튼 평소에는 거들떠보지도 않던 동물이지만 어머니는 다람쥐를 유심히 바라다보았다. 겨울잠에서 깬 후 충분히 먹지 못했는지 여위어 보였다. 하긴, 아직은 다람쥐들이 배고픈 계절이다.

"옜다, 이거 먹으렴."

어머니는 고구마 한 개를 반으로 쪼개서 던져 주었다. 다람쥐가 어머니 눈치를 살폈다. 어머니가 웃어 주었다.

"괜찮다. 어서 먹으렴. 나는 너를 잡을 만큼 빠르지도 않단다. 너를 잡아서 키울 만큼 부지런하지도 않고, 너를 잡아서 팔 만큼 욕심도 없단다. 그러니까 안심하고 먹으렴."

(나) 다음 날 아침이었다. 부엌에서 혼자 밥을 먹는데 그 다람쥐가 나타났다. 어머니는 놀라면서도 반가워했다.

"허허, 너로구나. 아직 밥 안 먹었지야? 자, 가만있자…… 이 밥그릇은 우리 막내가 먹던 것이란다. 이 수저도 …… 참, 너는 수저질을 할 수가 없지."

막내를 서울로 떠나 보낸 지도 10년이 넘는다. 자식들은 철들기도 전에 모두 서울로 떠났다. 어머니는 갑자기 눈시울을 문질렀다. 눈물이 났다. 외로움 때문이다. 그리움 때문이다. 다람쥐가 어머니의 가슴속에 있는 그리움을 불러낸 셈이다.

"자아, 많이 먹어라. 아침이 든든해야 해. 요즘 젊은 것들은 아침을 빵에다 우유로 때운다고 하더라만, 사람은 아침이 든든해야 써. 내일도 오너라, 알았지?"

어머니는 꼭 자식을 보는 심정이었다. 어머니는 자식들을 키우는 데 평생을 바쳤다. 하지만 자식들이 커 버리자 이상하게도 허탈했다. 모두 손에 잡히지 않는 곳으로 떠나가 버린 듯했다.

그날부터 다람쥐는 매일 어머니를 찾아왔다. 어머니는 다람쥐에게 많은 이야기를 들려주었다. 자식들 이야기, 농사일 이야기, 세상 돌아가는 이야기, 못할 이야기가 없다. 다람쥐는 어머니를 비웃지 않는다. 항상 어머니의 이야기를 들어 준다.

(다) 어머니는 오랜만에 서울 나들이를 하였다. 처음에는 큰아들, 작은아들네 집에서 하룻밤씩 자고 오려고 했다. 하지만 뜻대로 되자 않았다. 자식들이 며칠만 더 쉬고 가라고 물고 늘어졌다. 게다가 서울에 있는 친척들마저 어머니를 붙들고 여기저기 구경 다녔다. 그러다 보니 열흘이 지났다. 그제야 퍼뜩 다람쥐를 떠올린 어머니가 시골집으로 내려왔을 때는 끔찍한 비극이 기다리고 있었다. 갓 눈을 뜬 다람쥐 새끼들이 애타게 어미를 찾고 있었다. 새끼들은 몸을 가누지도 못했다. 겨우 숨만 쉬는 놈도 있었다. 적어도 사흘 이상은 굶었을 것 같았다. 순간 어머니는 눈앞이 캄캄했다.

'죽었구나. 아, 내 실수야. 내가 먹을 것을 충분히 주고 갔어야 하는데…….'

어머니는 자신의 책임이라고 가슴을 쳤다. 배가 고픈 어미 다람쥐는 애타게 어머니를 기다렸으리라. 그러나 어머니는 하루 이틀이 지나도 돌아오지 않았다. 젖조차 말라붙은 어미 다람쥐는 어쩔 수 없이 밖으로 나갔다. 하도 오랜만에 밖으로 나와서 먹이를 구하려고 하니 쉽지 않았다. 야생의 세계에서 살려면 반드시 지켜야 할 규칙들도 다 잊어버렸다. 그러니 다른 동물들에게 잡아먹히는 건 시간 문제였으리라.

(라) 그런데 다음 날 믿어지지 않는 일이 벌어졌다. 죽은 새끼들이나 묻어주려고 보일러실로 들어간 어머니는 깜짝 놀라고 말았다.

"야옹, 야옹!"

갑자기 술독에서 고양이 한 마리가 뛰쳐나온 것이다. 어머니는 그 고양이가 다람쥐 새끼들을 다 잡아먹었으리라고 생각했다. 하지만 놀랍게도 어머니의 손전등을 받으며 꿈틀거리는 다람쥐 새끼들이 있었다. 고양이 새끼들도 보였다. 놀랍게도 고양이가 다람쥐 둥지에다 새끼를 낳은 모양이었다. 고양이 새끼는 네 마리였다. 고양이는 다람쥐의 무서운 천적이다. 그래서 더욱 믿어지지 않았다. 고양이가 다람쥐 새끼를 죽이지 않고 자기 새끼로 생각한다는 점이 꿈만 같았다. 순간적으로 어머니는,

"신이야말로 공평하십니다."

하면서 두 손을 모았다. 어머니도 가끔씩 텔레비전이나 소문으로 염소가 송아지를 키우고, 개가 호랑이 새끼를 키웠다

는 소리를 듣긴 했지만, 고양이가 천적인 다람쥐 새끼를 키웠다는 소리는 듣지 못했다. 고양이는 다람쥐 새끼를 친자식처럼 키워 주었다. 한 달이 지나자 어미 고양이는 술독을 떠났다.

다람쥐와 고양이의 생활은 전혀 다르다. 다람쥐는 어느 한 곳에다 보금자리를 정해 놓고 생활하는 반면, 고양이는 일정한 보금자리가 없다. 이 집 저 집, 이 곳 저 곳을 돌아다니면서 잠을 잔다. 어머니는 다람쥐 새끼를 고양이한테서 뺏을 생각도 하였다. 하지만 의붓어미 격인 고양이의 슬픔을 생각하니 그럴 수가 없었다. 그 대신 다람쥐 새끼들을 가깝게 두려고 하였따. 새끼 때부터 매일 들여다보았는지라 다람쥐 새끼들도 어머니를 따랐다.

어머니는 고양이한테 전혀 간섭하지 않았다. 고양이는 자기 방식대로 다람쥐를 교육시켰다. 음식도 육식을 강요하였다. 다람쥐 새끼들은 도토리나 밤 대신 고기만 먹었다. 주로 쥐였다. 게다가 '찍찍' 울어야 하건만 '야옹야옹' 하려고 들었다. 그러다 보니 '찌옹찌옹'하는 소리가 되었다.

(마) 어느 날 마을 사람이 탈곡기 안에 숨어 든 다람쥐 한 마리를 잡았다. 어머니는 그 다람쥐를 달라고 하였다. 그리고 술독에서 사는 다람쥐와 함께 사흘간 가둬 놓았다. 그 후 술독을 열어 놓아도 야생 다람쥐는 도망치지 않았다. 그놈은 암컷이었고, 고양이 젖을 먹고 자란 다람쥐는 수컷이었으니까. 야생 암다람쥐는 수놈에게 하나씩 교육을 시켰다. 우선 겨울 준비를 해야 한다고 했다. 알밤과 도토리를 모아다가 식량 창고를 만들었다. 식량 창고는 돌 틈이나 땅 속에다 마련했다. 10개의 도토리나 밤을 모아 놓고 흙을 덮어 수십 개의 창고를 만든다. 지푸라기나 낙엽도 물어 날랐다. 그래야만 겨울을 따뜻하게 나기 때문이다.

또 겨울이 오기 전에 많이 먹어 두어야 한다는 사실도 알려 주었다. 겨울잠 자는 곰이나 오소리는 덩치가 크기 때문에 지방을 몸에다 많이 모아 놓을 수 있다. 몸이 작은 다람쥐는 그만큼은 못하더라도 최대한으로 지방을 모아 놓아야만 한다.

천적에 대해서도 가르쳐 주었다. 고양이나 개, 족제비, 담비 같은 천적은 주로 코를 이용하니까 그런 동물이 나타나면 무조건 도망치지 말고 바람을 이용하라는 것이다. 절대로 바람을 등져서는 안 된다고 단단히 일러주었다. 그리고 부엉이나 올빼미들은 귀가 아주 밝다는 점을 강조하였다. 그들의 귀는 아주 미세한 움직임까지 알아내고는 먹이를 정확하게 발톱으로 움켜쥔다. 그들이 고양이 같은 육식 동물보다 더 무섭다. 어머니는 다람쥐의 생활을 지켜보기만 하였다. 이제는 절대로 밥을 주지 않았다. 하지만 고양이 젖을 먹고 자란 수다람쥐는 여전히 어머니를 무척 따랐다.

"얘야, 나가서 네 짝이랑 자거라. 너는 다람쥐야. 사람하고 가까워질수록 너는 나약해져."

어머니는 그 말을 버릇처럼 내뱉었다.

(바) 어머니는 그날 집에 오면서 많은 생각을 했다. 야생 동물의 자유를 알아야만 사람도 진정으로 자유로울 수 있다는 것. 그 사실을 사람들은 왜 모를까? 귀여워서 갖고 싶을수록 놓아 주어야 한다. 동물은 야생에서 스스로 살아갈 때 가장 행복하고 아름답기 때문이다.

그 후 어머니는 다람쥐 새끼를 한 마리도 사람들에게 주지 않았다. 그래서 아주 곤란해진 적도 있고, 이상한 오해를 받기도 하였다. 심지어 읍내에 사는 어머니의 조카 손주가 와서 매달려도 고개를 흔들었다. 그 아이는 울고 난리가 났다. 어머니가 아무리 설명해도 알아듣지 못했다. 조카도 화를 냈다.

"이모, 그까짓 다람쥐가 뭔데 이러세요! 제가 돈 주고 사겠다는데요. 얘가 잠도 안 자고, 밥도 안 먹어요. 이모, 이렇게 제가 부탁할게요. 두 마리만 파세요."

그래도 어머니는 들어주지 않았다. 마음이 아팠지만 어쩔 수 없었다. 아무리 사람이 야생 동물을 행복하게 해줘도, 야생 동물은 결코 행복해질 수 없다. 어머니는 그 말을 몇 번이나 되풀이하였다.

– 이상권, 「고양이가 기른 다람쥐」 –

---

01 어머니는 어떤 사건을 계기로 야생 동물에 대한 생각에 변화가 생기게 된다. 어머니의 생각의 변화를 가져오게 된 사건을 쓰고, 어머니의 생각이 사건 이전과 이후에 어떻게 변화하였는지 서술하시오.

(1) 어머니의 야생 동물에 대한 생각의 변화를 가져오게 된 계기를 기술하시오.

(2) 어머니의 생각이 어떻게 변화하였는지 사건 이전의 어머니 생각과 사건 이후의 어머니 생각을 각각 기술하시오.

[02] 다음 글을 읽고 물음에 답하시오.

(가) 다음 날 아침이었다. 부엌에서 혼자 밥을 먹는데 그 다람쥐가 나타났다. 어머니는 놀라면서도 반가워했다.
"허허, 너로구나. 아직 밥 안 먹었지야? 자, 가만있자……. 이 밥그릇은 우리 막내가 먹던 것이란다. 이 수저도……. 참, 너는 수저질을 할 수가 없지."
막내를 서울로 떠나 보낸 지도 10년이 넘는다.
막내의 밥그릇을 차지한 다람쥐는 이제 하찮은 동물이 아니다. 언제부턴가 어머니는 외롭지 않다는 생각을 하였다. 그러고 보니 외로움도 별 게 아니었다. 누군가와 이야기를 하니까 쉽게 없어지니 말이다. 〈중략〉
어머니는 다람쥐 어미를 정성스럽게 보살폈다. 보고들은 경험으로 다람쥐의 먹이를 구하고, 밥도 주었다. 묵은 밤도 구해다 주었다. 열매라고 생겼으면 무엇이든지 따다 주었다.
사실 지난 봄부터 다람쥐는 스스로 먹이를 구하지 않았다. 애써서 먹이를 구할 필요가 없었다. 어머니가 다 구해다 주었기 때문이다. 어머니는 다람쥐의 식성을 잘 알았다. 곤충도 먹고, 생선도 먹는다. 가끔씩 풀도 먹고 물도 마셔야 한다. 새끼들은 무럭무럭 자랐다. 〈중략〉
'죽었구나. 아, 내 실수야. 내가 먹을 것을 충분히 주고 갔어야 하는데…….'
어머니는 자신의 책임이라고 가슴을 쳤다. 배가 고픈 어미 다람쥐는 애타게 어머니를 기다렸으리라. 그러나 어머니는 하루 이틀이 지나도 돌아오지 않았다. 젖조차 말라붙은 어미 다람쥐는 어쩔 수 없이 밖으로 나갔다. 하도 오랜만에 밖으로 나와서 먹이를 구하려고 하니 쉽지 않았다. 야생의 세계에서 살려면 반드시 지켜야 할 규칙들도 다 잊어버렸다. 어머니는 감나무 밑에 한 무더기 떨어진 부엉이 똥을 발견했다. 그 속에는 커다란 다람쥐 머리뼈가 들어 있었다.

(나) 갑자기 술독에서 고양이 한 마리가 뛰쳐나온 것이다. 어머니는 그 고양이가 다람쥐 새끼들을 다 잡아먹었으리라고 생각했다. 하지만 놀랍게도 어머니의 손전등을 받으며 꿈틀거리는 다람쥐 새끼들이 있었다. 고양이 새끼들도 보였다. 놀랍게도 고양이가 다람쥐 둥지에다 새끼를 낳은 모양이었다. 고양이 새끼는 네 마리였다.
고양이는 다람쥐의 무서운 천적이다. 그래서 더욱 믿어지지 않았다. 고양이가 다람쥐 새끼를 죽이지 않고 자기 새끼로 생각한다는 점이 꿈만 같았다. 〈중략〉 고양이는 자기 방식대로 다람쥐를 교육시켰다. 음식도 육식을 강요하였다. 다람쥐 새끼들은 도토리나 밤 대신 고기만 먹었다. 주로 쥐였다. 게다가 '찍찍' 울어야 하건만, '야옹야옹' 하려고 들었다. 그러다 보니, '찌웅찌웅'하는 소리가 되었다. 〈중략〉 다람쥐 새끼들은 개나 다른 고양이를 보아도 도망치지 않았고, 쥐를 보면 고양이처럼 공격을 하였다. 그러다가 다람쥐 한 마리가 이웃집 고양이한테 물려 죽었다. 나머지 한 마리도 부엉이의 공격을 받았다. 다람쥐는 부엉이가 무서운 적이라는 사실을 몰랐다. 부엉이가 아무리 사나워도 고양이를 당해 낼 수는 없었기 때문이다. 다람쥐는 자신을 고양이라고 생각했던 것이다.

(다) 어느 날 마을 사람이 탈곡기 안에 숨어든 다람쥐 한 마리를 잡았다. 어머니는 그 다람쥐를 달라고 하였다. 그리고 술독에서 사는 다람쥐와 함께 사흘간 가둬 놓았다. 그 후 술독을 열어 놓아도 야생 다람쥐는 도망치지 않았다. 그놈은 암컷이었고, 고양이 젖을 먹고 자란 다람쥐는 수컷이었으니까. 야생 암다람쥐는 수놈에게 하나씩 교육을 시켰다. 우선 겨울 준비를 해야 한다고 했다. 알밤과 도토리를 모아다가 식량 창고를 만들었다. 또 겨울이 오기 전에 많이 먹어 두어야 한다는 사실도 알려 주었다. 천적에 대해서도 가르쳐 주었다. 고양이나 개, 족제비, 담비 같은 천적은 주로 코를 이용하니까 그런 동물이 나타나면 무조건 도망치지 말고 바람을 이용하라는 것이다. 절대로 바람을 등져서는 안 된다고 단단히 일러 주었다. 그리고 부엉이나 올빼미들은 귀가 아주 밝다는 점을 강조하였다. 그들의 귀는 아주 미세한 움직임까지 알아내고는 먹이를 정확하게 발톱으로 움켜쥔다. 그들이 고양이 같은 육식 동물보다 더 무섭다. 어머니는 다람쥐의 생활을 지켜보기만 하였다. 이제는 절대로 밥을 주지 않았다.

(라) 어머니에 대한 이야기는 읍내에서 발행되는 지역 신문에도 소개되었다. 어머니를 만나는 사람들은 은근히
"우리 아이들이 다람쥐를 키워 보고 싶어 해서요. 요즘 서울 사람들도 다람쥐를 많이 키운답니다. 우선 기르기가 쉽고, 무엇보다도 귀여우니까요."

하면서 다람쥐 새끼를 달라고 하였다.

다람쥐 부부는 두 달 간격으로 새끼를 낳았고, 어머니는 열두 마리의 다람쥐를 사람들에게 주었다.

지난달에는 면장 집에 초대되기도 했다. 면장의 손자들이 다람쥐를 키우고 있었다. 다람쥐 집은 앵무새를 키웠던 작은 철장 집이었는데, 그 철창 안에 작은 쳇바퀴가 있었다. 다람쥐는 그 속에서 재롱을 부렸다. 그날 어머니는 하마터면 울 뻔하였다. 사람들은 애완동물이라고 했다. 텔레비전에서는 돼지를 집안에서 키우는 사람들 이야기도 나왔다. 하지만 그런 사람들도 반성해야 한다고 어머니는 중얼거렸다. / 어머니는 그날 집에 오면서 많은 생각을 했다. 야생 동물의 자유를 알아야만 사람도 진정으로 자유로울 수 있다는 것. 그 사실을 사람들은 왜 모를까? 귀여워서 갖고 싶을수록 놓아 주어야 한다. 동물은 야생에서 스스로 살아갈 때 가장 행복하고 아름답기 때문이다.

그 후 어머니는 다람쥐 새끼를 한 마리도 사람들에게 주지 않았다.

한번은 면 소재지에 있는 초등학교 교장이 와서

"아이들 교육용으로 기를 테니, 몇 마리만 잡아서 기증해 주십시오."

하고 부탁한 일도 있다. 어머니가 거절하자, 교장은 아이들 교육보다 더 중요한 것이 있냐고 했다. 그래도 어머니는 머리를 흔들었다.

---

02 (가)~(라)의 핵심 내용을 정리할 때, '어머니'의 생각이 어떻게 변화했는지 함께 드러나도록 서술하시오.

조건

- 단락별 각각 한 문장으로 서술할 것
- (가), (다), (라)에는 어머니의 생각이 드러나야 함.

[03] 다음 글을 읽고 물음에 답하시오.

어머니는 그날 집에 오면서 많은 생각을 했다. 야생 동물의 자유를 알아야만 사람도 진정으로 자유로울 수 있다는 것. 그 사실을 사람들은 왜 모를까? 귀여워서 갖고 싶을수록 놓아 주어야 한다. 동물은 야생에서 스스로 살아갈 때 가장 행복하고 아름답기 때문이다.

그 후 (㉠). 그래서 아주 곤란해진 적도 있고, 이상한 오해를 받기도 하였다. 심지어 읍내에 사는 어머니의 조카 손주가 와서 매달려도 고개를 흔들었다. 그 아이는 울고 난리가 났다. 어머니가 아무리 설명해도 알아듣지 못했다. 조카도 화를 냈다.

– 이상권, 「고양이가 기른 다람쥐」에서 –

---

03 ㉠의 사건을 아래 〈조건〉에 맞게 서술하시오.

조건

1) 주어는 '명사+보조사'로 구성됨
 - 명사 : 이 작품의 주인공임
 - 보조사 : ((받침 없는 체언 뒤에 붙어)) 문장 속에서 어떤 대상이 화제임을 나타냄
2) 서술어는 '주다'이며 활용하고, 세 자리 서술어임
 - 활용의 어미 : ((용언의 어간이나 어미 '-으시-', '-었-' 뒤에 붙어)) 그 움직임이나 상태를 부정하거나 금지하려 할 때 쓰이는 연결 어미임
3) 의지 부정문이며 긴 부정문[통사적 부정문]인데 과거시제 선어말어미를 사용함
4) 목적어는 이 작품의 주인공에게 깨달음을 준 존재임
5) 부사어는 '복수 명사+격조사'로 구성됨
 - 복수 명사 : 자기 외의 남을 막연하게 이르는 말에 복수(複數)의 뜻을 드러내는 접미사가 붙음
 - 격조사 : ((사람이나 동물 따위를 나타내는 체언 뒤에 붙어)) 어떤 행동이 미치는 대상을 나타냄

[04~05] 다음 글을 읽고 물음에 답하시오.

(가) 어머니는 마당에서 씨 고구마를 고르고 있었다. 환갑을 넘긴 어머니는 점점 농사를 줄이는 중이지만, 자식들에게 부쳐 줄 농사는 최소한으로 지으신다. 고구마를 좋아하는 자식은 둘째인 나다. 어머니는 나 때문에 해마다 고구마 농사를 짓는다.

그날따라 어머니는 내 생각으로 눈을 감고 있었다. 그런데 뭔가 발등을 타고 넘어갔다. 눈을 떠 보니 아주 귀여운 다람쥐다. 숱하게 보아 온 동물이지만 그날은 특별하게 보였다. 겨울잠에서 깬 후 충분히 먹지 못했는지 여위어 보였다. 하긴, 아직은 다람쥐들이 배고픈 계절이다.

"옜다, 이거 먹으렴."

어머니는 고구마 한 개를 반으로 쪼개서 던져 주었다. 다람쥐가 어머니 눈치를 살폈다. 어머니가 웃어 주었다.

"괜찮다. 어서 먹으렴. 나는 너를 잡을 만큼 빠르지도 않단다. 너를 잡아서 키울 만큼 부지런하지도 않고, 너를 잡아서 팔 만큼 욕심도 없단다. 그러니까 안심하고 먹으렴."

어머니는 다람쥐가 사람 말을 알아듣는다고 생각했다. 그것은 어머니의 어머니가 가르쳐 준 진리였다. 사람하고 가깝게 살아가는 동물 앞에서는 말을 함부로 하지 말라고.

(나) 다음 날 아침이었다. 부엌에서 혼자 밥을 먹는데 그 다람쥐가 나타났다. 어머니는 놀라면서도 반가워했다.

"허허, 너로구나. 아직 밥 안 먹었지야? 자, 가만있자…… 이 밥그릇은 우리 막내가 먹던 것이란다. 이 수저도 …… 참, 너는 수저질을 할 수가 없지."

막내를 서울로 떠나보낸 지도 10년이 넘는다. 자식들은 철들기도 전에 모두 서울로 떠났다. 어머니는 갑자기 눈시울을 문질렀다. 눈물이 났다. 외로움 때문이다. 그리움 때문이다. 다람쥐가 어머니의 가슴속에 있는 그리움을 불러낸 셈이다.

어머니는 꼭 자식을 보는 심정이었다. 어머니는 자식들을 키우는 데 평생을 바쳤다. 하지만 자식들이 커 버리자 이상하게도 허탈했다.

그날부터 다람쥐는 매일 어머니를 찾아왔다. 어머니는 다람쥐에게 많은 이야기를 들려주었다. 자식들 이야기, 농사일 이야기, 세상 돌아가는 이야기, 못할 이야기가 없다. 다람쥐는 어머니를 비웃지 않는다. 항상 어머니의 이야기를 들어 준다.

(다) 어머니는 다람쥐 어미를 정성스럽게 보살폈다. 보고들은 경험으로 다람쥐의 먹이를 구하고, 밥도 주었다. 사실 지난 봄부터 다람쥐는 스스로 먹이를 구하지 않았다. 애써서 먹이를 구할 필요가 없었다. 어머니가 다 구해다 주었기 때문이다. 어머니는 암컷 다람쥐가 얼마만큼 게을러져 있는지 몰랐다. 다람쥐는 먹이를 구하려는 노력을 전혀 하지 않았다. ㉠<u>야생 동물이 먹이 구하는 본능을 잃어 간다는 사실이 얼마나 큰 불행을 가져오는지 어머니는 미처 생각하지 못했다. 다람쥐도 마찬가지였다.</u>

---

04 ㉠에서처럼 소설이나 희곡에서 앞으로 일어날 사건을 미리 독자에게 넌지시 암시하는 서술을 무엇이라고 하는지 2음절로 쓰시오.

05 윗글과 〈보기〉에서 공통적으로 비판해 볼 수 있는 '동물을 바라보는 인간의 자세'를 서술하시오.

보기

○○뉴스

청명한 하늘 위로 강아지 한 마리가 '날고' 있습니다.
붕 떠 있는 네 다리, 바람에 날리는 꼬리,
허공에서 카메라를 내려다보는 강아지의 동그란 눈...
최근 유행하는 '강아지 하늘샷' 입니다.

본래 '하늘샷'은 반려견과 하늘을 함께 찍는 사진을 칭했습니다. 그런데 강아지를 들거나 던져 올리고 찍은 사진들이 '귀엽다'는 반응을 얻자, 너도나도 강아지를 하늘에 던지기 시작하고 이런 사진을 SNS에 게시하였습니다.

사회 · 문화적 가치를 담은 책 선정하기

❶ 다음 글을 읽고, 우리가 함께 고민해야 할 사회 · 문화적 가치에는 어떤 것이 있는지 자유롭게 떠올려 보자.

> 문학은 오래전부터 정치, 경제, 사회, 문화 등 여러 분야에 걸쳐 인간다운 삶을 누릴 수 있는 공동체를 만들기 위해 다양한 사회 · 문화적 가치에 관심을 기울이고 이를 작품에 반영하였다. 〈홍길동전〉에서는 적서 차별이라는 모순된 신분 제도를 비판하였으며, 〈춘향전〉에서는 불합리한 신분 제도를 초월한 남녀의 진실한 사랑을 그렸다.
>
> 최근 우리 사회는 다양하고 복잡한 문제들을 마주하고 있다. 무분별한 자연 개발과 그에 따른 생태계 파괴(공동체가 함께 고민해야 할 사회 · 문화적 가치 ①)는 어제오늘의 일이 아니며, 국제 결혼이나 취업으로 이주자나 유학생이 증가하면서 다양한 민족과 문화가 공존하는 과정에서 겪는 갈등도 있다.(공동체가 함께 고민해야 할 사회 · 문화적 가치 ②)

예시 답
- 무분별한 자연 개발과 환경 파괴의 문제
- 문화적 차이로 인한 갈등의 문제
- 외국인 노동자나 다문화 가정에 대한 편견과 차별의 문제
- 여성, 장애인, 아동, 노인과 같은 사회적 약자를 배려하지 않는 문제
- 입시 위주의 경쟁 교육

❷ 각 모둠별로 관심 있는 사회 · 문화적 가치는 무엇인지 의논하여 선정해 보자.

> 최근에 본 신문 기사나 텔레비전 뉴스, 인터넷에서 본 것을 떠올려 보자.

예시 답 최근에 우리나라 교육 및 입시 제도와 관련된 텔레비전 다큐멘터리를 보면서 이와 관련된 문학 작품을 감상하고 모둠원들과 이에 대해 이야기를 나누어 보고 싶다.

❸ ❷에서 선정한 사회 · 문화적 가치를 담고 있는 책을 찾아보고, 다음 기준을 고려하여 한 권의 책을 선정해 보자.

- 우리가 선정한 사회 · 문화적 가치와 관련이 있는가?
- 주제나 내용이 너무 쉽거나 어렵지 않은가?
- 정해진 수업 시간에 읽을 수 있는 분량인가?

책 제목: 예시 답 《풀꽃도 꽃이다》

글쓴이: 예시 답 조정래

출판사: 예시 답 해냄출판사

❹ 책을 읽기 전에 책의 내용을 예측해 보자.

(1) 제목이나 표지, 차례 등을 보며 책의 내용을 짐작해 보자.

예시 답 • 책의 제목을 보니 작고 하찮은 존재인 '풀꽃'도 '꽃'이라고 직접 제시하고 있다. 이 땅에 살아 숨 쉬는 모든 존재가 그 존재 자체만으로도 소중한 대상이라는 것을 이야기하는 내용을 담고 있을 것 같다.
• 책의 표지를 보면 푸르고 싱싱한 초록색으로 가득 채워져 있어서 그런지 희망적인 내용을 담고 있을 것 같다.

(2) 책과 관련된 자신의 배경지식이나 경험을 떠올려 보자.

예시 답 친구보다 더 좋은 성적을 받기 위해 일부러 친구에게 내가 열심히 공부하는 것을 숨긴 경험이있다. 친구에게도 경쟁심을 느끼는 내 자신이 불행하다고 생각한 적이 있다.

(3) 책의 내용을 훑어보고 궁금한 내용을 질문으로 만들어 보자.

예시 답 • 시험이 없는 학교를 만들 수 있을까?
• 경쟁을 하지 않고도 최상의 교육 효과를 기대할 수는 없는 걸까?
• 우리나라의 중고등학생들은 얼마나 행복할까?

활동 2 선정한 책을 읽고 독서 일지 쓰기

읽은 날짜

읽은 쪽수

책 제목 《풀꽃도 꽃이다》	글쓴이 조정래

● 인상적인 내용

예시 답 • 7쪽: 주인공 '강교민'이란 이름은 무슨 뜻의 줄임말일까. 독자들에게 퀴즈를 낸다. 그것이 소설의 주제니까.
→ 인상적이라 생각한 까닭: 서문에 해당하는 '작가의 말'에서 담임 선생님으로 등장하는 인물의 이름이 왜'강교민'인지 작가가 독자에게 물어서 호기심을 느끼게 하는 것이 기억에 남았다. 나 역시 무슨 뜻인지 여러 가지로 생각해 보게 되었다.

● 읽으면서 궁금했던 점

예시 답 • 왜 우리나라 학생들은 공부하는 시간보다 마음껏 노는 시간은 부족한 걸까?
• 학교생활을 즐겁고 행복하게 보낼 수는 없을까?
• 사교육을 받지 않고 학교에서 공부하는 것만으로는 부족한 걸까?

● 사회 · 문화적 가치와 관련된 부분

예시 답 대학을 가지 않아도 졸업 후 자신이 원하는 직장에 취직을 하고, 성실하게 일해서 노력한 만큼 대가를 받을 수 있는 사회가 되었으면 좋겠다. 우리나라는 점점 이러한 모습이 사라지고 있는 것 같다.

● 책 내용과 관련된 나의 경험 떠올리기

예시 답 나는 청소년기가 매우 중요한 시기라고 생각한다. 하지만 정작 나의 꿈에 대해 고민하고 생각할 시간은 부족하다. 매일 학교와 학원에서 공부에만 매달리느라 가끔 내가 무엇을 향해 이렇게 노력하는지에 대해 잊을 때도 많다. 책을 읽으면서 현재 나의 모습을 발견할 수 있었다.

앞에서 선택한 책을 읽으면서 수업 시간에 독서 일지를 작성해 보자.

· 이 독서 일지 양식은 '부록' 422쪽에 추가로 제시하였습니다.

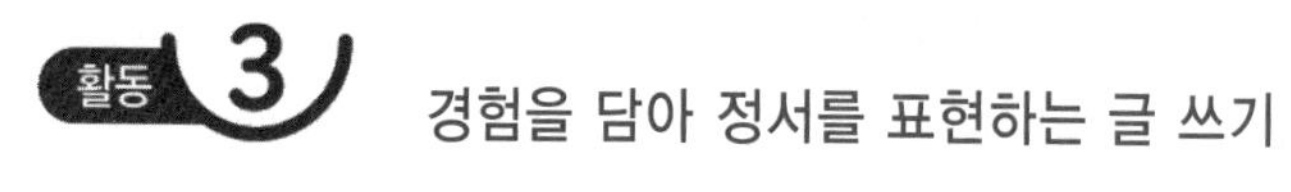

경험을 담아 정서를 표현하는 글 쓰기

❶ 활동 2 에서 작성한 독서 일지를 바탕으로 하여 작품이 담고 있는 사회 · 문화적 가치를 생각하고 평가해 보자.

(1) 책에서 작가가 독자에게 전달하려는 사회 · 문화적 가치는 무엇이며, 그것이 가장 잘 드러난 부분은 어디인지 찾아보자.

사회 · 문화적 가치	가장 잘 드러난 부분
예시 답 입시 위주의 경쟁을 부추기는 사회	예시 답 44쪽, 'OECD 회원국들 중에서 ~ 망원경을 들이대고 보여 주고 있었다.

(2) 책에 담긴 사회 · 문화적 가치와 관련된 다양한 자료를 찾아 정리해 보자

자료	매체	내용	출처
1	책	《죽은 시인의 사회》: 교육의 참된 의미를 잘 알고있는 키팅 선생님이 부임하면서 학생들에게 참교육의 의미를 일깨워준다는 내용의 책	N. H. 클라인바움, 서교출판사, 2016
2	영화	〈캡틴 판타스틱(Captain Fantastic)〉: 아이들의 개성을 무시한 채, 편견과 닫힌 사고로부터 벗어나야한다는 내용을 다루고 있는 영화	맷 로스 감독, (주)더쿱, 2016
3	텔레비전	〈공부하는 인간: 호모-아카데미우스〉: 진정한 공부란 무엇인지에 대한 다큐멘터리로, 하버드 대학에 재학 중인 다양한 인종의 학생들이 세계 여러 나라의 공부법과 문화를 소개하며 진정한 공부의 의미를 고민하게 만든 다큐멘터리 방송	KBS, 2013

(3) 글쓴이가 이야기하고 있는 사회 · 문화적 가치에 대한 자신의 생각을 말해 보자.

□ 나는 동의해.	□ 나는 동의하지 않아.
예시 답 나는 작가의 생각에 동의해. 입시 위주의 경쟁을 통해 결국 진정한 교육이 이루어지고 있지 않고, 학생들 역시 불행한 청소년기를 지내는 현실을 바라보면서 나는 작가의 의견에 적극 찬성하고 있어.	예시 답 나는 작가의 의견에 동의하지 않아. 사실 일정한 수준의 경쟁이 없는 사회는 존재할 수 없어. 과도하지는 않아도 학생은 시험을 통해 점점 발전하고 성장할 수 있다고 생각해. 현재의 제도를 무조건 비판하기보다는 적절하게 보완하는 방안이 필요하다고 생각해.

❷ 사회 · 문화적 가치와 관련된 자신의 경험을 떠올리며 성찰해 보자.

(1) 책에 담긴 사회 · 문화적 가치와 관련된 자신의 경험을 떠올려 보자.

예시 답 • 성적 때문에 고민했던 경험
• 시험 기간 동안 친구에게 지나치게 경쟁심을 느낀 경험

(2) (1)에서 떠올린 경험을 했을 때 나의 느낌은 어떠했으며, 자신이 얻은 깨달음이나 교훈은 무엇인지 써 보자.

경험을 했을 때의 느낌	경험으로 얻은 깨달음이나 교훈
예시 답 자존심이 상하고 기분이 좋지 않았음.	예시 답 • 높은 점수를 받는 것만이 가치 있는 것은 아니라고 생각함. • 타인에 대한 지나친 경쟁 심리는 오히려 나의 발전에 도움이 되지 않는다는 것을 깨달았음.

(3) 자신이 경험하고 성찰한 내용을 다른 사람과 함께 나눌 수 있는 방법을 생각해 보자.

예시 답 나의 가치 있는 경험이나 성찰의 내용을 글로 써서 함께 읽거나 친구들 앞에서 발표하여 공유할 수 있다.

❸ 자신의 경험과 성찰을 담아 정서를 표현하는 글을 써 보자.

(1) 정서를 표현하는 글을 쓰기 전에 글쓰기 계획을 세워 보자.

예상 독자

- 예상 독자: 예시 답 학급 친구들
- 예상 독자 분석: '나'와 같은 또래이고 평소 학교 성적에 대한 부담을 갖고 있다.

글의 주제

예시 답 이제는 '경쟁'이 아니라 '협력'과 '배려'가 중요한 세상

글의 내용 조직

- 제목: 예시 답 이젠 달라집시다.
- 처음: 예시 답 세상이 어떻게 변하고 있는지에 대한 이야기
- 중간: 예시 답 다른 교육 선진국들의 현실
- 끝: 예시 답 우리가 살아갈 세상에 필요한 것들

표현 전략

- 나의 경험을 구체적으로 제시하여 독자에게 생생하게 전달한다.
- 예시 답 비유적 표현을 통해 쉽게 이해하고 공감할 수 있도록 한다.
- 예시 답 부드러운 어투로 친구에게 편지를 쓰듯이 표현하여 독자가 친근감을 느낄 수 있도록 한다.

(2) (1)에서 계획한 내용으로 정서를 표현하는 글을 써 보자.

예시 답 생략

(3) 완성된 글을 친구들과 돌려 읽고, 다음 항목을 중심으로 평가해 보자.

평가 항목	평가
자신의 경험을 구체적으로 생생하게 전달하였는가?	☆☆☆☆☆
사회 · 문화적 가치를 잘 드러냈는가?	☆☆☆☆☆
주제를 전달하기 위해 효과적인 표현 방법을 사용하였는가?	☆☆☆☆☆

단원 종합평가

[01~03] 다음 글을 읽고, 물음에 답하시오.

맨 처음 다람쥐가 나타난 것은 ㉠1994년 3월이다. 어머니는 마당에서 씨 고구마를 고르고 있었다. 〈중략〉 고구마를 좋아하는 자식은 둘째인 나다. 어머니는 나 때문에 해마다 고구마 농사를 짓는다.

그날따라 어머니는 내 생각으로 눈을 감고 있었다. 그런데 뭔가 발등을 타고 넘어갔다. 눈을 떠 보니 아주 귀여운 다람쥐다. 〈중략〉 겨울잠에서 깬 후 충분히 먹지 못했는지 여위어 보였다. 하긴, 아직은 다람쥐들이 배고픈 계절이다.

"옜다, 이거 먹으렴."

어머니는 고구마 한 개를 반으로 쪼개서 던져 주었다. 다람쥐가 어머니 눈치를 살폈다. 어머니가 웃어 주었다.

"괜찮다. 어서 먹으렴. 나는 너를 잡을 만큼 빠르지도 않단다. 너를 잡아서 키울 만큼 부지런하지도 않고, 너를 잡아서 팔 만큼 욕심도 없단다. 그러니까 안심하고 먹으렴." 〈중략〉

한 달쯤 지났을까. 어머니가 씨감자를 고르고 있을 때 다람쥐가 다시 나타났다.

"오냐, 너로구나. 그래, 잘 왔다. 배고플 텐데, 자 먹으렴. 이제 조금만 참으면 배고픈 계절은 지나간단다. 그러니까 부지런히 일해서 식량을 모아 둬야지. 그래야 겨울부터 봄까지 굶주리지 않거든. 다람쥐는 개미보다 더 부지런하다고 들었는데, 안 그러니? 식량 창고를 수십 개나 만들어 둔다던데. 괜찮다. 올해부터 부지런히 일하면 되니까."

어머니는 하도 반가워서 은연중에 다람쥐를 쓰다듬었다. 그러다가 어머니는 놀라 일어섰다. 아무리 작은 동물이라고 해도 그놈은 야생 다람쥐가 아닌가. 잘못 건드리다가는 물릴 수도 있다. 다람쥐는 이빨 독이 있는지라 물리면 잘 낫지도 않는데……. 하지만 ㉡다람쥐는 어머니를 전혀 경계하지 않았다. 〈중략〉

다음 날 아침이었다. ㉢부엌에서 혼자 밥을 먹는데 그 다람쥐가 나타났다. 어머니는 놀라면서도 반가워했다.

"허허, 너로구나. 아직 밥 안 먹었지야? 자, 가만있자…… 이 ㉣밥그릇은 우리 막내가 먹던 것이란다. 이 수저도 …… 참, 너는 수저질을 할 수가 없지."

막내를 서울로 떠나보낸 지도 10년이 넘는다. 자식들은 철들기도 전에 모두 서울로 떠났다. 어머니는 갑자기 눈시울을 문질렀다. 눈물이 났다. 외로움 때문이다. 그리움 때문이다. 다람쥐가 어머니의 가슴속에 있는 그리움을 불러낸 셈이다.

[중략 부분 줄거리] 그날부터 다람쥐는 매일 어머니를 찾아오고 다람쥐는 어머니께서 특별한 존재가 되어 간다. 그러던 어느 날 다람쥐는 새끼를 낳은 후 자신의 새끼들을 어머니에게 보여준다.

어머니는 다람쥐 어미를 정성스럽게 보살폈다. 보고들은 경험으로 다람쥐의 먹이를 구하고, 밥도 주었다. 사실 지난봄부터 다람쥐는 스스로 먹이를 구하지 않았다. 애써서 먹이를 구할 필요가 없었다. 어머니가 다 구해다 주었기 때문이다. 〈중략〉 어머니는 암컷 다람쥐가 얼마만큼 게을러져 있는지 몰랐다. 다람쥐는 먹이를 구하려는 노력을 전혀 하지 않았다. ㉤야생 동물이 먹이 구하는 본능을 잃어 간다는 사실이 얼마나 큰 불행을 가져오는지 어머니는 미처 생각하지 못했다. 다람쥐도 마찬가지였다.

[중략 부분 줄거리] 어머니가 서울 나들이를 간 사이에 먹이를 구하러 나갔던 어미 다람쥐가 죽고, 새끼 다람쥐도 몇 마리 남지 않게 된다. 살아남은 다람쥐 새끼들을 고양이가 키우게 되고, 수컷 다람쥐는 자신이 고양이라고 생각한다. 수컷 다람쥐는 어머니가 데리고 온 야생 암컷 다람쥐를 만나 다람쥐의 본성을 서서히 찾아가고, 어머니와 다람쥐의 이야기가 신문에 실려 유명해져 주변에서 다람쥐를 애완동물로 얻어 가서 키운다.

지난달에는 면장 집에 초대되기도 했다. 면장의 손자들이 다람쥐를 키우고 있었다. 다람쥐 집은 앵무새를 키웠던 작은 철장 집이었는데, 그 철창 안에 작은 쳇바퀴가 있었다. 다람쥐는 그 속에서 재롱을 부렸다. 그날 어머니는 하마터면 울 뻔하였다. 이상하게도 눈물이 났다. 물론 사람들은 애완동물이라고 했다. 텔레비전에서는 돼지를 집안에서 키우는 사람들 이야기도 나왔다. 목욕도 시키고, 옷도 입히고, 잠도 침대에서 잤다. 뱀이나 원숭이도 사람처럼 키운다. 하지만 그런 사람들도 반성해야 한다고 어머니는 중얼거렸다. 동물이 사람처럼 살 수는 없기 때문이다. 돼지들은 침대에서 자고 싶어 하지 않는다. 원숭이는 욕실에서 목욕하면서 살기를 원하지 않는다. 더러운 돼지우리일지언정, 무서운 천적들이 도사린 숲 속일지라도, 동물들은 그 곳에서 자유롭게 살고 싶어 한다.

어머니는 그날 집에 오면서 많은 생각을 했다. 야생 동물의 자유를 알아야만 사람도 진정으로 자유로울 수 있다는 것. 그 사실을 사람들은 왜 모를까? 귀여워서 갖고 싶을수록 놓아 주어야 한다. 동물은 야생에서 스스로 살아갈 때 가장 행복하고 아름답기 때문이다.

01 윗글의 ㉠~㉤에 대한 설명으로 적절하지 않은 것은?

① ㉠ : 실제로 일어난 일인 듯한 사실감을 준다.
② ㉡ : 다람쥐가 야생동물로서의 습성이 약해지고 있음을 보여준다.
③ ㉢ : 어머니가 외로운 처지임을 추론할 수 있다.
④ ㉣ : 어머니에게 자식에 대한 그리움을 불러일으키는 소재이다.
⑤ ㉤ : 앞으로 어머니와 다람쥐 사이에 갈등이 생겨날 것임을 암시한다.

02 다음은 '△△시, 길고양이 급식 시범 운영'이라는 인터넷 기사문의 아래에 달린 댓글들이다. 윗글의 어머니의 의견에 가장 가까운 것은?

① 길고양이들이 몰려들어 문제가 더 심각하게 발생할 텐데 인근 주민들의 불편은 어떻게 하나요? 고양이들의 울음소리와 배변으로 인한 오염 문제 등.
② 급식소를 찾는 고양이를 포획해서 중성화 수술을 한다면 개체수가 늘어나지 않도록 조절이 가능합니다. 먹이를 충분히 공급하면 고양이들이 쓰레기봉투를 헤집어놓는 일이 없어져 시민 불편이 줄어들 것입니다.
③ 시민들의 소중한 세금으로 길고양이의 사료와 중성화 비용을 대는 것은 낭비입니다. 아무리 중성화 수술을 한다고 해도 계속 그 숫자가 늘어나면 그 비용을 어떻게 다 감당합니까?
④ 개와 달리 고양이는 쉽게 야생화가 되는 동물이라고 합니다. 고양이들은 사람에게 해가 되지 않으니까 고양이들이 스스로 살아가는 방법을 익히도록 인간들이 개입을 하지 말아야 합니다.
⑤ 이들은 주로 인간들이 키우다 유기한 고양이들입니다. 애초에 야생 동물도 아니고 도시에서 스스로 살아간다는 것은 불가능해요. 인간들이 도움을 주어야 합니다.

03 〈보기〉는 학생들이 윗글에 대한 비평문을 작성하기 위해 세운 수행평가 계획이다. 반영론의 관점에서 비평문을 작성하려는 학생을 있는 대로 고른 것은?

보기

- **준호** : 윗글의 작가는 생태동화를 주로 쓰는 작가라고 하는데 나는 작가의 다른 작품이나 잡지 인터뷰 등을 찾아서 작가의 평소 생각이 얼마나 작품 속에 나타나 있는지 조사해 보겠어.
- **도현** : 나는 실제로 고양이가 다람쥐를 기르는 것과 유사한 사례가 있는지 조사해서 이야기 속의 상황이 얼마나 개연성이 있는지 탐구해 보겠어.
- **민희** : 나는 요즘 사회적 관심을 받고 있는 생태주의에 대해 조사해 보고 이것이 이 소설에 어떻게 영향을 끼쳤는지 알아보겠어.
- **승연** : 나는 중심인물인 어머니의 심리가 어떻게 변하는지 파악하고 작품 속의 중심 갈등을 구조화해서 이것을 중심으로 주제를 확인해 보겠어.

① 준호 ② 준호, 민희 ③ 도현, 민희
④ 준호, 도현, 민희 ⑤ 준호, 도현, 민희, 승연

[04~06] 다음 글을 읽고, 물음에 답하시오.

인간과 야생 동물

어머니는 그 다람쥐를 잘 치료해 주었다. 다람쥐는 빠르게 회복되었다. 어머니는 술독에다 다람쥐를 넣어 주었다. ㉠다람쥐의 미래는 불확실하다. 그놈은 비록 몸은 다람쥐이지만 생각은 고양이이기 때문이다. 어머니는 고민하기 시작했다. 다람쥐가 다람쥐처럼 생활할 수 있도록 도와주어야 한다. 하지만 사람이 다람쥐의 생활을 가르칠 수는 없다. 그렇다고 다른 방법도 없었다. 일단 알아듣든 못 듣든 간에, 어머니는 직접 가르치기로 하였다.

"자, 너는 다람쥐야. 고양이가 아니란다. 자, 고기보다 도토리가 더 맛있을 거야. 먹어 봐. 옳지, 고양이는 다람쥐를 잡아먹는 무서운 동물이야. 그러니 고양이를 보면 일단 도망쳐야지. 어디로? 나무 위로 도망쳐야지. 너는 나무를 잘 타니까. 물론 고양이도 나무를 잘 타지만 너만큼 빠르지는 못해."

하지만 고양이 젖을 먹고 자란 다람쥐에게 고양이가 적이라는 말은 소용없었다. 아침에 이웃집 고양이한테 혼쭐이 나고도, 고양이만 보면 달려 나갔다. 아슬아슬한 순간이 한두 번이 아니었다. 개나 족제비, 부엉이는 무서워하면서도 오직 고양이만은 철석같이 믿었다. 어머니는 야생에서 자란 다른 다람쥐를 만나게 해야 한다고 생각했다.

가을 수확철이 되었다.

어느 날 마을 사람이 탈곡기 안에 숨어 든 다람쥐 한 마리를 잡았다. 어머니는 그 다람쥐를 달라고 하였다. 그리고 술독에서 사는 다람쥐와 함께 사흘간 가둬 놓았다. 그 후 술독을 열어 놓아도 야생 다람쥐는 도망치지 않았다. 그놈은 암컷이었고, 고양이 젖을 먹고 자란 다람쥐는 수컷이었으니까. 야생 암다람쥐는 수놈에게 하나씩 교육을 시켰다. 우선 겨울 준비를 해야 한다고 했다. 알밤과 도토리를 모아다가 식량 창고를 만들었다. 식량 창고는 돌 틈이나 땅속에다 마련했다. 10여 개의 도토리나 밤을 모아 놓고 흙을 덮어 수십 개의 창고를 만든다. 지푸라기나 낙엽도 물어 날랐다. 그래야만 겨울을 따뜻하게 나기 때문이다.

또 겨울이 오기 전에 많이 먹어 두어야 한다는 사실도 알려 주었다. 겨울잠 자는 곰이나 오소리는 덩치가 크기 때문에 지방을 몸에다 많이 모아 놓을 수 있다. 몸이 작은 다람쥐는 그만큼은 못하더라도 최대한으로 지방을 모아 놓아야만 한다.

천적에 대해서도 가르쳐 주었다. 고양이나 개, 족제비, 담비 같은 천적은 주로 코를 이용하니까 그런 동물이 나타나면 무조건 도망치지 말고 바람을 이용하라는 것이다. 절대로 바람을 등져서는 안 된다고 단단히 일러 주었다. 그리고 부엉이나 올빼미들은 귀가 아주 밝다는 점을 강조하였다. 그들의 귀는 아주 미세한 움직임까지 알아내고는 먹이를 정확하게 발톱으로 움켜쥔다. 그들이 고양이 같은 육식 동물보다 더 무섭다. 어머니는 다람쥐의 생활을 지켜보기만 하였다. 이제는 절대로 밥을 주지 않았다. 하지만 고양이 젖을 먹고 자란 수다람쥐는 여전히 어머니를 무척 따랐다.

"얘야, 나가서 네 짝이랑 자거라. 너는 다람쥐야. 사람하고 가까워질수록 너는 나약해져."

어머니는 그 말을 버릇처럼 내뱉었다.

눈이 펑펑 내리던 날이었다.

그날도 어머니 옆에서 재롱을 부리던 수다람쥐가 갑자기 졸기 시작하였다. 꼭 어린아기가 잠드는 모양이었다. 그러더니 아무리 흔들어도 다람쥐는 깨어나지 않았다. 겨울잠 잘 때가 되었다는 뜻이다. 어머니는 잠든 다람쥐를 술독에다 넣어 주었다. 술독에는 이미 야생 암다람쥐가 잠들어 있었다.

겨울잠에 든 다람쥐들은 사흘에 한 번씩 깨어난다. 그들은 술독에다 쌓아 둔 도토리를 먹은 다음 밖으로 나와서 물을 마신다. 그러고는 다시 잠을 잔다. 가끔씩 다람쥐들은 입을 헤 벌리고 코를 골았다. 물론 사람의 코고는 소리처럼 크지는 않다. 어머니는 잠자는 모습까지도 사람하고 똑같다는 느낌을 받았다. 그런 모습을 보니,

"사람은 죽어서 다른 생명체로 태어난단다. 뱀으로 태어날 수도 있고, 소로 태어날 수도 있지……."

하고 늘 말씀하시던 시어머니 얼굴이 스쳐갔다.

다람쥐 부부는 무사히 겨울을 났다. 술독이 워낙 컸으므로 식량 걱정은 하지 않았다. 술독에다 식량을 충분히 모아 두었기 때문이다. 다른 곳에다 모아 놓은 식량은 손도 대지 않았다. 어머니는 그들의 식량 창고에다 막대기를 꽂아서 표시해 두었다. 나중에 식량이 부족해질 때 가르쳐 줄 생각이었다.

다람쥐 부부는 일곱 마리의 새끼를 낳았다. 고양이 젖을 먹고 자란 수컷은 부지런히 먹이를 찾아다녔다. 풀, 도토리, 도마뱀도 있었다. 하도 안쓰러워서 식량 창고를 가르쳐 주기도 했지만, 어머니는 그런 간섭도 필요 없다는 판단이 들었다. 사람이든 동물이든 힘든 시절이 필요하다. 그 시절을 겪어야만 좀 더 성숙해지니까. 일의 필요성을 느끼고, 고통을 참고 이겨내는 방법을 깨닫기 때문이다.

어머니와 다람쥐에 대한 이야기가 소문나기 시작하였다. 처음에는 마을 사람들이 와서 구경하였다. 마을 사람들은 아주 경사스러운 일이라고 하였다. 특히 ㉡술독에서 살아가는 것으로 보아, 우리 집 조상이 다람쥐로 태어난 모양이라고 입을 모았다.

어머니에 대한 이야기는 읍내에서 발행되는 지역 신문에도 소개 되었다. 그러자 국회 의원, 군 의원, 조합장, 면장 같은 사람들이 찾아왔다. ㉢그들은 어머니와 함께 사진을 찍고 싶어 했다. 그러고는 다람쥐 새끼를 키워 보겠다고 하였다. 어머니는 거절할 수가 없었다. 면장에게 두 마리를 주었을 때만 해도 이런 부탁은 마지막이겠지 했다. 하지만 어머니를 만나는 사람들은 은근히

"우리 아이들이 다람쥐를 키워 보고 싶어 해서요. 요즘 서울 사람들도 다람쥐를 많이 키운답니다. ㉣우선 기르기가 쉽고, 무엇보다도 귀여우니까요."

하면서 다람쥐 새끼를 달라고 하였다. 조합장, 조합 직원, 지서 주임, 군청 공무원, 심지어 학교 선생님까지도 그랬다.

다람쥐 부부는 두 달 간격으로 새끼를 낳았고 어머니는 열두 마리의 다람쥐를 사람들에게 주었다.

지난달에는 면장 집에 초대되기도 했다. 면장의 손자들이 다람쥐를 키우고 있었다. 다람쥐 집은 앵무새를 키웠던 작은 철장 집이었는데, 그 철창 안에 작은 쳇바퀴가 있었다. 다람쥐는 그 속에서 재롱을 부렸다. ㉤그날 어머니는 하마터면 울뻔하였다. 이상하게도 눈물이 났다. 물론 사람들은 애완동물이라고 했다. 텔레비전에서는 돼지를 집안에서 키우는 사람들 이야기도 나왔다. 목욕도 시키고, 옷도 입히고, 잠도 침대에서 잤다. 뱀이나 원숭이도 사람처럼 키운다. 하지만 그런 사람들도 반성해야 한다고 어머니는 중얼거렸다. 동물이 사람처럼 살 수는 없기 때문이다. 돼지들은 침대에서 자고 싶어 하지 않는다. 원숭이는 욕실에서 목욕하면서 살기를 원하지 않는다. 더러운 돼지우리일지언정, 무서운 천적들이 도사린 숲속일지라도, 동물들은 그곳에서 자유롭게 살고 싶어 한다.

어머니는 그날 집에 오면서 많은 생각을 했다. 야생 동물의 자유를 알아야만 사람도 진정으로 자유로울 수 있다는 것. 그 사실을 사람들은 왜 모를까? 귀여워서 갖고 싶을수록 놓아 주어야 한다. 동물은 야생에서 스스로 살아갈 때 가장 행복하고 아름답기 때문이다.

04 윗글에 대한 설명으로 가장 적절한 것은?

① 특정 인물의 심리를 중심으로 사건을 서술하고 있다.
② 풍자적 어조를 통해 세태를 우회적으로 비판하고 있다.
③ 공간적 배경에 대한 상세한 묘사를 통해 사건 전개를 지연시키고 있다.
④ 빈번하게 장면을 전환하여 인물들 사이에 조성된 긴장감을 해소하고 있다.
⑤ 공간의 이동에 따라 서술자를 달리하여 사건에 대한 다양한 관점을 제시하고 있다.

05 밑줄 친 ㉠~㉤에 대한 설명으로 적절하지 않은 것은?

① ㉠ : 다람쥐가 자신의 본성을 잃으면 자연에서 생존이 위험함.
② ㉡ : 술을 좋아하는 집안의 모습이라고 추측해 볼 수 있다.
③ ㉢ : 어머니의 유명세를 이용하려고 하는 모습이 드러남.
④ ㉣ : 야생 동물인 다람쥐를 애완동물처럼 길들이고 싶어함.
⑤ ㉤ : 어머니가 자신이 키우지 못하는 상황에 대한 안타까움이 드러남.

06 야생 암다람쥐가 다람쥐의 본성을 기르기 위해 교육한 것이 아닌 것은?

① 지푸라기나 낙엽을 물어 나르는 것.
② 천적이 나타나면 바람을 등져서는 안 된다는 것.
③ 알밤과 도토리를 모아서 식량 창고를 만드는 것.
④ 위험에 처했을 때 나무 위로 도망가도록 하는 것.
⑤ 겨울이 오기 전에 많이 먹어 두어 지방을 모아 놓아야 한다는 것.

[07~10] 다음 글을 읽고 물음에 답하시오.

다음 날 아침이었다. 부엌에서 혼자 밥을 먹는데 그 다람쥐가 나타났다. 어머니는 놀라면서도 반가워했다.

"허허, 너로구나. 아직 밥 안 먹었지야? 자, 가만있자…… 이 밥그릇은 우리 막내가 먹던 것이란다. 이 수저도 …… 참, 너는 수저질을 할 수가 없지."

막내를 서울로 떠나보낸 지도 10년이 넘는다. 자식들은 철들기도 전에 모두 서울로 떠났다. 어머니는 갑자기 눈시울을 문질렀다. 눈물이 났다. 외로움 때문이다. 그리움 때문이다. 다람쥐가 어머니의 가슴 속에 있는 그리움을 불러낸 셈이다.

"자아, 많이 먹어라. 아침이 든든해야 해. 요즘 젊은 것들은 아침을 빵에다 우유로 때운다고 하더라만, 사람은 아침이 든든해야 써. 내일도 오너라, 알았지?"

어머니는 꼭 자식을 보는 심정이었다. 어머니는 자식들을 키우는 데 평생을 바쳤다. 하지만 자식들이 커 버리자 이상하게도 허탈했다. 모두 손에 잡히지 않는 곳으로 떠나가 버린 듯했다.

(중략) 사실 지난 봄부터 다람쥐는 스스로 먹이를 구하지 않았다. 애써서 먹이를 구할 필요가 없었다. 어머니가 다 구해다 주었기 때문이다. 어머니는 다람쥐의 식성을 잘 알았다. 곤충도 먹고, 생선도 먹는다. 가끔씩 풀도 먹고 물도 마셔야 한다. 새끼들은 무럭무럭 자랐다. 수컷 다람쥐는 서너 번 보이더니 사라졌다. 다른 동물에게 당한 모양이다. 그래서 암컷 다람쥐는 더욱 먹이를 어머니에게 의존했는지 모른다. 어머니는 암컷 다람쥐가 얼마만큼 게을러져 있는지 몰랐다. 다람쥐는 먹이를 구하려는 노력을 전혀 하지 않았다. 야생 동물이 먹이 구하는 본능을 잃어 간다는 사실이 얼마나 큰 불행을

가져오는지 어머니는 미처 생각하지 못했다. 다람쥐도 마찬가지였다.

[중간 줄거리] 어머니는 오랜만에 서울 나들이를 하여 예상보다 길게 머물고 돌아온 사이, 어미 다람쥐는 먹이를 구하러 나갔다가 부엉이의 공격을 받아 죽고 새끼 두 마리만 겨우 살아남는다. 그리고 이들을 고양이가 한 달간 키워주고 다람쥐의 보금자리인 술독을 떠난다. 어머니는 고양이에게 전혀 간섭하지 않고, 고양이가 떠난 후에도 먹이를 주지 않고 야생 암컷 다람쥐를 얻어 술독에서 사는 다람쥐와 함께 가둬 놓음으로써 다람쥐로서의 야생 습성을 습득할 수 있도록 돕는다.

어머니에 대한 이야기는 읍내에서 발행되는 지역 신문에도 소개되었다. 그러자 국회 의원, 군 의원, 조합장, 면장 같은 사람들이 찾아왔다. 그들은 어머니와 함께 사진을 찍고 싶어 했다. 그러고는 다람쥐 새끼를 키워 보겠다고 하였다. 어머니는 거절할 수가 없었다. 면장에게 두 마리를 주었을 때만 해도 이런 부탁은 마지막이겠지 했다. 하지만 어머니를 만나는 사람들은 은근히,

"우리 아이들이 다람쥐를 키워 보고 싶어 해서요. 요즘 서울 사람들도 다람쥐를 많이 키운답니다. ⓐ<u>우선 기르기가 쉽고, 무엇보다도 귀여우니까요.</u>"

하면서 다람쥐 새끼를 달라고 하였다. 조합장, 조합 직원, 지서 주임, 군청 공무원, 심지어 학교 선생님까지도 그랬다.

다람쥐 부부는 두 달 간격으로 새끼를 낳았고 어머니는 열두 마리의 다람쥐를 사람들에게 주었다.

지난달에는 면장 집에 초대되기도 했다. 면장의 손자들이 다람쥐를 키우고 있었다. 다람쥐 집은 앵무새를 키웠던 작은 철장 집이었는데, 그 철창 안에 작은 쳇바퀴가 있었다. 다람쥐는 그 속에서 재롱을 부렸다. 그날 어머니는 하마터면 울 뻔하였다. 이상하게도 눈물이 났다. 물론 사람들은 애완동물이라고 했다. 텔레비전에서는 돼지를 집안에서 키우는 사람들 이야기도 나왔다. 목욕도 시키고, 옷도 입히고, 잠도 침대에서 잤다. 뱀이나 원숭이도 사람처럼 키운다. 하지만 그런 사람들도 반성해야 한다고 어머니는 중얼거렸다. 동물이 사람처럼 살 수는 없기 때문이다. 돼지들은 침대에서 자고 싶어 하지 않는다. 원숭이는 욕실에서 목욕하면서 살기를 원하지 않는다. 더러운 돼지우리일망정, 무서운 천적들이 도사린 숲 속일지라도, 동물들은 그 곳에서 자유롭게 살고 싶어 한다.

어머니는 그날 집에 오면서 ㉮<u>많은 생각</u>을 했다. 야생 동물의 자유를 알아야만 사람도 진정으로 자유로울 수 있다는 것. 그 사실을 사람들은 왜 모를까? 귀여워서 갖고 싶을수록 놓아 주어야 한다. 동물은 야생에서 스스로 살아갈 때 가장 행복하고 아름답기 때문이다.

그 후 어머니는 다람쥐 새끼를 한 마리도 사람들에게 주지 않았다.

(중략)

한 번은 면 소재지에 있는 초등학교 교장이 와서

"아이들 교육용으로 기를 테니, 몇 마리만 잡아서 기증해 주십시오."

하고 부탁한 일도 있다. 어머니가 거절하자, 교장은 아이들 교육보다 더 중요한 것이 있냐고 했다. 그래도 어머니는 머리를 흔들었다.

여름휴가 때 아이들을 데리고 고향을 찾아온 사람들도

"시우 어머니, 우리가 잘 키울게요. 두 마리만 파십시오."

하고는 많은 돈을 내밀었다. 어머니가 거절하자, 밤에 몰래 와서 잡아가는 사람도 있었다. 심지어 다람쥐에게 총을 쏘고 도망치는 사람도 있었다 한다. 그게 다 사람들의 부질없는 욕심 때문이다.

어머니는 내 딸을 안더니

"ⓑ<u>우리 강아지가 크면 다람쥐 덕을 보게 될 거야.</u> 다람쥐는 여름내 부지런히 일하지.

밤도 모으고, 도토리도 모으고, 창고를 수십 개 만들어서 밤이나 도토리를 저장하거든. 허허허, 그런데 말이야, 그 녀석들은 그 많은 식량 창고를 다 기억 못해. 그래서 어떤 건 땅에 그대로 묻혀 있게 돼. 땅에 묻힌 밤이나 도토리는 싹을 틔운단다. 우리 집 뒤란에도 그렇게 해서 싹을 틔운 밤나무가 많아. 바로 그 밤나무가 자라면 우리 강아지도 따먹을 테니까……."

하시며 달궁달궁 흔들면서 재우기 시작하셨다.

– 이상권, 「고양이가 기른 다람쥐」 –

07 윗글에 대한 설명으로 가장 적절한 것은?

① 요약적 서술로 시대 배경을 제시하고 있다.
② 순행적 구성 속에 중심인물의 태도 변화가 드러난다.
③ 등장인물의 감정을 자신의 내적 독백으로 나타내고 있다.
④ 인물 간 대화가 반복되어 문제 상황을 실감나게 보여준다.
⑤ 서술자가 관찰자로서 인물의 외양을 세밀하게 묘사하고 있다.

08 다음은 윗글에 대한 학생들의 질문에 모둠 토의로 답을 한 과정이다. 윗글의 내용에 비추어 잘못된 감상을 두 개 고르면?

[질문 1] 어머니는 왜 다람쥐를 보고 반가워하셨을까?
가동 : '너로구나'라고 말씀하신 걸 보니 전에 본 적이 있는 다람쥐야. 하지만 이후에 서울로 보낸 자식들 얘기가 나온 걸 보니, 근본적으로는 어머니가 혼자 외롭게 지내셨기 때문인 듯해.

[질문 2] 어미 다람쥐가 죽었다는 이야기가 너무 충격적이었어. 어미 다람쥐가 죽는 사건으로 설정한 의도가 뭘까?
나동 : 다람쥐라는 약한 동물이 부엉이의 공격을 받고 새끼들은 천적인 고양이가 구해줌으로써, 생태계의 약육강식의 논리가 얼마나 비정한지를 보여주려는 것 같아.
다동 : 다람쥐의 죽음에는 게을러진 것도 중요한 원인이라고 봐. 어머니가 먹이를 다 구해줌으로써 다람쥐의 본능을 잃어 갔기 때문에 죽음이라는 불행을 겪은 거지.

[질문 3] 어머니가 어미 다람쥐의 죽음 이후에 다시는 먹이를 주지 않은 이유가 뭘까?
라동 : 처음에 다람쥐를 정말 예뻐해 주었는데, 이제 다람쥐는 고양이를 더 많이 따르니 생태계의 이치를 깨닫고 어머니가 다람쥐에게서 마음이 떠나신 거야.
마동 : 어머니가 다람쥐와 거리를 둠으로써 더 이상 다람쥐가 야생의 습성을 잃지 않을 수 있었던 것 같아.

① 가동　② 나동　③ 다동　④ 라동　⑤ 마동

09 윗글의 ⓐ, ⓑ에 내포된 대상(다람쥐)에 대한 인식을 설명한 것으로 적절하지 않은 것은?

① ⓐ는 대상을 애완동물로, ⓑ는 대상을 야생 동물로 인식한다.
② ⓐ, ⓑ의 인식 차이가 등장인물들 간의 주된 갈등을 유발한다.
③ ⓐ, ⓑ 모두 대상으로부터 얻을 수 있는 장점을 언급하고 있다.
④ ⓐ, ⓑ 모두 대상을 생태계를 구성하는 존재로서 존중하고 있다.
⑤ ⓐ는 대상을 소유함으로써, ⓑ는 대상을 놓아줌으로써 이익을 취하고자 한다.

10 ㉮를 고려하였을 때, 〈보기〉를 읽고 난 어머니의 반응으로 가장 적절한 것은?

보기

지난 6월 ○○대학교 내에는 길고양이에게 밥을 주지 말라는 벽보가 붙었다. 고양이 울음소리 때문에 공부에 방해가 된다는 것을 이유로 들었다. 이에 반대하는 사람들은 '학교와 고양이가 함께 살아가야 한다.'라는 내용의 서명 운동을 벌여 길고양이에게 먹이를 주고 길고양이를 돌보는 역할을 분담할 자원자를 모집했다.

① 동물을 늘 곁에 두고 책임지지 못할 거라면 진정한 공존이 될 수 없지.
② 고양이의 본능을 살려 스스로 살아갈 수 있게 해야 사람도 자유로워져.
③ 동물을 돌보려고 자원하는 것은 공부 이상의 가치를 배우는 소중한 일이야.
④ 동물 보호에 가장 중요한 천적으로부터의 보호 방법을 더 연구할 필요가 있어.
⑤ 학교와 고양이가 함께 살아갈 수 있다는 생각 자체가 동물을 소유하려는 욕심이야.

9

우리말 우리글 사랑하기

(1) 국어의 어제와 오늘

(2) 국어가 더 아름다워지려면

세종어제훈민정음 (世宗御製訓民正音)

세종 대왕께서 만드신, 백성을 가르치는 바른 소리

중세 국어 자료

△ : 현대 국어에서 의미가 변한 어휘
□ : 어두 자음군

(다ᄅᆞ+아 〉 달아) (ᄒᆞ- + -ㄹᄊᆡ(이유를 나타내는 종속적 연결 어미))

나·랏:말ᄊᆞ·미 中듕國·귁·에 달·아 文문字·ᄍᆞᆼ·와·로 서르 ᄉᆞᄆᆞᆺ·디 아·니ᄒᆞᆯ·ᄊᆡ·이런 젼·ᄎᆞ·로 어·린 百·ᄇᆡᆨ姓·셩·이 니

(나라+ㅅ+말ᄊᆞᆷ+이(주격조사)) (비교 부사격 조사(와/과)) (ᄉᆞᄆᆞᆾ다(종성 'ㅊ'이 'ㅅ'으로 표기됨)) (이(주격조사))

(두음 법칙 적용되지 않음(니르다 〉 이르다))

르·고·져 ·ᄒᆞᇙ·배 이·셔·도 ᄆᆞ·ᄎᆞᆷ:내 제·ᄠᅳ·들 시·러 펴·디 :몯ᄒᆞᇙ·노·미 하·니·라·내·이·ᄅᆞᆯ 爲·윙·ᄒᆞ·야 :어엿·비 너·겨·

(바+ㅣ(주격조사)) (구개음화 적용되지 않음) (놈+이(주격조사)) (나+ㅣ(주격조사)) (두음 법칙 적용되지 않음)

새·로·스·믈여·듧字·ᄍᆞᆼ·ᄅᆞᆯ ᄆᆡᇰ·ᄀᆞ노·니 :사ᄅᆞᆷ:마·다 :ᄒᆡ·ᅇᅧ :수·ᄫᅵ 니·겨·날·로·ᄡᅮ·메 便뼌安ᅙᅡᆫ·킈ᄒᆞ·고·져 ᄒᆞᇙ ᄯᆞᄅᆞ·미

(ᄆᆡᇰᄀᆞᆯ+ᄂᆞ+오+니) ('ㅸ'사용) (ᄡᅳ-+움(명사형 어미)+에(부사격 조사)) (ᄯᆞᄅᆞᆷ+이+니라(다))

니·라

■ : 동국 정운식 표기
- 한자음을 중국 원음에 가깝게 표기함.
- 받침이 없는 글자는 형식 종성을 사용함.

– 《월인석보》 권 제1, 세조 5년(1459)

현대 국어 자료

우리나라 말이 중국과 달리 한자와는 서로 통하지 아니하여서, 이런 까닭으로 어리석은 백성이 말하고자 하는 바가 있어도 마침내 제 뜻을 능히 펴지 못하는 사람이 많다. 내가 이것을 위하여 가엾게 여기어 새로 스물여덟 글자를 만드니, 사람들로 하여금 쉽게 익혀서 날마다 쓰는 데 편하게 하고자 할 따름이다.

- **ᄉᆞᄆᆞᆺ·디**: 통하지.
- **젼·ᄎᆞ·로**: 까닭으로.
- **어·린**: 어리석은.
- **니르·고·져**: 이르고자. 말하고자.
- **·ᄒᆞᇙ·배이·셔·도**: 하는 바가 있어도.
- **·ᄠᅳ·들**: 뜻을.
- **·노·미**: 사람이.
- **:어엿·비**: 불쌍히. 가엾게.
- **ᄆᆡᇰ·ᄀᆞ노·니**: 만드니.
- **:ᄒᆡ·ᅇᅧ**: 하여금.
- **:수·ᄫᅵ**: 쉬이. 쉽게.
- **·ᄡᅮ·메**: 씀에. 사용함에.

⊙ 핵심정리

갈래	번역문
성격	교시적, 설명적
주제	훈민정음의 창제 의도
특징	• 15세기 중세 국어의 모습이 잘 드러남. • 훈민정음의 창제 정신(자주 정신, 애민 정신, 창조 정신, 실용 정신)이 잘 드러남

용비어천가 (龍飛御天歌)

용이 날아올라 하늘을 다스림을 노래한다는 뜻

중세 국어 자료

□: 이어 적기
△: 주체 높임 선어말 어미

海東(해동)• 六龍(육룡)• ·이 ᄂᆞᄅᆞ·샤 :일:마다 天福(천복)·이시·니 古聖(고성)• ·이 同符(동부)·ᄒᆞ시·니•

ᄂᆞᆯ-+-ᄋᆞ-+-샤 / 비교 부사격 조사(와/과)

〈제1장〉

불·휘• 기·픈 남·ᄀᆞᆫ• ᄇᆞᄅᆞ·매• 아·니 :뮐·ᄊᆡ• 곶 :됴·코• 여·름• ·하ᄂᆞ·니

(깊-+-은 / ᄇᆞᄅᆞᆷ+애(부사격 조사) / 불휘+∅(주격 조사) / 남ᄀ(나모)+ᄋᆞᆫ / 뮈-+-ㄹᄊᆡ(이유) / 둏-+-고)

:ᄉᆡ·미 기·픈 ·므·른 ·ᄀᆞᄆᆞ·래• 아·니 그·츨·ᄊᆡ :내·히• 이·러 바·ᄅᆞ·래• ·가ᄂᆞ·니

(ᄀᆞᄆᆞᆯ+애(부사격 조사) / 내ㅎ+이(주격 조사) / ᄉᆡᆷ+이(주격 조사) / 믈+은 / 긏-+-(으)ㄹᄊᆡ(이유) / 바ᄅᆞᆯ+애(부사격 조사))

〈제2장〉

- 《용비어천가》, 세종 29년(1447)

현대 국어 자료

해동의 여섯 용이 나시어, 일마다 하늘의 복이시니 옛날의 성인과 서로 꼭 들어맞으시니.

〈제1장〉

뿌리가 깊은 나무는 바람에 아니 움직이므로, 꽃 좋고 열매 많으니.

샘이 깊은 물은 가뭄에 아니 그치므로, 내가 이루어져 바다에 가느니.

〈제2장〉

- **해동 (海東)** 발해(渤海)의 동쪽이라는 뜻으로, 예전에 '우리나라'를 이르던 말.
- **육룡 (六龍)** 당시 임금인 세종의 여섯 조상을 가리켜 한 말.
- **고성 (古聖)** 옛날의 성인(聖人). 중국 역대의 제왕을 일컬음.
- **동부(同符)하다** 부신(符信)이 꼭 들어맞듯 사물이나 현상이 서로 꼭 들어맞다.
- **불·휘** 뿌리.
- **남·ᄀᆞᆫ** 나무는.
- **ᄇᆞᄅᆞ·매** 바람에.
- **:뮐·ᄊᆡ** 움직이므로.
- **곶 :됴·코** 꽃이 좋고.
- **여·름** 열매.
- **·ᄀᆞᄆᆞ·래** 가물에. 가뭄에.
- **:내·히** 내가. 냇물이.
- **이·러** 이루어져.

⊙ 핵심정리

갈래	악장, 서사시
성격	송축적, 예찬적
제재	조선 왕조의 창업
주제	조선 건국의 정당성과 후대 왕에 대한 권계
특징	• 훈민정음으로 기록된 최초의 작품으로 총 125장으로 이루어짐. • 1장과 125장을 제외한 모든 장은 2절 4구 체로 구성됨.

확인학습

01 글자의 왼쪽에 점을 한 개나 두 개 찍기도 하였다. O☐ X☐

02 초성에 서로 다른 자음 글자를 나란히 쓰기도 하였다. O☐ X☐

03 '놈'의 의미 영역은 중세 국어에서보다 현대 국어에서 더욱 확대되었다. O☐ X☐

04 '니르 · 고 · 져'에는 오늘 날 쓰이지 않는 단어가 쓰였다. O☐ X☐

05 [세종어제훈민정음]은 새로운 문자를 만든 취지와 의도를 밝히고 있다 O☐ X☐

06 [세종어제훈민정음]은 새로운 문자가 만들어진 원리를 상세히 밝히고 있다. O☐ X☐

07 [용비어천가]는 조선의 영원을 기원하는 마음이 담겨 있다. O☐ X☐

08 [용비어천가]는 조선을 세우기까지의 선조들의 공덕(公德)을 기리고 있다. O☐ X☐

09 [용비어천가]는 왕조의 근간이 불교적 교리에 있음을 밝히고 있다. O☐ X☐

10 [용비어천가]에서 '同符(동부) · ᄒᆞ시 · 니'는 조선 건국이 하늘의 뜻임을 의미한다. O☐ X☐

객관식 기본문제

[01~02] 다음 글을 읽고 물음에 답하시오.

世솅宗종御엉製졩訓훈民민正졍音흠

㉠나랏:말ᄊᆞ·미 中듕國·귁·에 ㉡달·아 文문字·ᄍᆞᆼ·와로 서르 ᄉᆞᄆᆞᆺ·디 아니ᄒᆞᆯ·ᄊᆡ ·이런 젼·ᄎᆞ·로 어·린 ㉢百·ᄇᆡᆨ姓·셩·이 니르·고·져 ·㉣홇·배 이·셔·도 ᄆᆞ·ᄎᆞᆷ:내제 ㉤·ᄠᅳ·들 시·러 펴·디 :몯ᄒᆞᇙ ·노·미 하·니·라 ·내 ·이·ᄅᆞᆯ 爲·윙·ᄒᆞ·야:어엿·비 너·겨 ·새·로 ·스·믈여·듧 字·ᄍᆞᆼ·ᄅᆞᆯ ᄆᆡᇰ·ᄀᆞ노·니 :사ᄅᆞᆷ:마·다 :ᄒᆡ·ᅇᅧ :수·ᄫᅵ 니·겨 ·날·로 ·ᄡᅮ·메 便뼌安한·킈 ᄒᆞ·고·져 ᄒᆞᇙ ᄯᆞᄅᆞ·미니·라

01 윗글의 ㉠~㉤을 통해 알 수 있는 중세국어의 특징으로 적절한 것은?

① ㉠ : 부사격 조사를 표기할 때 'ㅅ'을 사용하여 표기하였다.
② ㉡ : 용언 뒤에 모음으로 시작하는 어미가 이어질 때 이어 적기하여 표기하였다.
③ ㉢ : 한자어를 표기할 때 형식적으로 종성 'ㅇ'을 사용하여 초성, 중성, 종성을 모두 표기하였다.
④ ㉣ : 주격 조사를 쓸 때 모음 뒤에서는 주격 조사를 쓰지 않고 생략하였다.
⑤ ㉤ : 초성을 쓸 때 합용 병서를 단어의 첫머리에 써서 어두 자음군을 표기하였다.

02 〈보기〉는 윗글을 바탕으로 학생들이 중세국어와 현대국의 차이점을 탐구한 자료 중 일부이다. 탐구자료 ㉠~㉢에 들어갈 적절한 예시만을 짝지은 것은?

보기

탐구 영역	탐구 자료	탐구 내용
음운의 측면	㉠	가연 : 중세국어 시기에는 두음 법칙이 없었다고 볼 수 있군.
어휘의 측면	㉡	나연 : 국어가 변화하면서 어떤 어휘는 없어지기도 하고, 어떤 어휘는 그 의미가 바뀌기도 하는군.
문법과 문법 요소 측면	㉢	다연 : '가'가 쓰일 자리에 다른 형태가 쓰인 것을 보니 현대국어와 달리 중세국어 시기에는 주격조사 '가'가 없었구나.

	㉠	㉡	㉢
①	서르	어엿브다	:몯홇 ·노·미 하·니·라
②	니르고져	어리다	홇 ·배 이·셔·도
③	날로	젼ᄎᆞ	나·랏 :말ᄊᆞ·미
④	너겨	놈	·스·믈여·듧 字·ᄍᆞᆼ·ᄅᆞᆯ
⑤	사ᄅᆞᆷ마다	나라	百·ᄇᆡᆨ姓·셩·이 니르·고·져

[03~09] 다음 글을 읽고 물음에 답하시오.

世솅宗종御엉製졩訓훈民민正졍音흠

㉠나·랏:말ᄊᆞ·미 ㉡中듕國·귁·에 달·아 文문字·ᄍᆞᆼ·와·로 서르 ᄉᆞᄆᆞᆺ·디 아·니ᄒᆞᆯ·ᄊᆡ ·이런 젼·ᄎᆞ·로 어·린 百·ᄇᆡᆨ姓·셩·이 니르·고·져 ·홇 ㉢·배 이·셔·도 ᄆᆞ·ᄎᆞᆷ:내제 ·ᄠᅳ·들 시·러 펴·디 :몯홇 ·Ⓐ노·미 하·니·라 ·내 ·이·ᄅᆞᆯ ㉣爲·윙·ᄒᆞ·야:어엿·비 너·겨 ·새·로 ㉤·스·믈여·듧 字·ᄍᆞᆼ·ᄅᆞᆯ ᄆᆡᇰ·ᄀᆞ노·니 :사ᄅᆞᆷ:마·다 :ᄒᆡ·ᅇᅧ :수·ᄫᅵ 니·겨 ·날·로 ·ᄡᅮ·메 便뼌安한·킈 ᄒᆞ·고·져 홇 ᄯᆞᄅᆞ·미니·라

–「훈민정음」 언해, 1459년 –

[현대어 풀이]

우리나라 말이 중국과 달라 한자와는 서로 통하지 아니하여서 이런 까닭으로 어리석은 백성이 말하고자 하는 바가 있어도 마침내 제 뜻을 펴지 못하는 사람이 많다. 내가 이것을 가엾게 여겨 새로 스물여덟 자를 만드니, 모든 사람으로 하여금 쉽게 익혀서 날마다 쓰는 데에 편하게 하고자 할 따름이다.

03 윗글을 읽고 중세 국어의 특징을 설명한 것으로 적절하지 않은 것은?

① 현대 국어와 달리 띄어쓰기를 하지 않았다.
② 현대 국어에서는 소실된 음운을 사용하고 있다.
③ 체언과 조사를 적을 때 그 체언의 원형을 밝혀 적었다.
④ 초성에 둘 이상의 자음이 오는 어두 자음군이 존재했다.
⑤ 비교의 의미를 드러내는 부사격 조사가 현대 국어와는 다른 형태로 존재했다.

04 윗글을 읽고 국어의 변천에 대해 탐구한 내용으로 적절하지 않은 것은?

① 중세 국어는 현대 국어와 달리 구개음화가 일어나지 않았다.
② 중세 국어는 현대 국어와 달리 두음법칙이 적용되지 않았다.
③ 중세 국어는 현대 국어와 달리 방점을 찍어 성조를 표시하였다.
④ 중세 국어의 ‘ㆍ’(아래 아)는 현대 국어에서 더 이상 음운으로 사용되지 않는다.
⑤ 중세 국어는 현대 국어와 달리 단어의 첫머리에서 둘 이상의 자음이 쓰일 수 없었다.

05 ㉠~㉤에 대해 탐구한 내용으로 적절하지 않은 것은?

① ㉠의 ‘ㅅ’은 현대 국어 관형격 조사에 해당하겠군.
② ㉡의 ‘에’는 부사격 조사의 기능을 하고 있군.
③ ㉢의 ‘ㅣ’는 주격조사로, 현대 국어와 다른 형태가 사용되었군.
④ ㉣의 ‘ᄒᆞ야’를 보니 모음조화가 제대로 지켜지지 않았음을 알 수 있군.
⑤ ㉤을 보니 원순모음화가 일어나지 않았음을 알 수 있군.

06 아래의 밑줄 친 조사 중에서 윗글의 ⓒ'배'에 쓰인 조사와 같은 역할을 하는 조사가 쓰인 것은?

① 이번 월드컵은 우리나라에서 우승을 차지하였다.
② 긴 겨울이 지나자 강물이 녹아 얼음이 되었다.
③ 피서지에서 예약한 방이 깨끗하지가 않았다.
④ 그가 우리를 도와줄 적임자가 아닐까?
⑤ 지금의 약자가 미래의 성공이 될 것이다.

07 윗글에 사용된 단어에 대한 설명으로 적절하지 않은 것은?

① '말씀'은 '일반적인 말'을 의미했지만, 오늘날 남의 말을 높여 이르는 말이나 자기 말을 낮추어 이르는 말을 가리킨다는 점에서 의미 확대의 예이다.
② '사뭇다, 져ᄎᆞ'는 오늘날 사용하지 않는 단어이기 때문에 어휘 소멸의 예이다.
③ '어리다'는 '어리석다'를 의미했는데, 오늘날 '나이가 적다'를 가리킨다는 점에서 의미 이동의 예이다.
④ '놈'은 '일반 사람'을 의미했지만 오늘날 '남자, 사람'을 낮잡아 이르는 말로 쓰여 의미 축소의 예이다.
⑤ '어엿브다'는 '가엽다'를 의미했지만, 오늘날 '예쁘다'를 가리킨다는 점에서 의미 이동의 예이다.

08 현대어 풀이를 참고할 때, 윗글의 'Ⓐ노·미'와 표기의 측면에서 가장 이질적인 것은?

① 말ᄊᆞ·미
② ᄠᅳ·들
③ 어엿·비
④ 니·겨
⑤ ᄯᆞᄅᆞ·미 니·라

09 〈보기〉의 ㉠, ㉡, ㉢의 사례를 순서대로 바르게 짝지은 것은?

보기

• 'ㅇ를 입시울쏘리 아래 니어 쓰면 ㉠입시울 가배야ᄫᆞᆫ 소리 ᄃᆞ외ᄂᆞ니라

[현대어 풀이] ㅇ을 순음 아래 이어 쓰면 순경음이 된다.

• ㆍ와 ㅡ와 ㅗ와 ㅜ와 ㅛ와 ㅠ는 ㉡첫소리 아래 브텨 쓰고 ㅣ와 ㅏ와 ㅓ와 ㅑ와 ㅕ와란 ㉢올ᄒᆞᆫ녀긔 브텨 쓰라.

[현대어 풀이] ㆍ와 ㅡ와 ㅗ와 ㅜ와 ㅛ와 ㅠ는 첫소리 아래 붙여 쓰고 ㅣ와 ㅏ와 ㅓ와 ㅑ와 ㅕ는 오른쪽에 붙여 쓰라.

	㉠	㉡	㉢
①	文문字ᄍᆞᆼ	나랏	펴디
②	百ᄇᆡᆨ姓셩이	ᄒᆞ고져	니겨
③	ᄆᆡᇰᄀᆞ노니	이런	달아
④	히ᅇᅧ	ᄆᆞᄎᆞᆷ내	시러
⑤	수ᄫᅵ	몯ᄒᆞᇙ	하니라

[10~13] 다음 글을 읽고 물음에 답하시오.

世솅宗종御엉製졩訓훈民민正졍音흠

나·랏ⓐ:말ᄊᆞ·미 中듕國·귁·에 달·아 文문字·ᄍᆞᆼ·와·로 서르 ᄉᆞᄆᆞᆺ·디 아·니ᄒᆞᆯ·ᄊᆡ ·이런 젼·ᄎᆞ·로 ⓑ어·린 百·ᄇᆡᆨ姓·셩·이 니르·고·져 ·홇 ·배 이·셔·도 ᄆᆞ·ᄎᆞᆷ:내제 ·ᄠᅳ·들 시·러 펴·디 :몯홇 ⓒ·노·미 하·니·라 ·내 ·이·ᄅᆞᆯ 爲·윙·ᄒᆞ·야ⓓ:어엿·비 너·겨 ·새·로 ·스·믈여·듧 字·ᄍᆞᆼ·ᄅᆞᆯ ᄆᆡᇰ·ᄀᆞ노·니 ⓔ:사ᄅᆞᆷ:마·다 :ᄒᆡ·ᅇᅧ :수·ᄫᅵ 니·겨 ·날·로 ·ᄡᅮ·메 便뼌安한·킈 ᄒᆞ·고·져 홇 ᄯᆞᄅᆞ·미니·라

– 「훈민정음(訓民正音)」 언해본에서 –

[현대어 풀이]

우리나라 말이 중국과 달라 한자와는 서로 통하지 아니하여서 이런 까닭으로 어리석은 백성이 말하고자 하는 바가 있어도 마침내 제 뜻을 펴지 못하는 사람이 많다. 내가 이것을 가엾게 여겨 새로 스물여덟 자를 만드니, 모든 사람으로 하여금 쉽게 익혀서 날마다 쓰는 데에 편하게 하고자 할 따름이다.

10 윗글의 ⓐ~ⓔ 중, 〈보기〉의 설명과 관련 없는 것은?

보기

언어는 시간의 흐름에 따라 신생, 성장, 소멸한다. 마찬가지로 단어의 의미도 시간의 흐름에 따라 변화하는데, 의미 영역이 확대되기도 하고(의미 확대), 반대로 축소되기도 하며(의미 축소), 전혀 다른 의미로 변화하기도 한다.(의미 이동).

① ⓐ : 말씀 ② ⓑ : 어리다 ③ ⓒ : 놈
④ ⓓ : 어엿브다 ⑤ ⓔ : 사ᄅᆞᆷ

11 윗글을 통해 알 수 있는 중세국어의 특징으로 알맞지 않은 것은?

① 동국정운식 표기법을 사용하고 있다.
② 성조(聲調)를 통해 단어의 뜻을 구별할 수 있다.
③ 음운 측면에서 ‘ᄉᆞᄆᆞᆺ·디’처럼 어휘가 사라진 것도 있다.
④ 중세국어 표기법은 실제 발음을 충실히 반영하고 있다.
⑤ 표기 측면에서 이어적기를 하고 띄어쓰기를 하지 않는다.

12 윗글에 대한 설명으로 알맞지 않은 것은?

① 'ㆍ, ㅸ, ㆆ'이 사용되고 있다.
② 훈민정음의 창제 동기가 나타난다.
③ 어두자음군과 합용병서가 나타난다.
④ 평성은 방점이 한 개이며 높은 소리이다.
⑤ 훈민정음은 자음 17자, 모음 11자로 되어 있다.

13 윗글을 통해 알 수 있는 중세국어의 특징에 해당하는 사례로 적절하지 않은 것은?

중세국어 특징	사례
① 구개음화가 사용되지 않음	펴·디
② 비교부사격 조사 '에'가 사용됨	中듕國·귁·에
③ 두음법칙이 사용되지 않음	니르·고·져, 니·겨
④ 주격조사 'ㅣ'가 사용됨	·내, 제
⑤ 모음조화가 잘 지켜짐	爲·윙·ᄒᆞ·야

[14~18] 다음 글을 읽고 물음에 답하시오.

[중세 국어 자료]

海東(해동) 六龍(육룡)·이 ᄂᆞᄅᆞ·샤:일:마다天福(천복)·이시·니古聖(고셩)·이同符(동부)·ᄒᆞ시·니

〈제1장〉

불:휘기·픈남·ᄀᆞᆫᄇᆞᄅᆞ·매아·니:뮐·ᄊᆡ곶·:됴·코여·름·하ᄂᆞ··니
:ᄉᆡ·미기·픈·므·른·ᄀᆞᄆᆞ·래아·니그·츨·ᄊᆡ:내·히이·러바·ᄅᆞ·래·가ᄂᆞ·니

〈제2장〉

－「용비어천가」, 세종 29년(1447) －

[현대 국어 자료]

해동의 여섯 용이 나시어, 일마다 하늘의 복이시니 옛날의 성인과 서로 꼭 들어맞으시니.

〈제1장〉

뿌리가 깊은 나무는 바람에 아니 움직이므로, 꽃 좋고 열매 많으니,
샘이 깊은 물은 가뭄에 아니 그치므로, 내가 이루어져 바다에 가느니.

〈제2장〉

14 이 글에 대해 잘못 이해한 것은?

① 일정한 음보율을 통해 이 노래가 궁중에서 불린 노래라는 것을 알 수 있어.
② 옛날에는 임금들을 초월적 존재에 비유하여 절대적인 권위를 내세웠나봐.
③ 조선 창업의 당위성을 증명하기 위해 하늘의 뜻이었음을 강하게 주장하고 있군.
④ 순우리말 어휘가 돋보이고 자연물에 상징성을 부여하여 조선의 발전을 기원하고 있어.
⑤ 압축적으로 표현되어 있어 배경 지식이 없으면 정확한 이해가 어려운 구절들도 있어.

15 이 글에 나타난 중세 국어의 특징을 탐구한 내용으로 적절하지 않은 것은?

① '기픈'을 통해 당시 표기 방식이 '이어적기'였음을 알 수 있다.
② '天福(천복)·이시·니'를 통해 객체 높임 선어말 어미가 사용되었음을 알 수 있다.
③ 'ᄂᆞᄅᆞ·샤'를 통해 주체 높임 선어말 어미가 사용되었음을 알 수 있다.
④ 'ᄇᆞᄅᆞ·매'와 'ᄀᆞᄆᆞ·래'를 통해 부사격 조사 '애'가 사용되었음을 알 수 있다.
⑤ '남·ᄀᆞᆫ'을 통해 체언이 모음으로 시작하는 조사와 결합할 때 'ㄱ'이 덧생기기도 했음을 알 수 있다.

16 다음 중 〈보기〉의 설명과 관련이 있는 것은?

보기

'ㅎ 종성 체언'은 모음으로 시작하는 조사와 결합될 때는 'ㅎ'이 그대로 유지되고, 'ㄱ, ㄷ, ㅂ' 앞에서는 그것과 결합하여 'ㅋ, ㅌ, ㅍ'을 만들며, 휴지(休止)나 관형격 표지 'ㅅ, ㆆ' 앞에서는 탈락된다.

① 同符(동부)·ᄒᆞ시·니　② :뮐·씨　③ :됴·코
④ ·하ᄂᆞ·니　⑤ :내·히

17 〈보기〉의 변화를 바르게 설명한 것은?

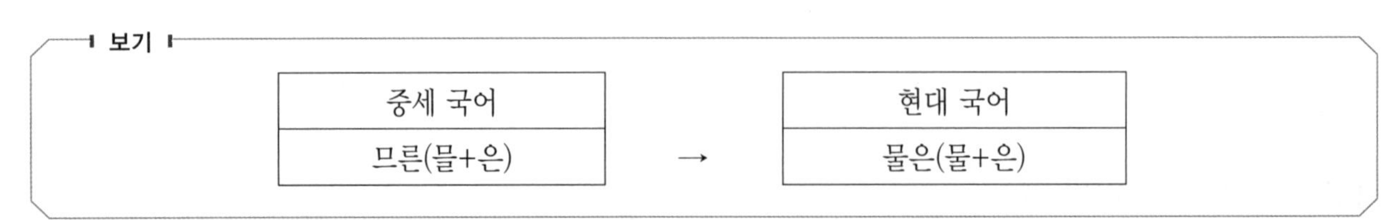

중세 국어		현대 국어
ᄆᆞ른(믈+은)	→	물은(물+은)

① 어두 자음군이 소실되면서 된소리로 바뀌었다.
② 혀끝소리가 'ㅣ' 모음을 만나 구개음으로 바뀌었다.
③ 입술소리 뒤에서 평순모음이 원순모음으로 바뀌었다.
④ 몇몇 음운이 소실되면서 새로운 음운이 나타나게 되었다.
⑤ 모음조화가 파괴되면서 음성모음과 양성모음이 결합하게 되었다.

18 〈보기〉의 내용을 참고하여 [자료]를 탐구한 내용으로 올바른 것은?

보기

중세 국어에서 주격 조사는 앞에 있는 체언이 모음으로 끝나는지 자음으로 끝나는지에 따라 '이, ㅣ, ∅'으로 구분해서 쓰였다. 앞의 체언이 자음으로 끝나면 '이'가 쓰였고, 'ㅣ' 이외의 모음으로 끝나면 'ㅣ'가 쓰였다. 그리고 'ㅣ' 모음으로 끝난 체언 뒤에는 주격 조사가 생략(∅)되었다.

[자료]

(가) ·내·이·ᄅᆞᆯ爲·윙·ᄒᆞ·야
(나) 불·휘기·픈남·ᄀᆞᆫ
(다) :ᄉᆡ·미기·픈·므·른
(라) :내·히이·러바·ᄅᆞ·래·가ᄂᆞ·니

① (가)의 '내'와 (라)의 '내·히'는 같은 형태의 주격조사가 사용되었다.
② (나)의 '불휘'와 (다)의 'ᄉᆡ·미'는 모두 주격 조사 '이'가 쓰였다.
③ (가)의 '내'는 주격 조사가 생략되었고, (다)의 'ᄉᆡ·미'는 '이'가 쓰였다.
④ (나)의 '불휘'는 주격 조사가 생략되었고, (라)의 '내히'는 '이'가 쓰였다.
⑤ (다)의 'ᄉᆡ·미'는 주격 조사 '이'가 쓰였고, (라)의 '내히'는 'ㅣ'가 쓰였다.

[19~23] 다음 글을 읽고 물음에 답하시오.

(가)

㉠海東(해동) 六龍(육룡) ·이ᄂᆞᄅᆞ ·샤:일:마다天福(천복) ·이시·니㉡古聖(고성)·이㉢同符(동부)·ᄒᆞ시·니

〈제1장〉

(나)

㉣불:휘기·픈남·ᄀᆞᆫᄇᆞᄅᆞ·매아·니㉤:뮐·씨곶·:됴·코㉮여·름·하ᄂᆞ·니
:ᄉᆡ·미기·픈·므·른㉯·ᄀᆞᄆᆞ·래아·니그·츨·씨:내·히이·러바·ᄅᆞ·래·가ᄂᆞ·니

〈제2장〉

–「용비어천가」, 세종 29년 (1447) –

19 '용비어천가'에 대한 설명으로 적절하지 <u>않은</u> 것은?

① 총 125장으로 구성된 악장 문학이다.
② 훈민정음으로 기록된 최초의 작품이다.
③ 세종대왕이 직접 훈민정음으로 지은 작품이다.
④ 조선 왕조의 창업에 대한 정당성을 밝히고 있다.
⑤ 새 왕조의 무궁한 발전을 기원하는 내용이 담겨 있다.

20 (가)와 (나)에 대한 설명으로 가장 적절한 것은?

① (가)와 달리 (나)는 구전되다가 한글 창제 이후 기록되었다.
② (가)와 달리 (나)는 고유어만 사용하여 비유적으로 노래하고 있다.
③ (가)와 (나)는 모두 다른 대상과의 비교를 통해 주제를 강조하고 있다.
④ (가)는 독자들이 경계해야 할 점을, (나)는 본받아야 할 점을 강조하고 있다.
⑤ (가)와 (나)는 모두 중국 고사를 인용하여 역사적 사건의 의미를 전달하고 있다.

21 윗글에 드러난 중세 국어의 특징으로 가장 적절한 것은?

① 구개음화가 일어나지 않았다.
② 주격 조사 '가'가 사용되었다.
③ 모음 조화를 지키지 않게 되었다.
④ 성조를 나타내는 방점이 사라졌다.
⑤ 끊어 적기 표기 방식이 적용되었다.

22 윗글에서 이어 적기가 쓰인 예로 적절하지 <u>않은</u> 것은?

① ᄂᆞᄅᆞ·샤　② 남·ᄀᆞᆫ　③ ᄉᆡ·미
④ ·ᄆᆞ·ᄅᆞᆫ　⑤ ·가ᄂᆞ·니

23 ㉠~㉤에 대한 설명으로 적절하지 <u>않은</u> 것은?

① ㉠ : 발해의 동쪽이라는 뜻으로, '우리나라'를 의미한다.
② ㉡ : 자음 아래에서 주격 조사 '이'가 사용되었다.
③ ㉢ : '꼭 들어맞으시니'라는 뜻이다.
④ ㉣ : '기초가 튼튼한 나라'를 비유하고 있다.
⑤ ㉤ : '움직이므로'라는 뜻이다.

객관식 심화문제

[01~13] 다음 글을 읽고, 물음에 답하시오.

(가) 世솅宗종御ᅌᅥᆼ製졩訓훈民민正졍音ᅙᅳᆷ

㉠나·랏:말ᄊᆞ·미中듕國·귁·에달·아文문字·ᄍᆞᆼ·와·로서르ᄉᆞᄆᆞᆺ·디아·니ᄒᆞᆯ·ᄊᆡ㉡·이런젼·ᄎᆞ·로어·린百·ᄇᆡᆨ姓·셩·이니르·고·져·홇·배이·셔·도ᄆᆞ·ᄎᆞᆷ:내제·ᄠᅳ·들시·러펴·디:몯ᄒᆞᇙ·노·미하·니·라㉢·내·이·ᄅᆞᆯ爲·윙·ᄒᆞ·야:어엿·비너·겨㉣·새·로·스·믈여·듧字·ᄍᆞᆼ·ᄅᆞᆯᄆᆡᆼ·ᄀᆞ노·니㉤:사ᄅᆞᆷ:마·다:ᄒᆡ·ᅇᅧ:수·ᄫᅵ니·겨·날·로·ᄡᅮ·메便뼌安ᅙᅡᆫ·킈ᄒᆞ·고·져ᄒᆞᇙᄯᆞᄅᆞ·미니·라

– 「훈민정음(訓民正音)」 언해본에서 –

(나)

나·랏:말ᄊᆞ·미中듕國·귁·에달·아
文문字·ᄍᆞᆼ·와·로서르ᄉᆞᄆᆞᆺ·디아·니ᄒᆞᆯ·ᄊᆡ
·이런젼·ᄎᆞ·로어·린百·ᄇᆡᆨ姓·셩·이
니르·고·져·홇·배이·셔·도
ᄆᆞ·ᄎᆞᆷ:내제·ᄠᅳ·들시·러펴·디
:몯ᄒᆞᇙ·노·미하·니·라
·내·이·ᄅᆞᆯ爲·윙·ᄒᆞ·야:어엿·비너·겨
·새·로·스·믈여·듧字·ᄍᆞᆼ·ᄅᆞᆯᄆᆡᆼ·ᄀᆞ노·니
:사ᄅᆞᆷ:마·다:ᄒᆡ·ᅇᅧ:수·ᄫᅵ니·겨·날·로·ᄡᅮ·메
便뼌安ᅙᅡᆫ·킈ᄒᆞ·고·져ᄒᆞᇙᄯᆞᄅᆞ·미니·라

(다) 현대어 풀이

우리나라의 말이 중국과 달라 한자와는 서로 통하지 아니하여서 이런 까닭으로 어리석은 백성이 말하고자 하는 바가 있어도 마침내 제 뜻을 펴지 못하는 사람이 많다. 내가 이것을 가엾게 생각하여 새로 스물여덟 글자를 만드니, 모든 사람으로 하여금 쉽게 익혀서 날마다 쓰는 데 편하게 하고자 할 따름이다.

01 (가)에서 중세국어의 음운을 분석한 내용으로 적절하지 않은 것은?

① :말ᄊᆞ·미 → :말ᄊᆞᆷ+·이
② ·ᄠᅳ·들 → ·ᄠᅳᆮ+·을
③ ·노·미 → ·놈+·이
④ ·배 → ·바+ㅣ
⑤ ·ᄡᅮ·메 → ·ᄡᅳ-+움+·에

02 (가)에서 훈민정음의 창제정신이 나타난 부분을 고른 것으로 적절한 것은?

	자주정신	실용정신	애민정신
①	㉠	㉡	㉤
②	㉠	㉢	㉤
③	㉠	㉤	㉢
④	㉡	㉢	㉣
⑤	㉡	㉤	㉢

03 〈보기〉에서 (나)를 보고 중세국어와 현대국어의 표기에 대해 나눈 대화 중 옳은 것만 고른 것은?

보기

소원 : 중세국어에서는 세로쓰기를 하였어.
예린 : 지금 우리가 가로쓰기하는 것과는 다른 쓰기방식이었네?
엄지 : 중세에는 문장 단위의 띄어쓰기를 했나봐. 읽을 때 의미파악이 어려워.
은하 : 그렇지. 중세국어에는 표기에 한글과 한자가 섞인 모습도 보여.
유주 : 현대에서는 '씀에(쓰는 데)'로 표기하는 것을 '·ᄡᅳ·메'로 표기했던 것으로 보아 이어적기를 사용했어.
신비 : 'ᄯᆞᄅᆞ미니라'도 '따름이니라'를 분철한 것이지?

① 소원, 예린, 엄지, 은하 ② 소원, 예린, 엄지, 유주 ③ 소원, 예린, 은하, 유주
④ 예린, 엄지, 유주, 신비 ⑤ 소원, 예린, 엄지, 은하, 유주

04 중세국어와 현대국어의 음운에 대한 대화 중 옳은 것만 고른 것은?

보기

혜빈 : 중세국어에서 사용하던 'ㅸ', 'ㆍ'같은 음운은 지금은 사용하지 않아.
연우 : ':사ᄅᆞᆷ'을 지금은 '사람'으로 쓰는 것이 좋은 예지.
제인 : ':수·ᄫᅵ'를 현대에서는 '수이(쉬→쉽게)'로 사용하는 것도 예시가 될 수 있어.
나윤 : 그리고 중세국어에서는 글자 왼쪽에 성조를 나타내던 방점이 있었어.
주이 : 성조는 방점의 종류로 보아 총 두 가지가 있었나봐.
태하 : '·ᄠᅳ·들', '·ᄡᅳ·메'에서 'ᄠ', 'ᄡ'과 같은 초성도 지금은 사용하지 않아.

① 혜빈, 연우, 나윤, 주이, 태하 ② 혜빈, 연우, 제인, 주이, 태하
③ 혜빈, 연우, 제인, 나윤, 태하 ④ 혜빈, 연우, 제인, 나윤, 주이
⑤ 혜빈, 연우, 제인, 나윤, 주이, 태하

05 중세국어와 현대국어의 어휘에 대한 대화 중 옳은 것만 고른 것은?

보기

초롱 : 중세국어에 있던 어휘가 현대 국어에서 없어지기도 했어.
보미 : 중세국어에서 '전ᄎᆞ'라는 어휘가 현대 국어에서 없어진 것이 좋은 예야.
은지 : 그래, 또 'ᄉᆞᄆᆞᆺ디'가 현대국어에서 없어진 것도 하나의 예지.
나은 : '어리다'가 중세에는 '어리석다'의 의미지만 현대에는 '나이가 적은'으로 사용하는 것처럼 의미가 축소된 경우도 있어.
남주 : 중세국어의 '어엿브다'는 '불쌍하다'라는 의미가 현대에는 '예쁘다'라는 의미로 아예 변화되기도 했어.
하영 : '놈'은 중세에 '남자나 사람을 낮잡아 이르는 말'이란 뜻에서 지금은 '일반적인 사람'으로 의미가 축소되었지?

① 초롱, 보미, 은지, 나은 ② 초롱, 보미, 은지, 남주 ③ 초롱, 보미, 나은, 하영
④ 초롱, 보미, 나은, 남주 ⑤ 초롱, 은지, 남주, 하영

06 중세국어와 현대국어의 문법과 문법적 요소에 대한 대화 중 옳은 것만 고른 것은?

보기

솔라 : '中듕國·귁·에달·아'를 '중국과 달라'로 해석하는 것으로 보아 비교 주사격 조사가 '에'에서 '과'로 바뀌었다는 것을 알 수 있어.

화사 : '·홇·배'를 '하는 바가'로 해석하는 건 중세국어에는 주격조사 '가'가 없었음을 알 수 있는 예야.

문별 : '衛·윙·ᄒᆞ·야'를 '위하여'로 쓰는 것으로 보아 현대국어에서는 모음조화를 잘 지키지 않게 되었음을 알 수 있어.

① 솔라　② 솔라, 화사　③ 화사, 문별
④ 솔라, 문별　⑤ 솔라, 화사, 문별

07 이 글에 대한 설명으로 바른 것은?

① 새로 만든 28자는 자음 18자, 모음 10자이다.
② 창제의 3대 정신은 자주, 근면, 협동의 정신이다.
③ 글의 주제는 훈민정음의 창제 이유를 밝힌 것이다.
④ 새로 만든 ㅸ, ㅿ, ㆍ, ㆆ의 4글자는 이후 소실되었다.
⑤ 훈민정음이라는 책의 서문으로, 언해 이전 원문은 한글로 기록되어 있다.

08 '중세 국어'의 특징으로 틀린 것은?

① 10세기~16세기 국어를 가리켜 말한다.
② 어휘가 지금과는 다른 양상으로 쓰였다.
③ 지금은 사용하지 않는 음운들이 쓰였다.
④ 훈민정음 창제기~임진왜란까지의 국어이다.
⑤ 문법도 현대 국어와는 다르게 쓰인 점이 많다.

09 중세 국어의 표기 원리(이어적기)가 반영되지 않은 것은?

① 나랏말ᄊᆞ미　② ᄠᅳ들　③ ᄆᆡᇰᄀᆞ노니　④ ᄡᅮ메　⑤ ᄯᆞᄅᆞ미니라

10 중세 국어 자료에서는 '나·랏 :말 ᄊᆞ·미'와 같은 부호들이 보인다. 이 부호에 대한 설명으로 틀린 것은?

① '방점'이라고 불렀다.
② 점은 '없거나, 1개, 2개'를 붙였다.
③ 근대 국어 시기를 거치면서 사라졌다.
④ 성조(소리의 높낮이)를 표기했던 부호이다.
⑤ 동국정운식 표기를 반영하기 위한 것으로 한자에만 찍었다.

11 윗글에 나타난 어휘들의 의미와 변화 양상을 <u>잘못 연결한 것을 2개</u> 고르시오.

어휘	의미	변화 양상
① 말ᄊᆞᆷ	말	확대
② 노미	사람이	축소
③ ᄉᆞᄆᆞᆺ디	통하지	확대
④ 어린	어리석은	이동
⑤ 어엿비	가엾게	이동

12 윗글의 어휘를 설명한 것으로 <u>잘못된</u> 것은?

① 中듕國귁에 달아 : '에'를 현대어로 옮기면 '보다'가 된다.
② 文문字ᄍᆞᆼ, 爲윙ᄒᆞ야 : 한자어의 받침이 빈 자리에 'ㅇ'을 넣어 주었다.
③ 노미 하니라 : '하다'는 '많다'는 의미로 쓰였다.
④ 젼ᄎᆞ : '까닭'이란 뜻이었다.
⑤ ᄠᅳ들, ᄡᅮ메 : 첫소리에도 겹자음이 쓰였다.

13 '니르고져 홇배 이셔도'에 대한 설명으로 <u>틀린</u> 것은?

① '이르고자 할 바가 있어도'의 의미이다.
② '니르고져'는 현대 국어에서 '이르고저'로 바뀌므로 두음법칙이 적용되었다고 볼 수 있다.
③ '배'는 '바'에 주격조사 'ㅣ'가 결합된 형태다
④ 중세 국어에서는 아직 주격 조사 '가'가 등장하지 않았음을 추측할 수 있다.
⑤ '이셔도'에서는 주체 높임 선어말 어미 '-시-'가 쓰였음을 알 수 있다.

[14~15] 다음 글을 읽고, 물음에 답하시오.

(가)

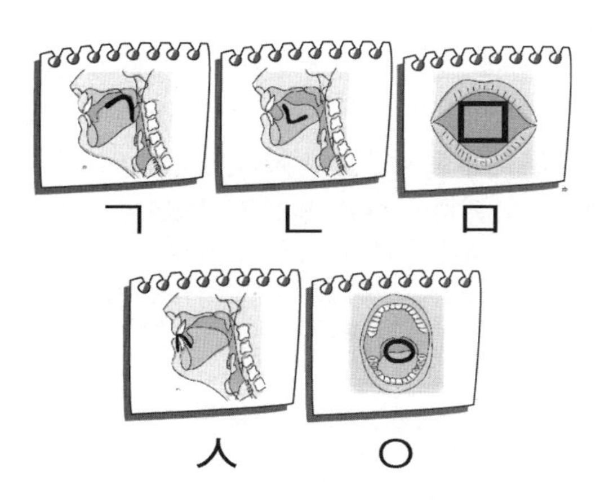

(나)

ㄱ → ㅋ
ㄴ → ㄷ → ㅌ (ㄷ → ㄹ)
ㅁ → ㅂ → ㅍ
ㅅ → ㅈ → ㅊ (ㅅ → ㅿ)
ㅇ → ㆆ → ㅎ (ㅇ → ㆁ (옛이응))

(다) "훈민정음 해례본"에서는 초성 17자에 속하지 않는 자음자들을 만들어 쓰는 방법으로 '병서'와 '연서'를 설명하고 있다. 병서는 'ㄲ, ㄸ, ㅃ, ㅵ' 등처럼 둘 이상의 같거나 다른 자음을 가로로 나란히 쓰는 방법으로, 'ㄲ, ㄸ, ㅃ'같이 쓰인 것을 '각자병서', 'ㅳ, ㅼ, ㅵ' 같이 쓰인 것을 '합용병서'라고 한다. 연서는 'ㅱ, ㅸ, ㆄ' 등처럼 두 개의 자음을 세로로 이어 쓰는 방법이다.

(라)

·	하늘의 둥근 모양을 본뜸.
ㅡ	땅의 평평한 모양을 본뜸.
ㅣ	사람이 서 있는 모양을 본뜸.

(마)

초출자	• ㅗ, ㅏ, ㅜ, ㅓ • '·'를 'ㅡ', 'ㅣ'에 결합하여 만듦.
재출자	• ㅛ, ㅑ, ㅠ, ㅕ • 초출자에 다시 '·'를 결합하여 만듦.

(바) "훈민정음 해례본"에는 중성 11자 외에도 둘이나 세 글자를 합하여서 만든 'ㅘ, ㅝ, ㆇ, ㆊ, ㆎ, ㅢ, ㅚ, ㅐ, ㅟ, ㅔ, ㆉ, ㅒ, ㆌ, ㅖ, ㅙ, ㅞ' 등의 모음자가 더 설명되어 있다. 이 모음자들은 '합용'의 원리에 의해 만들어진 것이다.

14 윗글을 바탕으로 한글의 제자 원리에 대해 이해한 것으로 적절하지 않은 것은?

① (가)와 (라)를 통해 자음과 모음의 기본자는 모두 '상형(象形)'의 원리에 의해 만들어졌음을 알 수 있다.
② (나)는 (가)의 기본자에서 획을 더해 거센 소리를 표현한 자음의 이원적(二元的) 구성을 보여준다.
③ (나)의 'ㄹ, ㅿ, ㆁ(옛이응)'은 소리의 세기와 무관하며 획을 더하지 않고 만들었으므로 '이체자'라고 부른다.
④ (마)는 (라)의 기본자에서 단모음의 합성 과정과 이중모음의 합성 과정을 보여준다.
⑤ 윗글을 통해 한글은 자음과 모음의 형태만으로도 발음을 짐작할 수 있는 조직적인 문자임을 알 수 있다.

15 윗글과 〈보기〉를 읽고 이해한 것으로 가장 적절한 것은?

보기

휴대전화기에서 위의 자판으로 '통닭과 빵'을 표기하기 위해서는 다음과 같이 숫자 키패드를 누르는 과정이 필요하다.

ⓐ통 : 6번 → 6번 → 2번 → 3번 → 0번
ⓑ닭 : 6번 → 1번 → 2번 → 5번 → 5번 → 4번
ⓒ과 : 4번 → 2번 → 3번 → 1번 → 2번
ⓓ빵 : 7번 → 7번 → 7번 → 1번 → 2번 → 0번

① ⓐ~ⓓ 모두 가획의 원리가 적용되었다.
② ⓐ는 연서의 방법으로 자음을 표현하였다.
③ ⓑ의 종성은 각자병서의 방법으로 자음을 표기하였다.
④ ⓒ는 합용의 원리가 적용되었다.
⑤ ⓓ의 초성은 합용병서의 방법으로 자음을 표기하였다.

[16~20] 다음 글을 읽고, 물음에 답하시오.

(가) ㉠<u>나·랏</u>:말ᄊᆞ·미 中듕國·귁·에 달·아 文문字·ᄍᆞᆼ·와·로 서르 ᄉᆞᄆᆞᆺ·디 아·니ᄒᆞᆯ·ᄊᆡ ·이런 젼·ᄎᆞ·로 어·린 百·ᄇᆡᆨ姓·셩·이 니르·고·져 ㉡<u>ᄒᆞᇙ·배</u> 이·셔·도 ᄆᆞ·ᄎᆞᆷ:내제 [㉮] 시·러펴·디:몯ᄒᆞᇙ·노·미하·니·라.·내·이·ᄅᆞᆯ爲·윙·ᄒᆞ·야 :어엿·비 너·겨 ·새·로 ·스·믈 여·듧字·ᄍᆞᆼ·ᄅᆞᆯ ᄆᆡᇰ·ᄀᆞ노·니 :사ᄅᆞᆷ:마·다 :ᄒᆡ·ᅇᅧ :수·ᄫᅵ 니·겨 ·날·로· ㉢<u>ᄡᅮ·메</u> 便뼌安 한·킈ᄒᆞ·고·져ᄒᆞᇙᄯᆞᄅᆞ·미니·라.

(나) 乃냉終즁ㄱ 소리ᄂᆞᆫ 다시 첫소리ᄅᆞᆯ ㉣<u>ᄡᅳᄂᆞ니라</u>
ㅇ·ᄅᆞᆯ 입시울쏘리 아래 니쓰면 입시울가ᄇᆡ야ᄫᆞᆫ소리 ᄃᆞ외ᄂᆞ·니·라.
첫소리ᄅᆞᆯ 어울워 ᄡᅮᇙ디면 ᄀᆞᆯ바쓰라 냉終즁ㄱ 소리도 ᄒᆞᆫ가지라

– 「훈민정음」 언해 –

(다) 불휘 기픈 ㉤<u>남ᄀᆞᆫ</u> ᄇᆞᄅᆞ매 아니 뮐ᄊᆡ
곶 됴코 여름 하ᄂᆞ니
ᄉᆡ미 기픈 [㉯] ᄀᆞᄆᆞ래 아니 그츨ᄊᆡ
내히 이러 바ᄅᆞ래 가ᄂᆞ니

– 「용비어천가」, 〈제2장〉 –

---

16 (가), (나)에 나타난 중세국어의 음운에 대해 설명한 것으로 적절하지 <u>않은</u> 것은?

① 초성에 둘 이상의 자음이 오는 어두자음군이 있었다.
② 지금은 쓰이지 않는 자음 ‘ᅀ’과 ‘ᄫ’이 존재하였다.
③ 평성, 거성, 상성, 입성을 방점의 개수로 구분하였다.
④ 종성에서 ‘ㄷ’과 ‘ㅅ’이 다르게 발음되었다.
⑤ 종성에 음가가 없는 ㅇ이 있었다.

17 〈보기〉와 어휘의 변화의 양상이 같은 것끼리 짝지어진 것은?

보기

ㄱ. ‘젼·ᄎᆞ’는 원래 까닭이나 이유를 뜻하는 말이었으나 지금은 사라진 단어이다.
ㄴ. ‘ᄉᆞ랑ᄒᆞ다’는 원래 ‘생각하다’와 ‘사랑하다’의 의미로 쓰였으나 지금에 와서는 ‘사랑하다’의 의미로 쓰인다.
ㄷ. ‘싁싁ᄒᆞ다’는 원래 ‘엄하다’의 뜻이었으나 지금은 ‘용감하다’의 의미로 쓰인다.

	ㄱ	ㄴ	ㄷ
①	말씀	불휘	어리다
②	불휘	어리다	놈
③	하다	놈	어엿브다
④	ᄉᆞᄆᆞᆺ다	하다	어엿브다
⑤	ᄉᆞᄆᆞᆺ다	말씀	어엿브다

18 ㉠~㉤에 나타난 중세 국어의 문법적 특징을 설명한 것으로 적절하지 않은 것은?

① ㉠ : 무정 명사에 결합되는 관형격 조사 'ㅅ'이 쓰였다.
② ㉡ : 모음으로 끝나는 체언 뒤에 주격 조사가 생략되었다.
③ ㉢ : 명사형 어미 '-움'이 쓰였다.
④ ㉣ : 현재 시제를 나타내는 선어말어미 '-ᄂᆞ-'가 쓰였다.
⑤ ㉤ : 조사와 결합할 때 'ㄱ'이 덧붙는 체언이 쓰였다.

19 〈보기〉의 밑줄 친 부분의 사례로 적절하지 않은 것은?

보기

국어에서 어휘는 시대에 따라 형태 변화를 겪어왔는데 그 원인은 크게 두 가지로 볼 수 있다. 하나는 음운의 변천에 따른 어형 변화로 'ㆍ'와 같은 음운의 소멸이나 된소리되기, 구개음화, 단모음화, 원순모음화 등의 음운 현상으로 인해 어형이 바뀌는 것이다. 또 하나는 형태소 자체의 변화에 의한 것이다.

	중세국어	현대국어
①	스믈	스물
②	니ᅀᅥ쓰면	이어쓰면
③	기픈	깊은
④	ᄇᆞᄅᆞᆷ	바람
⑤	됴코	좋고

20 방점을 고려하지 않을 때, 〈보기〉의 설명에 따라 ㉮, ㉯에 들어갈 말을 바르게 고른 것은?

보기

모음조화는 양성모음은 양성모음끼리, 음성모음은 음성모음끼리 결합하는 현상을 말한다. 중세국어 시기는 모음조화가 비교적 잘 지켜져 목적격조사는 '을/를/ᄋᆞᆯ/ᄅᆞᆯ', 단독의 보조사에 'ᄋᆞᆫ/ᄂᆞᆫ/은/는'이 있었다. 예를 들어

㉮ : 'ᄠᅳᆮ' + '목적격 조사'가 결합한 형태
㉯ : '믈' + '단독의 보조사'가 결합한 상태
에서 중세국어의 모음조화현상을 확인할 수 있다.

	㉮	㉯
①	ᄠᅳᄃᆞᆯ	므른
②	ᄠᅳᄅᆞᆯ	믈ᄂᆞᆫ
③	ᄠᅳ들	믈ᄋᆞᆫ
④	ᄠᅳᆮᄅᆞᆯ	믈ᄂᆞᆫ
⑤	ᄠᅳ들	므른

[21~27] **다음 글을 읽고, 물음에 답하시오.**

(가) 世솅宗조ᇰ御ᅌᅥᆼ製졩訓훈民민正졍音ᅙᅳᆷ

(Ⓐ)文문字·ᄍᆞᆼ·와·로서르ᄉᆞᄆᆞᆺ·디아·니ᄒᆞᆯ·ᄊᆡ·이런젼·ᄎᆞ·로어·린百·ᄇᆡᆨ姓·셩·이니르·고·져ⓐ·ᄒᆞᇙ·배이·셔·도ᄆᆞ·ᄎᆞᆷ:내제·ᄠᅳ·들시·러ⓑ펴·디:몯ᄒᆞᇙ·노·미하·니·라·내·이·ᄅᆞᆯ爲·윙·ᄒᆞ·야:어엿·비너·겨·새·로·스·믈여·듧字·ᄍᆞᆼ·ᄅᆞᆯᄆᆡᇰ·ᄀᆞ노·니:사ᄅᆞᆷ:마·다:ᄒᆡ·ᅇᅧ:수·ᄫᅵ니·겨·날·로·ᄡᅮ·메便뼌安한·킈ᄒᆞ·고·져ᄒᆞᇙᄯᆞᄅᆞ·미니·라

– 「훈민정음(訓民正音)」 언해본에서 –

[현대어 풀이]

우리나라의 말이 중국과 달라 한자와는 서로 통하지 아니하여서 이런 까닭으로 어리석은 백성이 말하고자 하는 바가 있어도 마침내 제 뜻을 펴지 못하는 사람이 많다. 내가 이것을 가엾게 생각하여 새로 스물여덟 글자를 만드니, 모든 사람으로 하여금 쉽게 익혀서 날마다 쓰는 데 편안하게 하고자 할 따름이다.

(나) 용비어천가(龍飛御天歌)

불·휘 기·픈 남·ᄀᆞᆫ ᄇᆞᄅᆞ·매 아·니 :뮐·ᄊᆡ
곶 :됴·코 여·름 ·하ᄂᆞ·니
:ᄉᆡ·미기·픈 ·므·른 ·ᄀᆞᄆᆞ·래 아·니 그·츨·ᄊᆡ
:내·히 이러 바·ᄅᆞ·래 ·가ᄂᆞ·니

[현대어 풀이]

뿌리가 깊은 나무는 바람에 흔들리지 아니하므로
꽃이 좋고 열매가 많습니다.
샘이 깊은 물은 가뭄에도 끊이지 아니하므로
내가 이루어져 바다로 흘러갑니다.

(다) 월인석보(月印釋譜)

俱夷(구이) ·또 :묻ᄌᆞ·ᄫᅡ·ᄃᆡ
“부텻·긔 받ᄌᆞ·방 므·슴·호려 ·ᄒᆞ·시ᄂᆞ·니”
善慧(선혜) 對答(대답)·ᄒᆞ샤·ᄃᆡ
“一切(일체) 種種(종종) 智慧(지혜)·를 일·워 衆生(중생) ·ᄋᆞᆯ 濟渡(제도)·코져 ·ᄒᆞ노·라”
俱夷(구이) 너·기샤·ᄃᆡ ‘·이 男子(남자) ㅣ 精誠(정성)·이 至極(지극)ᄒᆞᆯ·ᄊᆡ :보·ᄇᆡ·ᄅᆞᆯ 아·니 앗·기놋·다’ ·ᄒᆞ·야 니ᄅᆞ·샤·ᄃᆡ
“·내 ·이 고·ᄌᆞᆯ 나·소리·니 願(원)ᄒᆞᆫ·ᄃᆞᆫ ·내 生生(생생)·애 그딧 가·시 ᄃᆞ외·아지·라”

[현대어 풀이]

구이가 또 여쭈시길
“부처님께 바쳐 무엇하려 하시는고?”
선혜가 대답하시기를
“모든 갖가지 깨달음을 이루어 중생을 제도하고자 한다.”
구이가 생각하되 ‘이 남자가 정성이 지극해서 보배를 아끼지 않는구나.’ 하여 말씀하시기를
“내가 이 꽃을 드리겠으니, 원컨대 나의 모든 생애에 그대의 아내가 되고 싶다.”

21 (가)~(다)의 공통점이 아닌 것은?

① 소리 나는 대로 적었다.
② 주격 조사로서 '가'가 없었다.
③ 현재는 사라진 음운들이 있었다.
④ 글자 오른쪽에 방점이 찍혀 있었다.
⑤ 모음조화가 현대국어에 비해 잘 지켜졌다.

22 ⓐ에 쓰인 주격 조사와 가장 가까운 주격조사를 사용한 것은?

① ·ᄇᆡᆨ姓·셩·이　② ·노·미　③ :ᄉᆡ미　④ 俱夷(구이)　⑤ 男子(남자) ㅣ

23 ⓑ는 현대 국어와 차이가 있는 표기이다. 이와 가장 유사한 것은?

① :됴·코　② 그·츨·씨　③ 너·기샤·ᄃᆡ　④ 니ᄅᆞ·샤·ᄃᆡ　⑤ ᄃᆞ외·아지·라

24 다음 중 이어적기 표기가 아닌 것은?

① ᄲᅮ·메　② ᄇᆞᄅᆞ·매　③ ·ᄆᆞ·ᄅᆞᆫ　④ :보·ᄇᆡ·ᄅᆞ　⑤ 고·ᄌᆞᆯ

25 다음 중 Ⓐ에 들어갈 내용으로 적절한 것은?

① 나·랏:ᄆᆞᆯᄊᆞ·미中듀ᇰ國·귁·에 달·아
② 나·랏:말ᄊᆞ·미中듀ᇰ國·귁·에 달·아
③ 나·라:말ᄊᆞ·미中듀ᇰ國·귁·에 달·라
④ 나·라:ᄆᆞᆯᄊᆞ·미中듀ᇰ國·귁·에 달·아
⑤ 나·랏:ᄆᆞᆯᄊᆞ·미中듀ᇰ國·귁·에 달·라

26 〈보기〉의 ⓐ, ⓑ에 따른 표기의 예로 적절하게 짝지은 것은?

보기

ⓐ – 초성 글자를 합하여 사용할 때는 나란히 써라.
ⓑ – ㅇ을 순음 아래 이어 쓰면 순경음이 된다.

	ⓐ	ⓑ
①	:수·ᄫᅵ	:ᅘᅵ·ᅇᅧ
②	ᄆᆡᆼ·ᄀᆞ노·니	·ᄒᆞᇙ·배
③	·ᄠᅳ·들	받ᄌᆞᄫᅡ
④	便뼌安한·킈	:보·ᄇᆡ·ᄅᆞ
⑤	·ᄇᆡᆨ姓·셩·이	ᄆᆞ·ᄅᆞᆫ

27 〈보기〉는 중세국어 이후의 근대국어 자료이다. 중세국어와 비교할 때 차이점으로 적절하지 않은 것은?

보기

신정심상소학(新訂尋常小學)

비둘기가 부엉이의 移居(이거)ᄒᆞ랴ᄂᆞᆫ 貌樣(모양)을 보고 어ᄃᆡ 갈 터이뇨 무르니 부엉이 對答(대답)ᄒᆞ야 갈오ᄃᆡ 이 地方(지방) ᄉᆞᄅᆞᆷ은 내 우름 쇼ᄅᆡᄅᆞᆯ 미워ᄒᆞᄂᆞᆫ 故(고)로 나ᄂᆞᆫ 다른 地方(지방)으로 올무랴 ᄒᆞ노라 ᄒᆞ니 비둘기 우서 갈오ᄃᆡ ᄌᆞ네 우ᄂᆞᆫ 쇼ᄅᆡ를 곳치지 안코 居處(거처)만 옴기면 如舊(여구)히 ᄯᅩ 미워ᄒᆞᆷ을 免(면)치 못ᄒᆞ리라 ᄒᆞ얏소 이 이ᄋᆡ기ᄂᆞᆫ ᄎᆞᆷ 滋味[재미]잇ᄉᆞᆸᄂᆞ이다

[현대어 풀이]

비둘기가 부엉이가 이사하려는 모습을 보고 "어디 갈 작정이냐?"라고 물으니 부엉이가 대답하여 말하기를 "이 지방 사람은 내 울음소리를 미워하는 까닭에 나는 다른 지방으로 옮기려 한다."라고 하니 비둘기가 웃으며 말하기를 "자네가 우는 소리를 고치지 않고 거처만 옮기면 여전히 미움 받기를 피하지 못할 것이다."라고 하였다. 이 이야기는 참 재미있습니다.

① 끊어적기가 쓰인다.
② 방점을 표시하지 않는다.
③ 주격 조사로서 '가'가 쓰인다.
④ 이어적기가 완전히 사라졌다.
⑤ 구개음화가 일어난 표기가 쓰인다.

[28~32] 다음 글을 읽고, 물음에 답하시오.

(가) 과거에는 '십의 열 배가 되는 수, 또는 그런 수의.'라는 뜻을 '온'이라는 소리로 나타내도록 약속되어 있었으나 후에 그러한 뜻을 '백(百)'이라는 소리로 나타내도록 약속을 바꾸었기 때문에, 우리는 '백'은 알지만 '온'은 알지 못하는 상황이 된 것이다.

(나) 世솅宗종御ᅌᅥᆼ製졩訓훈民민正졍音ᅙᅳᆷ

나·랏:말ᄊᆞ·미中듕國·귁·에달·아文문字·ᄍᆞᆼ·와·로서르ᄉᆞᄆᆞᆺ·디아·니ᄒᆞᆯ·ᄊᆡ·이런젼·ᄎᆞ·로어·린百·ᄇᆡᆨ姓·셩·이니르·고·져·ᄒᆞᇙ·배이·셔·도ᄆᆞ·ᄎᆞᆷ:내제·ᄠᅳ·들시·러펴·디:몯ᄒᆞᇙ·노·미하·니·라·내·이·ᄅᆞᆯ爲·윙·ᄒᆞ·야:어엿·비너·겨·새·로·스·믈여·듧字·ᄍᆞᆼ·ᄅᆞᆯ밍·ᄀᆞ노·니:사ᄅᆞᆷ:마·다:ᄒᆡ·ᅇᅧ:수·ᄫᅵ니·겨·날·로·ᄡᅮ·메便뼌安ᅙᅡᆫ·킈ᄒᆞ·고·져ᄒᆞᇙᄯᆞᄅᆞ·미니·라

– 「훈민정음(訓民正音)」 언해본에서 –

(다)

누구던지상탈수잇습니다

부인네께서만히써보내십시요

재미잇는조선옛날이약이를모집합니다

사람은어렷슬때부터 조흔교훈과조흔가르침중에서 조흔생각을갓게되고 조흔마음을기쁘게되고 또그런속에서커가야 조흔사람 조흔일군이되는것임으로 세계어느나라에던지 어린사람에게들려주는 조흔이약이가만히잇서서 그나라아이들이 그 조흔이약이를듯고자라서 튼튼하고마음착하고 [하략]

– 1922년 잡지 표기 –

[현대어 풀이]

누구든지 상 탈 수 있습니다.

부인네께서 많이 써 보내십시오.

재미있는 조선 옛날이야기를 모집합니다.

사람은 어렸을 때부터 좋은 교훈과 좋은 가르침 중에서 좋은 생각을 갖게 되고 좋은 마음을 기쁘게 되고 또 그런 속에서 커가야 좋은 사람 좋은 일꾼이 되는 것이므로 세계 어느 나라에든지 어린 사람에게 들려주는 좋은 이야기가 많이 있어서 그 나라 아이들이 그 좋은 이야기를 듣고 자라서 튼튼하고 마음 착하고 [하략]

28 (가)에 나타난 언어의 특성을 가장 잘 설명한 것은?

① 언어는 하나의 사회적 약속이지만 시간의 흐름에 따라 신생, 성장, 사멸하는 변화를 겪을 수 있다.

② 언어는 언어의 지식과 규칙을 바탕으로 무한한 수의 새로운 단어와 문장을 만들 수 있다.

③ 언어는 같은 부류의 사물들에서 공통적인 속성을 뽑아내는 추상화의 과정을 통해 개념을 형성한다.

④ 언어는 인간이 의사소통을 하는 데 쓰이는 기호이며, 일정한 말소리와 의미의 자의적 결합으로 이루어진다.

⑤ 언어는 외부 세계를 있는 그대로 반영하는 것이 아니라 연속적으로 이루어져 있는 세계를 불연속적인 것으로 분절하여 표현한다.

29 (나)에 대한 설명으로 적절하지 않은 것은?

① 지금은 사용하지 않는 음운이 사용되었다.
② 글자의 왼쪽에 점을 찍어 성조를 표시하였다.
③ 오늘날에는 사용하지 않는 어휘가 나타나 있다.
④ 오늘날과 같이 구개음화, 두음법칙이 잘 지켜졌다.
⑤ 오늘날과 달리 첫소리에 서로 다른 자음을 나란히 쓰기도 하였다.

30 (나)의 밑줄 친 부분에서 '문법과 문법적 요소'에 대한 설명으로 적절한 것은?

① '나·랏:말쓰·미'가 '우리나라의 말이'로 해석되는 것을 보니, '랏'에는 끊어 읽기 부호를 사용한 것이다.
② '中듕國·귁·에'는 '중국과 함께'라는 뜻의 공통 부사격 조사를 사용하였다.
③ '아·니홀·씨'가 '아니하여'로 풀이되는 것으로 보아, '-ㄹ써'는 오늘날과 달리 감탄형 어미로 쓰였다.
④ '빅姓·셩·이'에서 볼 수 있듯이, 자음으로 끝난 체언 뒤에서 주격조사'이'가 사용되었음을 알 수 있다.
⑤ '홇·배'가 '하는 바가'로 해석되는 것을 볼 때, 모음으로 끝난 체언 뒤에서 주격 조사가 생략되었음을 알 수 있다.

31 아래 설명을 참고하였을 때, 다음 중 모음 조화가 지켜지지 않은 것은?

> 모음 조화란 한 단어 안에서, 혹은 어간과 어미, 체언과 조사의 연결에서 양성 모음은 양성 모음끼리, 음성 모음은 음성 모음끼리 어울리는 현상이다.

① 말·씀 ② 서르 ③ ᄆᆞ·춤:내 ④ 너·겨 ⑤ ᄒᆞ·고·져

32 (나)와 (다)를 비교한 것으로 적절하지 않은 것은?

① (나)는 방점이 있고 (다)에서는 방점이 사라졌다.
② (나)는 (다)와 같이 각자병서, 합용병서가 쓰였다.
③ (나)는 (다)와 달리 순경음이 사용되지 않았다.
④ (나)는 띄어쓰기를 하지 않았고, (다)는 부분적으로 띄어쓰기를 하였다.
⑤ (나)는 한글과 한자가 섞인 표기를, (다)는 한글 위주의 표기를 사용하였다.

[33~36] 다음 글을 읽고, 물음에 답하시오.

海東(해동)六龍(육룡)·이ᄂᆞᄅᆞ·샤:일:마다天福(천복)ⓐ·이시·니古聖(고성)ⓑ·이同符(동부)·ᄒᆞ시·니

〈제1장〉

불·휘기·픈ⓒ남·ᄀᆞᆫ㉠ᄇᆞᄅᆞ매아·니:뮐·씨곶ⓓ:됴·코ⓔ여·름·하ᄂᆞ·니
:ᄉᆡ·미기·픈 ·므·른 아·니그·츨·씨:내·히이·러바·ᄅᆞ·래·가ᄂᆞ·니

〈제2장〉

-「용비어천가」, 세종 29년(1447) -

33 윗글 〈제1장〉의 중심 내용으로 적절한 것은?

① 조선 건국의 정당성
② 조선의 영원을 기원함
③ 천복을 타고난 해동 육룡
④ 성인이 생애를 통해 본 조선
⑤ 중국에서 바라본 조선의 특징

34 ⓐ~ⓔ에 대한 설명으로 적절하지 않은 것은?

① ⓐ : 주체높임의 선어말 어미가 사용되었다.
② ⓑ : 주격조사 '이'가 사용되었다.
③ ⓒ : 모음조화가 지켜졌다.
④ ⓓ : 현대어로 풀이하면 '좋고'이다.
⑤ ⓔ : 현대어로 풀이하면 '열매'이다.

35 윗글 ㉠과 〈보기〉의 ㉮의 공통점으로 바른 것은?

보기

天爲建國(천위건국)ᄒᆞ샤 ㉮天命(천명)을 ᄂᆞ리오시니 亭上牌額(정상패액)ᄋᆞᆯ 세사ᄅᆞᆯ 마치시니

-「용비어천가」 제32장 -

[현대어 풀이] 하늘이 (송나라를) 세우기 위하시어 (고종에게) 천명을 내리시니, (고종은) 정자 위의 패액(현관)을, 세 살을 맞히시니

① 이어적기를 함
② 연서법이 적용됨
③ 모음조화가 지켜짐
④ 관형격 조사가 쓰임
⑤ 어두자음군의 사용됨

36 윗글과 다음 글에서 공통으로 확인할 수 있는 중세국어의 특징으로 적절한 것만을 〈보기〉에서 있는 대로 고른 것은?

> 불근새 그를 므러 寢室(침실) 이페 안ᄌᆞ니 聖子革命(성자혁명)에 帝祜(제호)ᄅᆞᆯ 뵈ᅀᆞᄫᆞ니
>
> – 「용비어천가」 제7장 –
>
> **[현대어 풀이]** 붉은 새가 글을 물고 와서 (주나라 문왕의) 침실 문 앞에 앉으니 무왕(武王)이 혁명을 일으키려 하는 데에 있어 제호를 보인 것입니다.

보기

㉠ 어두자음군이 사용되었다.
㉡ 이어적기가 일반적으로 쓰였다.
㉢ 모음조화가 대체로 잘 지켜졌다.

① ㉠ ② ㉡ ③ ㉠, ㉢ ④ ㉡, ㉢ ⑤ ㉠, ㉡, ㉢

[37~40] 다음 글을 읽고, 물음에 답하시오.

(가)
海東(해동)六龍(육룡)·이ᄂᆞᄅᆞ·샤㉠:일:마다㉡天福(천복)·이시·니㉢古聖(고성)·이同符(동부)·ᄒᆞ시·니

〈제1장〉

(나)
불·휘기·픈Ⓐ남·ᄀᆞᆫ㉣·ᄇᆞᄅᆞ매아·니:뮐·ᄊᆡ곶:됴·코여·름·하ᄂᆞ·니
㉤:ᄉᆡ·미기·픈·므·른㉥·ᄀᆞᄆᆞ·래아·니그·츨·ᄊᆡⒷ:내·히이·러㉦바·ᄅᆞ·래·가ᄂᆞ·니

〈제2장〉

37 (가), (나)에 대한 설명으로 옳은 것은?

① (가)는 (나)와 달리, 비유적 표현을 쓰지 않고 내용을 설명적으로 전달하고 있다.
② (나)는 (가)와 달리, 자연 현상을 통해 인간사를 노래하고 있다.
③ (나)는 (가)와 달리, 개인적 정서를 표출함으로써 장르가 지닌 목적성을 극복하려 하였다.
④ (가)와 (나)는 모두 일정한 음보율을 사용하여 작품에 안정감을 부여하고 있다.
⑤ (가)와 (나)는 모두 광범위한 작자층을 확보하여 조선 시대를 대표하는 장르로 성장하였다.

38 (가), (나)의 내용 전개 방식의 특징을 바르게 묶은 것은?

보기

a. 앞의 내용을 단서로 하여 새로운 내용을 전개하였다.
b. 앞에서 결과를 먼저 밝히고 후에 그 원인을 분석하였다.
c. 앞의 내용이 원인이고 결과는 뒤에 순차적으로 제시되었다.
d. 권위 있는 사례를 근거로 삼아 자신의 주장을 뒷받침하였다.
e. 일반적 상황을 먼저 제시하고 나중에 사례를 들어 구체화하였다.
f. 앞의 내용과 상반된 결과를 나중에 보여 주어 주제를 부각시켰다.

	(가)	(나)
①	a	e
②	b	c
③	d	c
④	d	a
⑤	e	f

39 ㉠~㉦의 의미를 이해한 내용으로 알맞은 것은?

① ㉠은 세종이 이룩한 훈민정음 창제의 업적을 의미한다.
② ㉡은 하늘로부터 내려온 천손의 혈통이라는 민족적 긍지를 반영하고 있다.
③ ㉢은 조선 왕조의 창업에 이바지한 세종의 조상을 가리킨다.
④ ㉣은 ㉥과 대조적인 의미를 가진 시어로, 대상의 존립을 위협하는 시련을 말한다.
⑤ ㉦의 '바다'는 ㉤이 도달하게 될 공간으로, 조선의 무궁한 발전을 동적(動的)으로 형상화한 것이다.

40 〈보기〉는 윗글의 Ⓐ와 Ⓑ를 학습하기 위해 수집한 자료이다. 〈보기〉를 바탕으로 한 학습의 결과로 적절하지 <u>않은</u> 것은?

보기

Ⓐ남·ᄀᆞᆫ은 조사와 결합할 때 'ㄱ'이 나타나는 'ㄱ덧생김 체언'이며, Ⓑ:내·히는 'ㅎ'을 끝소리로 가진 'ㅎ종성 체언'이다. 이들은 다음과 같은 결합 환경에서 다양하게 실현된다.

[ㄱ 덧생김 체언]

체언의 형태	실현 양상
단독형, 조사 '와'와 결합할 때	나모, 나모와
모음으로 시작하는 조사와 결합할 때('와' 제외)	남기, 남ᄀᆞᆫ
자음으로 시작하는 조사와 결합할 때	나모도

[ㅎ 종성 체언]

체언의 형태	실현 양상
단독형	내
모음으로 시작하는 조사와 결합할 때	내히, 내해
ㄱ, ㄷ으로 시작하는 조사와 결합할 때	내토

① '내토'는 체언이 'ㄱ, ㄷ'으로 시작하는 조사와 결합할 때, 'ㅎ'이 덧붙여 뒤에 오는 초성과 축약된 경우로군.
② '나모'는 조사 '와'와 결합할 때와 그의 모음으로 시작되는 조사와 결합할 때 체언의 모습이 서로 다르군.
③ '나모'는 '내'와 달리, 모음으로 시작하는 조사와 결합할 때 음운 탈락 현상이 나타나기도 하는군.
④ 단독형으로 쓰일 때에는 '나모', '내'처럼 'ㄱ'이나 'ㅎ'이 나타나지 않는군.
⑤ '내히'는 체언에 주격 조사 'ㅣ'가 결합한 것이로군.

[41~44] **다음 글을 읽고, 물음에 답하시오.**

海東(해동)六龍(육룡)·이㉠<u>ᄂᆞᄅᆞ·샤</u>:일:마다天福(천복)·이시·니古聖(고성)·이同符(동부)·ᄒᆞ시·니

〈제1장〉

㉡<u>불·휘</u>기·픈남·ᄀᆞᆫ·ᄇᆞᄅᆞ매아·니:뮐·ᄊᆡ곶:됴·코여·름·하ᄂᆞ·니
:ᄉᆡ·미기·픈·므·른·ᄀᆞᄆᆞ·래아·니그·츨·ᄊᆡ㉢<u>:내·히</u>이·러바·ᄅᆞ·래·가ᄂᆞ·니

〈제2장〉

-「용비어천가」, 세종 29년(1447) -

[현대어 풀이]

해동의 여섯 용이 나시어, 일마다 하늘의 복이시니 옛날의 성인과 서로 꼭 들어맞으시니.

〈제1장〉

뿌리가 깊은 나무는 바람에 아니 움직이므로, 꽃 좋고 열매 많으니,
샘이 깊은 물은 가뭄에 아니 그치므로, 내가 이루어져 바다에 가느니.

〈제2장〉

41 윗글에 대한 설명으로 적절하지 않은 것은?

① 〈제1장〉은 2절 4구체 형식으로 운율을 형성하고 있다.
② 〈제1장〉은 조선의 건국이 하늘의 뜻이었음을 밝히며 정당성을 드러낸다.
③ 〈제1장〉은 조선을 건국한 왕조의 업적을 중국의 성군들과 연결하여 위대성을 드러내고 있다.
④ 〈제2장〉은 고도의 함축적 표현을 사용했다는 점에서 문학적 가치가 높다.
⑤ 〈제2장〉은 순우리말 어휘가 돋보이는 장으로 조선 왕조의 번영과 무궁한 발전을 기원했다.

42 〈보기〉를 참고할 때, ㉠에 쓰인 높임법이 사용된 문장은?

> 보기
>
> 문장의 주어에 해당하는 대상을 높일 경우 이를 ‘주체높임법’, 주어가 아닌 목적어나 부사어가 지시하는 대상을 높일 경우 이를 ‘객체 높임법’이라고 한다.

① 나는 선생님께 책을 드렸다.
② 이 문제에 대하여 선생님께 여쭤보자.
③ 할아버지께서 용돈을 많이 주셔서 기뻐.
④ 나는 어머니를 모시고 병원에 다녀왔다.
⑤ 작가 선생님을 만나 뵙게 되어 영광입니다.

43 ㉡에 쓰인 것과 같은 형태의 주격 조사가 쓰인 것은?

① 머리 셰도록 사다가 (머리가 세도록 살다가)
② 부톄 世間(세간)에 나샤미신가 (부처가 세상에 나신 것인가?)
③ 어디 일 조초미 노ᄑᆞᆫ ᄃᆡ 울음 ᄀᆞᆮ고 (어진 일 좇음이 높은 데 오름 같고)
④ 孔공子ᄌᆡ 曾증子ᄌᆞᄃᆞ려 닐러 ᄀᆞᄅᆞ샤ᄃᆡ (공자가 증자에게 일러 말씀하시기를)
⑤ 어느 사ᄅᆞ미 少微星(소미성)이 잇다 니ᄅᆞ던고 (어떤 사람이 소미성이 있다고 말하던가?)

44 ⓒ을 〈보기1〉과 같이 설명할 때, 〈보기2〉의 ⓐ~ⓒ에 들어갈 말로 적절한 것은?

보기 1

중세 국어 체언 중에는 'ㅎ'을 끝소리로 가진 것들이 있다. 이러한 체언을 'ㅎ'종성체언이라고 하는데, 이들은 뒤따르는 조사에 따라 다음과 같이 실현된다.

	'ㅎ'종성체언의 실현 양상
모음으로 시작하는 조사	'ㅎ'은 뒤따르는 모음에 이어 적는다. [예] 하ᄂᆞᆯ히(하ᄂᆞᆶ+이)보내시니 (하늘이 보내시니)
'ㄱ, ㄷ'으로 시작하는 조사	'ㅎ'은 뒤따르는 'ㄱ, ㄷ'와 어울려 'ㅋ, ㅌ'으로 나타난다. [예] 하ᄂᆞᆯ토(하ᄂᆞᆶ+도) 울며 (하늘도 울며)
관형격조사 'ㅅ'	'ㅎ'은 나타나지 않는다. [예] 하ᄂᆞᆳ(하ᄂᆞᆶ+ㅅ)고지 (하늘의 꽃이)

보기 2

중세국어	현대국어
" ⓐ " (긿+ㅅ)네거리예	길의 네거리에
" ⓑ " (않+으로)向(향)케	안으로 향하게
(ⓒ) (ᄯᅡᇂ+도) 뮈더니	땅도 움직이더니

	ⓐ	ⓑ	ⓒ
①	긼	않흐로	ᄯᅡᇂ도
②	긿	않으로	ᄯᅡᇂ도
③	긼	안흐로	ᄯᅡ토
④	긿	않으로	ᄯᅡ토
⑤	긼	안흐로	ᄯᅡᇂ토

서술형 심화문제

[01~06] **다음 글을 읽고, 물음에 답하시오.**

(가) 世솅宗종御ᅌᅥᆼ製졩訓훈民민正졍音ᅙᅳᆷ

나·랏:말ᄊᆞ·미中듕國·귁·에달·아文문字·ᄍᆞᆼ·와·로서르ᄉᆞᄆᆞᆺ·디아·니ᄒᆞᆯ·ᄊᆡ·이런젼·ᄎᆞ·로어·린百·ᄇᆡᆨ姓·셩·이니르·고·져·ᄒᆞᇙ·배이·셔·도ᄆᆞ·ᄎᆞᆷ:내제·ᄠᅳ·들시·러펴·디:몯ᄒᆞᇙ·노·미하·니·라·내·이·ᄅᆞᆯ爲·윙·ᄒᆞ·야:어엿·비너·겨·새·로·스·믈여·듧字·ᄍᆞᆼ·ᄅᆞᆯᄆᆡᆼ·ᄀᆞ노·니:사ᄅᆞᆷ:마·다:ᄒᆡ·ᅇᅧ:수·ᄫᅵ니·겨·날·로·ᄡᅮ·메便뼌安ᅙᅡᆫ·킈ᄒᆞ·고·져ᄒᆞᇙᄯᆞᄅᆞ·미니·라

– 「훈민정음(訓民正音)」 언해본에서 –

[현대어 풀이]

우리나라의 말이 중국과 달라 한자와는 서로 통하지 아니하여서 이런 까닭으로 어리석은 백성이 말하고자 하는 바가 있어도 마침내 제 뜻을 펴지 못하는 사람이 많다. 내가 이것을 가엾게 생각하여 새로 스물여덟 글자를 만드니, 모든 사람으로 하여금 쉽게 익혀서 날마다 쓰는 데 편하게 하고자 할 따름이다.

01 〈보기〉는 훈민정음 창제 원리에 대한 설명이다. 이를 바탕으로 ㉠, ㉡에 해당하는 음운을 각각 쓰시오.

보기

훈민정음은 상형의 원리에 따라 기본자를 만든 다음 이를 기초하여 나머지 글자를 만들었다. 자음은 ㉠기본자에 가획을 하여 만들었으며, 가획의 원리에서 벗어난 글자인 이체자가 있었다. 모음도 먼저 ㉡기본자를 만든 후, 이 기본자를 합성시켜 초출자와 재출자를 만들었다.

02 〈보기〉의 단어에 공통적으로 나타난 중세국어 표기법을 쓰시오.

보기

• 말ᄊᆞ미 • ᄠᅳ들 • ᄡᅮ메 • ᄯᆞᄅᆞ미니라

03 위에 제시된 '훈민정음'을 읽고, '문법과 문법적 요소'에 관한 중세국어의 특징을 현대국어와 비교하여 서술하시오. (단, 예를 함께 제시하여야 하고, 200자 내외로 서술할 것.)

04 현대의 '한글 맞춤법' 원리에 비추어 볼 때, 다음 중세 국어의 표기가 현대 국어와 다른 점을 서술하시오. (세 가지 단어를 보고, 표기의 공통점을 서술하여야 함. 50자 내외로 빈 칸에 쓸 것.)

중세 국어		현대 국어	표기 방식상 국어의 변화
·노·미	→	놈이	
·ᄡᅳ·메	→	씀에	
ᄯᆞᄅᆞ·미니·라	→	따름이니라	

05 아래의 글은 '국어의 역사성'과 관련된 글이다. '국어의 역사성'을 '어휘적 측면'에서 서술하되, '훈민정음'에서 예를 찾아 서술하시오. (100자 내외로 서술하되, 꼭 예를 '훈민정음'에서 찾을 것.)

참고

소리와 뜻 사이에 일정한 약속이 형성되어 있다고 해서 그러한 약속이 항상 유지되는 것은 아니다. 시간이 지남에 따라 그러한 약속이 변화될 수도 있는데 이를 언어의 역사성이라고 한다.

06 〈보기〉의 두 사례에서 공통적으로 설명한 문법 원리를 쓰고, 그 내용을 설명하시오.

보기

- '스믈여듧 字ᄍᆞᆼᄅᆞᆯ'의 목적격 조사 'ᄅᆞᆯ'은 음운 환경에 따라 'ᄋᆞᆯ/ᄅᆞᆯ'이나 '을/를' 중에서 선택해 썼다.
- '爲윙ᄒᆞ야'의 연결 어미 '−야'는 음운 환경에 따라 '−야/−여' 중에서 선택해 썼다.

(양성모음, 음성모음, ㅏ ㅓ ㅗ ㅜ · ㅡ를 모두 사용하여 설명할 것)

[07~10] 다음 글을 읽고, 물음에 답하시오.

나랏 말ᄊᆞ미 中듕國귁에 달아 文문字ᄍᆞᆼ와로 서르 ㉠ᄉᆞᄆᆞᆺ디 아니ᄒᆞᆯᄊᆡ 이런 젼ᄎᆞ로 어린 百ᄇᆡᆨ姓셩이 니르고져 ᄒᆞᇙ 배 이셔도 ᄆᆞᄎᆞᆷ내 제 ᄠᅳ들 시러 펴디 몯ᄒᆞᇙ 노미 하니라 내 이ᄅᆞᆯ 爲윙ᄒᆞ야 어엿비 너겨 새로 ㉡스믈여듧 字ᄍᆞᆼ를 ㉢ᄆᆡᇰᄀᆞ노니 사ᄅᆞᆷ마다 ᄒᆡᅇᅧ 수ᄫᅵ 니겨 날로 ᄡᅮ메 便뼌安한킈 ᄒᆞ고져 ᄒᆞᇙ ᄯᆞᄅᆞ미니라.

– 「훈민정음」 언해 –

07 윗글에 나타난 훈민정음 창제정신 4가지를 서술하시오.

작성요령

ㄱ. 답안은 '훈민정음에는 ~한/는 ○○정신이 나타난다.'의 문장 형태로 서술함.

08 ㉠에 나타난 표기법을 서술하시오.

작성요령

ㄱ. 답안은 '(표기법 명칭)으로 (내용 설명)이다.'의 문장 형태로 서술함.

09 ㉡이 무엇인지 아래 조건에 맞게 서술하시오.

작성요령

ㄱ. 답안은 '초/중/종성은 (제자 원리 또는 방법)에 의해 (글자)를 만들었다.'의 형태로 서술함.

10 ⓒ의 형태소를 분석하여 쓰시오.

작성요령

ㄱ. 답안작성 예 : 나랏 : 나라-ㅅ/ 말ᄊᆞ미 : 말ᄊᆞᆷ-이

11 다음 질문에 물음에 답하시오.

(1) 다음은 중세 국어 표기가 현대 국어와 다른 점을 현대의 '한글 맞춤법'의 원리에 비추어 설명한 것이다. ㉠, ㉡에 들어갈 알맞은 말을 쓰시오.

말ᄊᆞ·미	→ 말씀이
ᄠᅳ·들	→ 뜻을
ᄡᅮ·메	→ 씀에
홇ᄯᆞᄅᆞ·미니·라	→ 할 따름이니라
(중세 국어)	(현대 국어)

→ 중세 국어는 이어적기(연철), 즉 (㉠) 표기하였으나, 현대 국어는 끊어적기(분철), 즉 (㉡)표기하였다.

(2) 다음 〈보기〉의 ⓐ, ⓑ에 알맞은 말을 쓰시오.

보기

언어는 끊임없는 변화를 겪는다. 단어에 결합된 의미도 마찬가지이다. 어휘의 의미는 의미가 확대되거나, 축소되거나 아니면 이동하는 등 여러 가지 방식으로 변화한다.

'중생(衆生)' 이라는 단어는 예전에는 모든 생물 전체를 가리키는 불교 용어였지만, 지금은 인간을 제외한 동물을 가리키는 말로 변했다. 이는 윗글 (나)의 (ⓐ) 어휘들에서도 볼 수 있으며 이들은 모두 어휘의 의미 영역이 (ⓑ)된 예라고 할 수 있다.

조건

1. ⓐ에 해당하는 예를 2개 찾아 쓸 것.
2. ⓑ'확대, 축소, 이동' 중에서 알맞은 단어를 골라 쓸 것.

[12] 다음 글을 읽고, 물음에 답하시오.

솅종엉졩 훈민졍음

나랏말ᄊᆞ미 中듕國귁에 달아

㉠ ᄆᆞᄎᆞᆷ내 제 ᄠᅳ들 시러 펴디 몯ᄒᆞᇙ 노미 하니라

㉡ 새로 스믈여듧 字ᄍᆼ를 ᄆᆡᇰᄀᆞ노니

㉢ 文문字ᄍᆼ와로 서르 ᄉᆞᄆᆞᆺ디 아니ᄒᆞᆯᄊᆡ 이런 젼ᄎᆞ로

㉣ 어린 百ᄇᆡᆨ姓셩이 니르고져 홇배 이셔도

㉤ 사ᄅᆞᆷ마다 ᄒᆡᅇᅧ 수ᄫᅵ 니겨 날로 ᄡᅮ메

㉥ 내 이ᄅᆞᆯ 爲윙ᄒᆞ야 어엿비 너겨

便뼌安한킈 ᄒᆞ고져 ᄒᆞᇙ ᄯᆞᄅᆞ미니라.

– 「훈민정음(訓民正音)」 (언해본) –

12 ㉠~㉥을 문맥에 맞게 순서를 쓰시오.

[13~15] 다음 글을 읽고, 물음에 답하시오.

[중세 국어 자료]

海東(해동) 六龍(육룡)·이 ᄂᆞᄅᆞ·샤:일:마다天福(천복)·이시·니古聖(고성)·이同符(동부)·ᄒᆞ시·니

〈제1장〉

불:휘기·픈㉮남·ᄀᆞᆫᄇᆞᄅᆞ·매아·니:뮐·ᄊᆡ곶:됴·코㉰여·름·하ᄂᆞ··니

:ᄉᆡ·미기·픈㉯·므·른·㉱·ᄀᆞᄆᆞ·래아·니그·츨·ᄊᆡ:내·히이·러바·ᄅᆞ·래·가ᄂᆞ·니

〈제2장〉

– 「용비어천가」, 세종 29년(1447) –

[현대어 풀이]

해동의 여섯 용이 나시어, 일마다 하늘의 복이시니

[㉠]

〈제1장〉

뿌리가 깊은 나무는 [㉡], 꽃 좋고 열매 많으니, 샘이 깊은 물은 가뭄에 아니 그치므로, 내가 이루어져 [㉢]

〈제2장〉

13 윗글의 ㉮와 ㉯에서 확인할 수 있는 중세 국어의 보조사 'ᄋᆞᆫ/은'이 어떤 조건에서 선택되는지 설명하시오.

14 ㉰와 ㉱를 각각 현대 국어로 풀이하여 서술하시오.

15 ㉠~㉢에 들어갈 적절한 내용을 쓰시오.

[16] 다음 글을 읽고, 물음에 답하시오.

海東(해동)六龍(육룡)·이ᄂᆞᄅᆞ·샤:일:마다天福(천복)·이시·니古聖(고성)·이同符(동부)·ᄒᆞ시·니

〈제1장〉

불·휘기·픈남·ᄀᆞᆫᄇᆞᄅᆞ매아·니:뮐·ᄊᆡ곶:됴·코여·름·하ᄂᆞ·니

[A] 아·니그·츨·ᄊᆡ:내·히이·러바·ᄅᆞ·래·가ᄂᆞ·니

〈제2장〉

–「용비어천가, 세종 29년(1447)」–

---

16 윗글의 [A]에 들어갈 알맞은 어구를 당시의 표기로 쓰되 〈조건〉에 맞게 쓰시오.

조건

당시의 단어 : 샘 → ᄉᆡᆷ, 가뭄 → ᄀᆞ믈
이어적기를 할 것
모음조화를 지킬 것
방점은 적지 않아도 됨
원순모음화가 나타나지 않음

[17~23] **다음 글을 읽고, 물음에 답하시오.**

(가) 나·랏:말ᄊᆞ·미中듕國·귁·에달·아文문字·ᄍᆞᆼ·와·로서르ᄉᆞᄆᆞᆺ·디아·니ᄒᆞᆯ·ᄊᆡ·이런젼·ᄎᆞ·로어·린百·ᄇᆡᆨ姓·셩·이니르·고·져·ᄒᆞᇙ·배이·셔·도ᄆᆞ·ᄎᆞᆷ:내제·ᄠᅳ·들시·러펴·디:몯ᄒᆞᇙ·노·미하·니·라·내·이·ᄅᆞᆯ爲·윙·ᄒᆞ·야:어엿·비너·겨·새·로·스·믈여·듧字·ᄍᆞᆼ·ᄅᆞᆯᄆᆡᇰ·ᄀᆞ노·니:사ᄅᆞᆷ:마·다:ᄒᆡ·ᅇᅧ:수·ᄫᅵ니·겨·날·로·ᄡᅮ·메便뼌安ᅙᅡᆫ·킈ᄒᆞ·고·져ᄒᆞᇙᄯᆞᄅᆞ·미니·라

(나) 海東 六龍이 ᄂᆞᄅᆞ샤 일마다 天福이시니 古聖이 同符ᄒᆞ시니

(다) 불휘 기픈 남ᄀᆞᆫ ᄇᆞᄅᆞ매 아니 뮐ᄊᆡ 곶 됴코 여름 하ᄂᆞ니
ᄉᆡ미 기픈 므른 ᄀᆞᄆᆞ래 아니 그츨ᄊᆡ 내히 이러 바ᄅᆞ래 가ᄂᆞ니

17 (가)~(다)에 쓰인 단어 중 〈보기〉의 밑줄 친 부분에 해당하는 것을 찾아 쓰시오.

보기

우리말은 시간의 흐름에 따라 많은 변화를 겪었다. 특히 어휘 부분에서 그러한 변화가 두드러진다. 어휘가 그대로 살아남아 아직까지 쓰이는 경우도 있지만, 그 의미가 축소 또는 확대되거나 아예 바뀌는 경우도 있다.

18 (가)에 나타난 '세종대왕의 훈민정음 창제 정신' 중 '실용정신'이 잘 드러난 구절을 현대 국어로 정확하게 풀어서 쓰시오.

조건

구체적 구절을 (가)에서 찾아 중간 내용을 생략하지 않고 빠짐없이 현대 국어로 풀어서 쓸 것

19 (가)의 밑줄 친 '스믈여듧字ᄍᆞᆼ'에 해당하는 것을 〈보기〉의 내용에 입각하여 구체적으로 쓰시오.

보기

1) 자음 글자 : (㉠)개 – (㉡)
2) 모음 글자 : (㉢)개 – (㉣)
3) 현재 사라진 글자 : (㉤)개 – (㉥)

조건

㉠, ㉢, ㉤는 아라비아 숫자로 쓰고, ㉡, ㉢, ㉥은 구체적인 훈민정음의 자음과 모음 글자를 쓸 것

20 (가)와 (다)에서 〈보기〉의 (1)과 (2)가 적용되지 않은 단어를 각각 찾아 쓰시오.

보기

(1) 입술소리 'ㅁ, ㅂ, ㅍ' 뒤에서 'ㅡ'가 'ㅜ'로 바뀐다.
(2) 'ㅣ' 계열 모음 앞에 오는 'ㄷ, ㅌ'이 'ㅈ, ㅊ'으로 바뀐다.

21 중세 국어와 현대 국어의 '주격 조사'의 형태상의 변화에 대하여 구체적 예를 들어 설명하시오.

조건

(1) 음운 환경에 따른 주격 조사의 사용을 세분화하여 설명할 것
(2) 세분화한 각 경우에 해당하는 구체적 예를 중세 국어의 주격 조사는 윗글 (가)와 (다)에서 찾아서 제시할 것. (2)의 정답은 현대 국어로도 바꾸어 쓸 것.
예 말ᄊᆞ미〉말씀이, 내히〉내가

22 〈보기〉의 현대 국어 문장을 중세 국어 문장으로 바꾸어 쓰시오. (단, 종성의 표기 방식은 '세종 어제 훈민정음'에 적용된 방식을 따를 것. 밑줄 친 단어는 그대로 옮겨 적을 것.)

보기

바람에 아니 흔들리므로 꽃 됴ᄒᆞᆫ 나무

23 '용비어천가'와 '세종 어제 훈민정음'에 사용된 말들은 현대국어로 오면서 많은 문법적 · 어휘적 변화를 겪었다. 이와 동일한 변화가 나타날 것을 〈보기〉에서 네 가지만 찾아 쓰고, 그 변화에 대해 간략히 설명하시오. (단, 띄어쓰기, 이어적기는 해당되지 않음)

보기

이 비로뎌 블을 썸즉도 ᄒᆞ다마ᄂᆞᆫ
엇ᄶᅵᄒᆞᆫ 블인디 풍우중에 ᄅᆞ노왜라
(중략)
어엿쁜 이 몸은 살가 너겨 ᄇᆞ라ᄂᆞ니다.

활동 1

언어 공동체의 담화 관습 성찰하기

1 언어 공동체의 담화 관습 이해

❶ 다음 글을 읽고, 자신과 관련 있는 언어 공동체는 무엇이 있는지 자유롭게 써 보자.

같은 언어를 사용하며 의사소통하는 사회 집단을 언어 공동체라고 한다.(언어 공동체의 개념) 언어 공동체는 가족, 지역, 세대, 성별 외에도 다양하게 구분할 수 있다. 언어 공동체는 내용과 형식은 물론 의사소통 방식에서도 다른 공동체와 구별되는 담화 관습을 가지고 있다. 예를 들어 법조인들로 구성된 언어 공동체는 법률적 언어를 사용하는 등 다른 공동체와 구별되는 고유한 담화 관습을 가지고 있다. 이처럼 담화 관습은 언어 공동체마다 다르다.

❷ 다음 글을 읽고, 예부터 이어 온 우리의 말하기 태도를 알아보자.

옛사람들은 말을 적게 하는 것을 소중하게 여겼다. 말을 하는 이유는 자기 뜻을 표현하기 위해서인데, 왜 말을 적게 해야 한다고 여겼겠는가? 단지 말할 만한 것은 말해야 하고, 말해서는 안 되는 것은 말하지 않아야 한다는 사실을 지적한 것일 뿐이다.

다른 사람에게 자신을 과시하기 위한 말은 하지 않아야 하고,(말을 할 때 경계할 점 ①) 다른 사람을 헐뜯는 말 또한 하지 않아야 한다.(말을 할 때 경계할 점 ②) 진실이 아니면 말하지 않아야 하고,(말을 할 때 경계할 점 ③) 바르지 못하면 말하지 않아야 한다.(말을 할 때 경계할 점 ④) 말을 할 때 이 네 가지(말을 할 때 경계할 점 ①~④)를 경계한다면, 말을 적게 하려고 애쓰지 않아도 저절로 그렇게 된다.

옛사람들은 "군자(행실이 점잖고 어질며 덕과 학식이 높은 사람)는 부득이한 경우가 아니면 말하지 않는다."라고 했고, 또한 "선한 사람은 말수가 적다."라고 했다. 꼭 말을 해야만 할 때 말하는 것이 바로 말을 적게 하는 것이다. 나는 이 말을 익혀 외운 지 오래되었는데도 제대로 지키지 못해 항상 부끄러움을 느낀다. 그래서 이 글을 적어 스스로 마음속에 새기고자 한다.

– 윤휴, 「백호전서」 –

❸ 다음 글에 나타난 담화 관습을 알아보자.

우중충한 하늘에서 비가 내리기 시작했다. 지금 며느리는 아이를 업고 다림질을 하고 있다. 이웃 방에 있던 시어머니가 말을 건네 온다.

"아가, 할미가 업어 줄까."(아이를 내려놓고 빨래를 걷으라는 의도)

이 말은 할미가 손자에게 하는 말이 아니라 비가 뿌리는(눈이나 비 따위가 날려서 떨어지다) 밖에 널려 있는 빨래를 빨리 거둬들이라는, 시어머니가 며느리에게 하는 분부이다. 며느리는 그 말을 통찰력(사물이나 현상을 관찰로 꿰뚫어 보는 능력)으로 알아듣고 빨래를 거둬들인다.

– 이규태, 「헛기침으로 백 마디 말을 한다」 –

2 담화 관습의 성찰

❶ 다음 드라마 내용을 보고, 담화 관습을 성찰해 보자.

언어 공동체가 관습적으로 사용하는 표현에 대한 성찰의 필요성을 보여줌

경준, 병실 밖 복도에서 보호자에게 환자의 상태를 설명한다.

경준 머리에 이데마(edema, 부종)가 있고, 디컴프레션(decompression, 감압)해야 해서 우선 머리는 열어 놨어요.

□: 의사 언어 공동체의 관습적인 용어 사용

태호, 병원 복도를 지나가다가 경준이 보호자에게 환자 상태를 설명하는 모습을 보고 걸음을 멈춘다.

경준 교통사고 환자라……, 미드 라인(mid line, 뇌 중심선)도 다 밀려 있던 상태라, 의식이 돌아와도 예전처럼 생활하기 힘들 수 있습니다.

보호자 (잘 모르겠다는 표정으로) 이데마가 뭐예요

언어 공동체 이외의 사람에게 자신이 속한 공동체가 관습적으로 사용하는 표현을 사용했기 때문에 상대가 내용을 이해하지 못함

경준 아……. 저기, 이데마가 뭐냐면……. 아, 부종!

보호자 그럼 머리가 부었단 말이에요?

경준 예, 그렇죠.

보호자 (긴가민가하여) 아무튼, 경과를 더 지켜봐야 한단 말이죠?

경준 예, 그렇죠.

보호자 알겠어요. (살짝 웃으며) 감사합니다, 선생님.

이를 지켜보던 태호, 언짢은 표정으로 중대에게 지시한다.

다른 언어 공동체과 소통할 때 필요한 태도를 갖추지 않은 것에 대한 언짢음

태호 전공의들 다 회의실로 모이라고 해!

중대 (태호의 눈치 보며) 네.

전공의들, 회의실로 하나둘 모인다.

태호 강경준.

경준 네?

태호 아까 이수진 환자 보호자한테 설명한 거 그대로 해 봐.

경준 (기가 죽어 더듬거리며) 예……. 머, 머리에 이데마가 있고 디컴프레션해야 해서……. 우선, 머리는 열어 놨어요…….

태호 (경준의 말을 끊으며) 됐어! 여기서 문제점이 뭔가? 피영국!

영국 문제점은 알지만……. 대답할 수 없습니다.
경준과의 관계를 중시함.

태호 (격앙된 어조로) 이것들이 진짜……. 환자한테 의학 용어 우리말로 풀어서 얘기하라고 몇 번이나 말했어? 이 병원 신경외과 과장으로 나 김태호가 있는 한 그게 원칙이야. 그렇게 가르쳤는데! 내 눈앞에서 버젓이 그러고 있어? 자기들끼리만 아는 용어로 환자와 난 다르다는 의식 갖지 말라고!
다른 언어 공동체와 소통할 때 필요한 태도
언어 공동체가 관습적으로 사용하는 표현

경준 죄송합니다.

태호 너희들은 전공의다. 말 그대로 수련 과정에 있는 의사들이야. 기술만 배우지 말고 정신도 같이 배워야 돼!

전공의들 네!

– 하명희 각본, 오충환 연출, 〈닥터스〉 제6회 –

❷ 다음 기사를 읽고 언어 공동체의 담화 관습을 성찰해 보자.

예전과 달리 요새는 '병신'이나 '귀머거리', '장님' 같은 말을 좀처럼 쓰지 않는다. 그런 말을 쓰는 것이 부끄러운 일이라는 인식이 이제는 정착된 듯하다. 그러나 비유적 표현에서는 사정이 다르다. 신문이나 방송 같은 데서도 '벙어리 냉가슴'이니 '장님 코끼리 만지듯'이니 하는 표현들을 일상적으로 쓴다.
장대인을 비하하는 표현
속담 '벙어리 냉가슴 앓듯'
속담 '장님 코끼리 말하듯', '장님 코끼리 만지는 격'

물론 나쁜 의도는 전혀 없으며 예전부터 사용하던 속담이나 관용 표현을 쓴 것뿐이라고 할 수도 있다. 그렇더라도 이런 표현에 상처받는 사람들이 있다면 피하는 것이 옳다. '말 못 할 고민에 빠졌다'든가 '주먹구구식' 등 그것을 대체할 새로운 표현들을 궁리해 봐야겠다.

– 《한국일보》 2016년 6월 7일 자 기사 –

확인학습

01 서로 다른 담화 관습을 지닌 공동체와 교류할 때 소통과 이해의 폭을 넓힐 수 있다. O☐ X☐

02 담화 관습을 분석하여 단일한 언어 공동체를 만들어가기 위한 정보를 얻을 수 있다. O☐ X☐

03 담화 관습에 영향을 미치는 사회적, 문화적 요인을 알고 세상에 대한 이해의 폭을 넓힐 수 있다. O☐ X☐

04 타인의 말을 경청하는 것이 좋은 말하기의 시작이라고 옛날부터 이어져왔다. O☐ X☐

05 우리의 전통 담화 관습은 듣는 이에게 강압적으로 느껴질 수 있으며, 부담을 가중시킨다. O☐ X☐

06 우리의 전통 담화 관습은 필요한 내용을 줄여 의사소통의 효율성을 높일 수 있지만, 다양한 정보를 충분하게 전달하기 어렵다. O☐ X☐

객관식 기본문제

[01~04] 다음 글을 읽고 물음에 답하시오.

(가) 같은 언어를 사용하며 의사소통하는 사회 집단을 언어 공동체라고 한다. 언어 공동체는 가족, 지역, 세대, 성별 외에도 다양하게 구분할 수 있다. 언어 공동체는 내용과 형식은 물론 의사소통 방식에서도 다른 공동체와 구별되는 담화 관습을 가지고 있다. 예를 들어 법조인들로 구성된 언어 공동체는 법률적 언어를 사용하는 등 다른 공동체와 구별되는 고유한 담화 관습을 가지고 있다.

(나) 옛사람들은 말을 적게 하는 것을 소중하게 여겼다. 말을 하는 이유는 자신의 뜻을 표현하기 위해서인데, 왜 말을 적게 해야 한다고 여겼겠는가? 단지 말할 만한 것은 말해야 하고, 말해서는 안 되는 것은 말하지 않아야 한다는 사실을 지적한 것일 뿐이다.

다른 사람에게 자신을 과시하기 위한 말은 하지 않아야 하고, 다른 사람을 헐뜯는 말 또한 하지 않아야 한다. 진실이 아니면 말하지 않아야 하고, 바르지 못하면 말하지 않아야 한다. 말을 할 때 이 네 가지를 경계한다면, 말을 적게 하려고 애쓰지 않아도 저절로 그렇게 된다.

옛사람들은 "군자는 부득이한 경우가 아니면 말하지 않는다."고 했고, 또한 "선한 사람은 말수가 적다."라고 했다. 꼭 말을 해야만 할 때 말하는 것이 바로 말을 적게 하는 것이다. 나는 이 말을 익혀 외운 지 오래되었는데도 제대로 지키지 못해 항상 부끄러움을 느낀다. 그래서 이 글을 적어 스스로 마음속에 새기고자 한다.

(다) 우중충한 하늘에서 비가 내리기 시작했다. 지금 며느리는 아이를 업고 다림질을 하고 있다. 이웃 방에 있던 시어머니가 말을 건네 온다.

㉠"아가, 할미가 업어 줄까."

이 말은 할미가 손자에게 하는 말이 아니라 비가 뿌리는 밖에 널려 있는 빨래를 빨리 거둬들이라는, 시어머니가 며느리에게 하는 분부이다. 며느리는 그 말을 통찰력으로 알아듣고 빨래를 거둬들인다.

01 (가)~(다)에 대한 설명으로 적절하지 않은 것은?

① (가)~(다)는 담화 관습의 고유성에 주목하고 있다.
② (가)는 대상의 개념과 그 구분 기준을 제시하고 있다.
③ (나)는 고인들의 언어관을 제시하고 있다.
④ (나)의 관점과 유사한 속담으로는 '가루는 칠수록 고와지고 말은 할수록 거칠어진다.'를 들 수 있다.
⑤ (다)는 '할미'의 담화를 통해 고부간의 담화 단절을 보여주고 있다.

02 (가)~(다)를 통해 알 수 있는 내용으로 가장 적절한 것은?

① 개인의 담화 관습은 그가 속한 공동체와 무관하다.
② 개인은 성별, 지역, 나이 등에 따라 단일 언어 공동체의 특징을 드러낸다.
③ 옛날 사람들은 말을 많이 하다 보면 바람직하지 않은 말을 할 가능성이 낮다고 생각했다.
④ 전문성이 낮은 언어 공동체에 속한 개인은 진실이 아닌 말을 할 가능성이 높다.
⑤ 담화 중에는 의도적으로 화자의 생각이나 의도를 명료하게 드러내지 않는 담화도 있다.

03 (나)를 통해 알 수 있는 내용이 아닌 것은?

① 말을 할 때에는 분별력이 있어야 한다.
② 자기를 자랑하는 말은 불필요한 말 중 하나이다.
③ 부득이한 경우가 아니면 굳이 말을 안 해도 좋다.
④ 위인의 말을 답습하는 것이 좋은 말하기의 시작이다.
⑤ 말을 할 때는 자기 말의 진실 여부를 점검해야 한다.

04 (다)의 ㉠과 유사한 담화로 가장 거리가 먼 것은?

① (수업 시간 경청하지 않고 휴대폰 게임을 하는 재우에게 선생님이 하는 말) 재우야, 신나는 게임 하나 보네?
② (아들이 방 책상을 정리하지 않아 당장 필요한 물건을 찾지 못할 때 엄마의 말) 평소에 책상 좀 잘 정리해두라고 했잖니?
③ (창문이 닫혀있는 교실 안에 있던 소미가 친구에게 하는 말) 교실이 좀 갑갑하지 않니?
④ (친구들과 놀다가 밤늦게 집에 들어온 다은이에게 엄마가 하는 말) 다은아, 요즘 밤에 사고가 많이 난다더라.
⑤ (날씨가 좋으면 소풍을 가겠다고 말한 엄마가 아무 말이 없자 아들이 하는 말) 엄마, 오늘 날씨 정말로 좋네요!

[05~08] 다음 글을 읽고 물음에 답하시오.

(가) 예전과 달리 요새는 '병신'이나 '귀머거리', '장님' 같은 말을 좀처럼 쓰지 않는다. 그런 말을 쓰는 것이 부끄러운 일이라는 인식이 이제는 정착된 듯하다. 그러나 비유적 표현에서는 사정이 다르다. ㉠신문이나 방송 같은 데서도 '벙어리 냉가슴'이니 '장님 코끼리 만지듯'이니 하는 표현들을 일상적으로 쓴다.

물론 나쁜 의도는 전혀 없으며 예전부터 사용하던 속담이나 관용 표현을 쓴 것뿐이라고 할 수도 있다. 그렇더라도 이런 표현에 상처받는 사람들이 있다면 피하는 것이 옳다. '벙어리 냉가슴' 대신 '말 못 할 고민에 빠졌다' 든가 '장님 코끼리 만지듯' 대신 '[㉡]' 등 그것을 대체할 새로운 표현들을 궁리해 봐야겠다.

(나) 경준 : 머리에 이데마(edema, 부종)가 있고, 디컴프레션(decompression, 감압)해야 해서 우선 머리는 열어 놨어요.

태호, 병원 복도를 지나가다가 경준이 보호자에게 환자 상태를 설명하는 모습을 보고 걸음을 멈춘다.

경준 : 교통사고 환자라……. 미드 라인(mid line, 뇌 중심선)도 다 밀려 있던 상태라, 의식이 돌아와도 예전처럼 생활하기 힘들 수 있습니다.

보호자 : (잘 모르겠다는 표정으로) 이데마가 뭐예요?

경준 : 아……. 저기, 이데마가 뭐냐면……. 아, 부종!

보호자 : (긴가민가하여) 아무튼, 경과를 더 지켜봐야 한단 말이죠?

〈중략〉

경준 : (기가 죽어 더듬거리며) 예……. 머, 머리에 이데마가 있고 디컴프레이션해야 해서……. 우선, 머리는 열어 놨어요…….

태호 : (경준의 말을 끊으며) 됐어! 여기서 문제점이 뭔가? 피영국!

영국 : 문제점은 알지만……. 대답할 수 없습니다.

태호 : (격앙된 어조로) 이것들이 진짜……. 환자한테 의학 용어 우리말로 풀어서 얘기하라고 몇 번이나 말했어? 이 병원 신경외과 과장으로 나 김태호가 있는 한 그게 원칙이야. 그렇게 가르쳤는데! 내 눈앞에서 버젓이 그러고 있어? 자기들끼리만 아는 용어로 환자와 난 다르다는 의식 갖지 말라고!

05 (가)의 ㉠과 같은 담화 관습의 특징으로 가장 적절한 것은?

① 특정 대상이 가지고 있는 특징을 섣불리 일반화하여 불쾌감을 줄 수 있다.
② 비유적인 표현으로, 의미가 명료하지 않아 다양한 해석이 가능하다.
③ 부정적인 대상이나 상황을 희화화하여 유치하게 표현할 수 있다.
④ 내용이나 속성 면에서 어울릴 수 없는 말을 나란히 결합하여 창의적인 느낌을 준다.
⑤ 특정한 사람들을 비하하거나 차별하는 표현으로, 듣는 사람에게 상처를 줄 수 있다.

06 ㉡에 들어갈 말로 가장 적절한 것은?

① 뜻밖의 사람이 뜻밖의 일을 하다.
② 위태위태하여 마음이 몹시 불안하다.
③ 일부분만 알면서도 전체를 아는 것처럼 여기다.
④ 놓치면 찾기 어려우므로 꼭 쥐고 놓지 아니하다.
⑤ 뻔하고 분명하여 누구나 쉽게 짐작으로 알 수 있다.

07 (나)에 등장하는 인물의 말하기 방식을 설명한 것으로 적절하지 않은 것은?

① '대호'는 '경준'과 '보호자'의 의사소통에 문제가 있다고 생각하고 있다.
② '경준'은 환자의 상태를 일반 사람들이 알기 어려운 용어를 사용하여 설명하고 있다.
③ '경준'은 자신의 말을 '보호자'가 맥락과 상황을 고려하여 해석하도록 배려하고 있다.
④ '태호'는 듣는 이가 누구인지에 따라 용어의 사용이 달라져야 한다고 생각하고 있다.
⑤ '보호자'는 '경준'이 사용하는 전문적인 용어의 뜻을 잘 알지 못해 어려움을 겪고 있다.

08 다음은 (나)를 읽고 난 후 학생들이 나눈 대화이다. 윗글에 드러난 담화 관습에 대해 적절히 이해하지 못한 사람은?

① **지수** : 집단 내에서의 담화 관습이 적절한지 돌아볼 필요가 있겠어.
② **지민** : 다른 집단에 대한 태도에 따라 담화 관습에 차이가 나는 것 같아.
③ **혁주** : 집단의 담화 관습은 그에 속한 사람들의 의식에 영향을 줄 수도 있어.
④ **현석** : 집단 내에서는 문제가 없더라도, 다른 집단과 소통을 할 때에 문제가 발생할 수 있어.
⑤ **신지** : 다른 언어 공동체와 소통할 때는 서로의 담화 관습만 고집해서는 안 되겠어.

[09~11] 다음 글을 읽고 물음에 답하시오.

(가) 같은 언어를 사용하며 의사소통하는 사회 집단을 언어 공동체라고 한다. 언어 공동체는 가족, 지역, 세대, 성별 외에도 다양하게 구분할 수 있다. 언어 공동체는 내용과 형식은 물론 의사소통 방식에서도 다른 공동체와 구별되는 담화 관습을 가지고 있다.

(나) 옛사람들은 말을 적게 하는 것을 소중하게 여겼다. 말을 하는 이유는 자신의 뜻을 표현하기 위해서인데, 왜 말을 적게 해야 한다고 여겼겠는가? 단지 말할 만한 것은 말해야 하고, 말해서는 안 되는 것은 말하지 않아야 한다는 사실을 지적한 것일 뿐이다.

다른 사람에게 자신을 과시하기 위한 말은 하지 않아야 하고, 다른 사람을 헐뜯는 말 또한 하지 않아야 한다. 진실이 아니면 말하지 않아야 하고, 바르지 못하면 말하지 않아야 한다. 말을 할 때 이 네 가지를 경계한다면, 말을 적게 하려고 애쓰지 않아도 저절로 그렇게 된다.

(다) 우중충한 하늘에서 비가 내리기 시작했다. 지금 며느리는 아이를 업고 다림질을 하고 있다. 이웃 방에 있던 시어머니가 말을 건네 온다.

㉠“아가, 할미가 업어 줄까.”

이 말은 할미가 손자에게 하는 말이 아니라 비가 뿌리는 밖에 널려 있는 빨래를 빨리 거둬들이라는, 시어머니가 며느리에게 하는 분부이다. 며느리는 그 말을 통찰력으로 알아듣고 빨래를 거둬들인다.

09 (가)~(다)에 대한 설명으로 가장 적절한 것은?

① (가)는 언어 공동체의 개념을 설명하면서 언어 공동체가 지녀야 할 기본 규칙을 설명하고 있다.
② (나)에 드러난 글쓴이의 관점과 유사한 속담으로는 ‘가는 말이 고와야 오는 말이 곱다’ 등이 있다.
③ (나)는 옛사람들의 말에 대한 생활 태도의 문제점들을 나열하여 현대 사회와 맞지 않음을 지적하고 있다.
④ (다)는 ‘할미가 손자에게’하는 담화 사례를 통해서 현대 사회에서는 어울리지 않는 담화 관습을 보여주고 있다.
⑤ (나), (다)는 언어 공동체들이 가지고 있는 고유의 담화 관습에 대한 내용을 다루고 있다.

10 (나)에서 알 수 있는 옛사람들의 ‘말’에 대한 생각으로 적절하지 않은 것은?

① 꼭 필요한 말만 간결하게 하는 것이 좋다.
② 말에는 해야 할 말과 해서는 안 되는 말이 있다.
③ 자기를 과시하는 말은 불필요한 말 중 하나이다.
④ 타인의 말을 경청하는 것은 바람직한 대화의 방법이다.
⑤ 말을 할 때는 자신의 말이 바른 말인지 아닌지 점검해야 한다.

11 ㉠과 말하기 방법이 다른 것은?

① (창문이 닫혀 있어 후덥지근한 교실에 있는 학생에게 선생님이) 교실 안이 좀 덥지 않아?
② (친구들과 놀다가 밤늦게 집에 들어온 아들에게 엄마가) 아들아, 요즘 밤에 사고가 많이 난다더라.
③ (청소 시간, 청소를 하지 않고 휴대폰 게임을 하는 학생에게 선생님이) ○○야, 재미있는 게임 나왔나 보네?
④ (날씨가 좋으면 가족과 함께 나들이를 가겠다고 말한 아빠가 아무 말이 없자 딸이) 아빠, 오늘 날씨가 아주 좋아요.
⑤ (약속 장소에 1시간 늦게 온 친구에게) 무슨 일 있었니? 늦는다고 얘기했으면 나는 일찍 나오지 않았을 거야!

12 다음은 가상공간에서 벌어지는 대화이다. 이 대화에 대한 설명으로 적절한 것은?

> **선생님** : 이번 전국 축구 대회에서 우리 지역 팀이 16강에 진출할 수 있을까? 너희들 생각은 어때?
> A : 수원 꺾고, 제주 밟고, 전북을 넘어 16강으로 가자~~
> B : 아놔, A는 축알못이냐? ...
> A : 왜?: 그리고 축알못이 무슨 뜻이야?
> C : 수원을 꺾고, 제주를 밟을 수 있을까? 참교육각인데.
> (수원을 꺾고, 제주를 이길 수 있을까? 완패를 당할 것 같은데.)
> A : 그 팀들이 그렇게 잘 해?
> D : ㅇㅇ 스쿼드부터 달라. 솔까말 걔네에게 우리 팀 선수는 듣보잡.
> (응. 선수 구성부터 달라. 솔직히 까놓고 말해서 걔네에게 우리 팀 선수는 듣도 보도 못한 잡것들일 거야.)
> A : 듣보잡은 뭐야? 그러면 전북은 이길 수 있나?
> E : ㄷㄷ. 전북은 원팀이야. 이번 대회 우리 팀 조 편성 최악. 제길슨.
> (후덜덜할 정도야. 전북은 최고야. 이번 대회 우리 팀 조 편성 최악이야. 제기랄)
> D : 전북에게는 수원이나 제주도 듣보일걸
> (전북에게는 수원이나 제주 선수들도 듣도 보도 못한 잡것들 수준일걸.)

① 선생님을 제외한 모든 사람들이 외래어나 신조어를 사용하고 있다.
② 여러 형태의 신조어와 외래어를 모두 사용하고 있는 학생은 두 명 뿐이다.
③ 학생들이 의도적으로 신조어를 남용하여 선생님의 대화 참여를 막고 있다.
④ 신조어는 정상적인 문장이나 문구의 앞 글자만 사용하는 줄임말 형태만 사용되고 있다.
⑤ 학생들이 사용하는 신조어 중 초성만 사용하는 형태의 표현에는 비속어도 포함되어 있다.

[13~14] 다음 글을 읽고 물음에 답하시오.

(가) 같은 언어를 사용하며 의사소통하는 사회 집단을 언어 공동체라고 한다. 언어 공동체는 가족, 지역, 세대, 성별 외에도 다양하게 구분할 수 있다. 언어 공동체는 내용과 형식은 물론 의사소통 방식에서도 다른 공동체와 구별되는 담화 관습을 가지고 있다. 예를 들어 법조인들로 구성된 언어 공동체는 법률적 언어를 사용하는 등 다른 공동체와 구별되는 고유한 담화 관습을 가지고 있다. 이처럼 담화 관습은 언어 공동체마다 다르다.

(나) 옛사람들은 말을 적게 하는 것을 소중하게 여겼다. 말을 하는 이유는 자신의 뜻을 표현하기 위해서인데, 왜 말을 적게 해야 한다고 여겼겠는가? 단지 말할 만한 것은 말해야 하고, 말해서는 안 되는 것은 말하지 않아야 한다는 사실을 지적한 것일 뿐이다.

다른 사람에게 자신을 과시하기 위한 말은 하지 않아야 한다. 진실이 아니면 말하지 않아야 하고, 바르지 못하면 말하지 않아야 한다. 말을 할 때 이 네 가지를 경계한다면, 말을 적게 하려고 애쓰지 않아도 저절로 그렇게 된다.

(다) 우중충한 하늘에서 비가 내리기 시작했다. 지금 며느리는 아이를 업고 다림질을 하고 있다. 이웃 방에 있던 시어머니가 말을 건네온다.

"아가, 할미가 업어 줄까."

이 말은 할미가 손자에게 하는 말이 아니라 비가 뿌리는 밖에 널려 있는 빨래를 빨리 거둬들이라는, 시어머니가 며느리에게 하는 분부이다. 며느리는 그 말을 통찰력으로 알아듣고 빨래를 거둬들인다.

(라)

태호 : 강경준.

경준 : 네?

태호 : 아까 이수진 환자 보호자한테 설명한 거 그대로 해 봐.

경준 : (기가 죽어 더듬거리며) 예……. 머, 머리에 이데마가 있고 디컴프레션해야 해서……. 우선, 머리는 열어 놨어요…….

태호 : (격앙된 어조로) 환자한테 의학 용어 우리말로 풀어서 얘기하라고 몇 번이나 말했어? 이 병원 신경외과 과장으로 나 김태호가 있는 한 그게 원칙이야. 그렇게 가르쳤는데! 내 눈앞에서 버젓이 그러고 있어? 자기들끼리만 아는 용어로 환자와 난 다르다, 난 환자보다 뛰어나다는 의식 갖지 말라고!

13 (가)~(라)를 읽고 할 수 있는 생각으로 옳지 <u>않은</u> 것은?

① (가)로 보건대 (다), (라)는 모두 특정 언어공동체들의 담화관습을 담고 있군.
② (나)에 의하면 (라)의 경준의 담화관습은 자신을 과시하는 말을 했으므로 비판받겠군.
③ (다)의 담화관습에 긍정적인 사람이라면 (라)의 태호의 말하기 방식에 부정적인 평가를 하겠군.
④ (라)의 태호에 의하면 (다)의 시어머니는 자기만 아는 표현을 사용했으므로 다른 사람을 차별한 것이군.
⑤ (가)에 따르면 (다)는 손아랫사람의 감정을 배려하려는 의도로 생긴 한 가족의 담화관습으로 볼 수 있겠군.

14 (가)~(라)를 참고할 때, 〈보기〉에 대한 평가로 적절한 것끼리 묶은 것은?

보기

우리 사회는 줄임말, 초성만 사용한 문장(이하 초성 표현), 소리 나는 대로 쓴 말 등의 새로운 표현을 적극적으로 받아들여야 한다. 최근 인터넷과 문자메시지를 많이 쓰는 젊은 세대들을 중심으로 새로운 표현의 사용이 크게 늘어났다. 우리 삶에서 신속성과 편리성의 비중이 높아졌기 때문이다. 줄임말이나 초성 표현의 사용은 긴 음절의 문구를 짧게 표현함으로써 시간도 절약하고, 긴 말의 지루함을 줄일 수 있다는 장점이 있다.

소리 나는 대로 쓴 말의 경우 지인들과 친근하게 의사소통을 하게 되어 친목을 다질 수 있다. 또한 자신의 참신함과 창의력을 뽐내어 자신이 다른 사람보다 우수하다는 것을 드러낼 수 있다는 점에서도 큰 장점을 가지고 있다. 다만, 기성세대들과의 의사소통에 다소 문제가 있을 수도 있다. 그들은 이런 새로운 표현에 익숙하지 않기 때문이다. 그러나 언어란 변해가는 것이다. 기성세대들도 새롭게 변하는 언어 표현에 익숙해져야 할 필요가 있다.

ㄱ. (가)에 의하면 언어 공동체는 여러 기준으로 다양하게 구분할 수 있는 만큼 〈보기〉의 의견은 세대에 따른 담화 관습의 하나로 이해해야겠군.
ㄴ. (나)에 의하면 진실이 아닌 것을 함부로 말해서는 안 된다고 했는데 〈보기〉는 자신의 개인적인 의견을 함부로 말한 만큼 적절치 않은 발언으로 봐야겠군.
ㄷ. (다)의 담화관습으로 보아 지인과 친근하고 격의 없게 의사소통하는 것을 중시하는 만큼 〈보기〉의 생각에 대해 우호적으로 평가하겠군.
ㄹ. (나)와 (라)의 태호의 관점에 따르면, 〈보기〉는 다른 사람보다 뛰어나다는 걸 과시하는 것에 긍정적인 의미를 부여한 만큼 부정적인 평가를 받겠군.

① ㄱ, ㄷ ② ㄱ, ㄹ ③ ㄴ, ㄷ ④ ㄴ, ㄹ ⑤ ㄷ, ㄹ

15 다음 글을 읽고, 언어 공동체의 특징과 담화 관습에 대한 이해한 내용으로 가장 적절하지 않은 것은?

태호 : 아까 이수진 환자 보호자한테 설명한 거 그대로 해 봐.
경준 : (기가 죽어 더듬거리며) 예……. 머, 머리에 이데마가 있고 디컴프레션해야 해서……. 우선, 머리는 열어 놨어요…….
태호 : (경준의 말을 끊으며) 됐어! 여기서 문제점이 뭔가? 피 영국!
영국 : 문제점은 알지만……. 대답할 수 없습니다.
태호 : (격양된 어조로) 이것들이 진짜……. 환자한테 의학 용어 우리말로 풀어서 얘기하라고 몇 번이나 말했어? 이 병원 신경외과 과장으로 나 김태호가 있는 한 그게 원칙이야. 그렇게 가르쳤는데! 내 눈앞에서 버젓이 그러고 있어? 자기들끼리만 아는 용어로 환자와 난 다르다는 의식 갖지 말라고!

① 의사들로 구성된 언어 공동체로 의학 전문용어를 사용하는 등 다른 공동체와 구별되는 담화 관습을 가지고 있다.
② 경준의 담화 관습은 병원 진료 상황에서 환자에게 전문성을 높여 보다 효과적인 의사소통을 하고자 했다.
③ 태호는 상대방에 따라 담화 관습을 달리 사용하여 청자를 배려하고자 한다.
④ 태호는 경준보다 다른 언어 공동체와 소통할 때 필요한 올바른 태도를 지니고 있다.
⑤ 태호는 경준의 담화 관습이 다른 언어 공동체의 사람들에게 일종의 권위를 유지하기 위함이라고 보고 있다.

[16~17] 다음 글을 읽고 물음에 답하시오.

(가) 우중충한 하늘에서 비가 내리기 시작했다. 지금 며느리는 아이를 업고 다림질을 하고 있다. 이웃 방에 있던 시어머니가 말을 건네 온다.

"아가, 할미가 업어 줄까."

이 말은 할미가 손자에게 하는 말이 아니라 비가 뿌리는 밖에 널려 있는 빨래를 빨리 거둬들이라는, 시어머니가 며느리에게 하는 분부이다. 며느리는 그 말을 통찰력으로 알아듣고 빨래를 거둬들인다.

(나) 다른 사람에게 자신을 과시하기 위한 말은 하지 않아야 하고, 다른 사람을 헐뜯는 말 또한 하지 않아야 한다. 진실이 아니면 말하지 않아야 하고, 바르지 못하면 말하지 않아야 한다. 말을 할 때 이 네 가지를 경계한다면, 말을 적게 하려고 애쓰지 않아도 저절로 그렇게 된다.

옛사람들은 "군자는 부득이한 경우가 아니면 말하지 않는다."고 했고, 또한 "선한 사람은 말수가 적다."라고 했다.

(다) 예전과 달리 요새는 ㉠'병신'이나 '귀머거리', '장님' 같은 말을 좀처럼 쓰지 않는다. 그런 말을 쓰는 것이 부끄러운 일이라는 인식이 이제는 정착된 듯하다. 그러나 비유적 표현에서는 사정이 다르다. 신문이나 방송 같은 데서도 '벙어리 냉가슴'이니 '장님 코끼리 만지듯'이니 하는 표현들을 일상적으로 쓴다.

물론 나쁜 의도는 전혀 없으며 예전부터 사용하던 속담이나 관용 표현을 쓴 것뿐이라고 할 수도 있다. 그렇더라도 이런 표현에 상처받는 사람들이 있다면 피하는 것이 옳다.

16 (가)~(다)에 대한 설명으로 적절한 것은?

① (가), (나), (다)는 담화 관습이 시대에 따라 변화함을 보여주고 있다.
② (가)는 발화자의 의도와 문장의 종류가 일치하지 않는 것으로 자신의 요구를 우회적으로 드러내고 있다.
③ (가)와 달리 (나), (다)는 현대 사회에 어울리는 담화 관습을 보여주고 있다.
④ (나)에서 강조하는 말하기 태도와 유사한 속담으로는 '여럿의 말이 쇠도 녹인다'가 있다.
⑤ (다)는 과거로부터 이어 내려온 속담과 관용 표현은 우리의 문화유산이므로 계승 · 발전시켜야 한다.

17 (다)의 ㉠과 같은 말을 하는 사람에게 (나)의 글쓴이가 할 수 있는 말로 가장 적절한 것은?

① 무심코 내뱉은 말이 상대에게 상처를 줄 수 있으니 항상 말은 삼가야 합니다.
② 화가 났을 때는 내 기분을 직접 말하기보다는 완곡하게 전달하는 것이 좋습니다.
③ 상대방을 비하하는 표현은 타인을 헐뜯는 말이므로 부득이한 경우에만 사용해야 합니다.
④ 상대방을 차별하는 용어를 사용하여 사실을 왜곡하는 것은 진실을 전달하는 말하기가 아닙니다.
⑤ 옛사람들은 말을 적게 하는 것이 좋다고 했으니, 굳이 어려운 말을 사용하면서까지 이야기할 필요는 없습니다.

18 〈보기〉에서 강조하는 말하기 태도와 관련이 깊은 속담은?

보기

옛사람들은 말을 적게 하는 것을 소중하게 여겼다. 말을 하는 이유는 자신의 뜻을 표현하기 위해서인데, 왜 말을 적게 해야 한다고 여겼겠는가? 단지 말할 만한 것은 말해야 하고, 말해서는 안 되는 것은 말하지 않아야 한다는 사실을 지적한 것일 뿐이다.

다른 사람에게 자신을 과시하기 위한 말은 하지 않아야 하고, 다른 사람을 헐뜯는 말 또한 하지 않아야 한다. 진실이 아니면 말하지 않아야 하고, 바르지 못하면 말하지 않아야 한다. 말을 할 때 이 네 가지를 경계한다면, 말을 적게 하려고 애쓰지 않아도 저절로 그렇게 된다.

옛사람들은 "군자는 부득이한 경우가 아니면 말하지 않는다."라고 했고, 또한 "선한 사람은 말수가 적다."라고 했다. 꼭 말을 해야만 할 때 말하는 것이 바로 말을 적게 하는 것이다. 나는 이 말을 익혀 외운 지 오래되었는데도 제대로 지키지 못해 항상 부끄러움을 느낀다. 그래서 이 글을 적어 스스로 마음속에 새기고자 한다.

① 말하면 백 냥 금이요 입 다물면 천 냥 금이라.
② 가는 말이 고와야 오는 말이 곱다.
③ 낮말은 새가 듣고 밤말은 쥐가 듣는다.
④ 말은 해야 맛이고 고기는 씹어야 맛이다.
⑤ 말이 씨가 된다.

[19~23] 다음 글을 읽고 물음에 답하시오.

예전과 달리 요새는 '병신'이나 '귀머거리', '장님' 같은 말을 좀처럼 쓰지 않는다. 그런 말을 쓰는 것이 부끄러운 일이라는 인식이 이제는 정착된 듯하다. 그러나 비유적 표현에서는 사정이 다르다. ㉠신문이나 방송 같은 데서도 '벙어리 냉가슴'이니 '장님 코끼리 만지듯'이니 하는 표현들을 일상적으로 쓴다.

물론 나쁜 의도는 없으며 예전부터 사용하던 속담이나 관용 표현을 쓴 것뿐이라고 할 수도 있다. 그렇더라도 이런 표현에 상처받는 사람들이 있다면 피하는 것이 옳다. '벙어리 냉가슴' 대신 '말 못 할 고민에 빠졌다'든가 '장님 코끼리 만지듯' 대신 '일부분을 알면서도 전체를 아는 것처럼 여기다.' 등 그것을 대체할 새로운 표현들을 궁리해 봐야겠다.

19 ㉠과 같은 담화 관습의 특징으로 가장 적절한 것은?

① 부정적인 대상이나 상황을 희화화하여 재치있게 표현할 수 있다.
② 비유적인 표현으로, 의미가 명료하지 않아 다양한 해석이 가능하다.
③ 특정한 사람들을 비판하거나 차별하는 표현으로, 듣는 사람에게 상처를 줄 수 있다.
④ 내용이나 속성 면에서 어울릴 수 없는 말을 나란히 결합하여 독특한 느낌을 준다.
⑤ 특정 대상이 가지고 있는 특징을 섣부르게 일반화하여 불쾌감을 줄 수 있다.

20 한국어 언어 공동체의 전통적 담화 관습의 설명으로 적절한 것은?

① 돌려 말하기
: 말을 삼가고 과묵한 것을 바람직하게 여김
② 언행일치의 말하기
: 말과 행동이 부합되지 않는 언어 사용을 즐김.
③ 빗대어 말하기
: 자신의 감정을 직접 드러내지 않고 구체적인 사물에 이입하여 표현함.
④ 신중하게 말하기
: 다른 사람의 말을 끝까지 주의 깊게 들어야 하고, 들을 말과 듣지 않을 말을 가려들어야 함을 강조함.
⑤ 귀 기울여 듣고 선택적으로 듣기
: 그대로 표현하면 감정을 해치거나 좋지 못한 의미를 줄 수 있는 사실이나 생각을 부드럽게 돌려서 표현함.

21 우리말 어휘의 종류에 따른 예로 적절하지 않은 것은?

① 고유어 : 구두, 하늘
② 한자어 : 책상, 필통
③ 외래어 : 피아노, 버스
④ 고유어 : 아버지, 어머니
⑤ 고유어나 한자어가 결합된 단어 : 책꽂이, 달력

22 외래어를 사용하는 데 필요한 태도로 적절하지 않은 것은?

① 사전 찾기를 생활화한다.
② 고유어를 살려 써야 한다.
③ 무분별한 외래어의 사용을 줄인다.
④ 고유어와 순화어에 관심을 기울여야 한다.
⑤ 외국에서 새로 들어온 말을 그대로 사용한다.

23 가상공간에서의 언어 사용의 문제점으로 적절하지 않은 것은?

① 현실에서의 언어 사용에 혼란이 일어난다.
② 맞춤법, 띄어쓰기, 올바른 문장 표현 등을 해친다.
③ 특정 언어의 사용 주기가 짧아져 어휘의 생명력이 약화된다.
④ 가상공간에서 사용하는 언어의 특징은 한국어를 윤리적으로 활용한다는 것이다.
⑤ 가상공간 언어를 아는 사람과 모르는 사람 사이에 의사소통의 어려움이 생긴다.

객관식 심화문제

01 다음의 ㉠에 대한 설명으로 적절하지 않은 것은?

우중충한 하늘에서 비가 내리기 시작했다. 지금 며느리는 아이를 입고 다림질을 하고 있다. 이웃 방에 있던 시어머니가 말을 건네 온다.

㉠"아가, 할미가 업어 줄까."

이 말은 할미가 손자에게 하는 말이 아니라 비가 뿌리는 밖에 널려 있는 빨래를 빨리 거둬들이라는, 시어머니가 며느리에게 하는 분부이다. 며느리는 그 말을 통찰력으로 알아듣고 빨래를 거둬들인다.

– 이규태, 「헛기침으로 백 마디 말을 한다」 –

① 말 그대로의 표면적 의미를 중요시하는 명료하게 말하기의 화법이라 할 수 있다.
② 명령의 의도를 완곡하게 전달함으로써 상대방의 능동적인 행동을 유발하는 말하기이다.
③ 자신이 원하는 바를 직접 요구하기보다 간접적으로 드러내는 우리나라의 담화 관습이라고 할 수 있다.
④ 며느리는 밖에 비가 오고 있고, 빨래가 널려 있는 맥락과 상황을 고려하여 시어머니의 말을 들어야 한다.
⑤ 시어머니의 화법은 전통적 담화 관습의 하나로, 발화의 표면적 의미와 발화의 의도가 다르다는 것을 알 수 있다.

02 담화 관습의 성찰과 관련하여 (가), (나)에 대한 설명으로 적절한 것만을 〈보기〉에서 있는 대로 고른 것은?

(가) 경준, 병실 밖 복도에서 보호자에게 환자의 상태를 설명한다.

경준: 머리에 이데마(edema, 부종)가 있고, 디컴프레션(decompression, 감압)해야 해서 우선 머리는 열어놨어요.

태호, 병원 복도를 지나가다가 경준이 보호자에게 환자 상태를 설명하는 모습을 보고 걸음을 멈춘다.

경준: 교통사고 환자라……, 미드 라인(mid line, 뇌 중심선)도 다 밀려 있던 상태라, 의식이 돌아와도 예전처럼 생활하기 힘들 수 있습니다.
보호자: (잘 모르겠다는 표정으로) 이테마가 뭐예요?
경준: 아……. 저기, 이 테마가 뭐냐면……. 아, 부종!
보호자: 그럼 머리가 부었단 말이에요?
경준: 예, 그렇죠.
보호자: (긴가민가하여) 아무튼, 경과를 더 지켜봐야 한단 말이죠?
경준: 예, 그렇죠.
보호자: 알겠어요. (살짝 웃으며) 감사합니다. 선생님

(나) 예전과 달리 요새는 '병신'이나 '귀머거리', '장님'같은 말을 좀처럼 쓰지 않는다. 그런 말을 쓰는 것이 부끄러운 일이라는 인식이 이제는 정착된 듯하다. 그러나 비유적 표현에서는 사정이 다르다. 신문이나 방송 같은 데서도 '벙어리 냉가슴'이니 '장님 코끼리 만지듯'이니 하는 표현들을 일상적으로 쓴다.

물론 나쁜 의도는 전혀 없으며 예전부터 사용하던 속담이나 관용 표현을 쓴 것뿐이라고 할 수도 있다. 그렇더라도 이런 표현에 상처받는 사람들이 있다면 피하는 것이 옳다. '말 못 할 고민에 빠졌다'든가 '주먹구구식' 등 그것을 대체할 새로운 표현들을 궁리해 봐야겠다.

– 〈한국일보〉 2016년 6월 7일 자 기사 –

보기

ㄱ. (가)의 '이테마', '디컴프레이션'은 의사 언어 공동체의 관습적인 언어이다.
ㄴ. (가)의 경준은 다른 언어 공동체와 소통할 때 필요한 태도를 잘 알고 있다.
ㄷ. (가)의 보호자는 자신이 속한 공동체가 관습적으로 사용하는 표현을 잘 이해하지 못하고 있다.
ㄹ. (나)의 속담들은 다수가 공감하는 표현이지만 소수자 또는 약자를 가볍게 다룬 표현으로, 당사자가 접했을 때는 마음이 상할 수 있다.
ㅁ. 우리 주변에서 개선이 필요한 표현으로는 '잡상인', '촌스럽다', '남자 간호사' 등이 있다.

① ㄱ, ㄹ ② ㄴ, ㄷ ③ ㄱ, ㄹ, ㅁ ④ ㄴ, ㄷ, ㅁ ⑤ ㄷ, ㄹ, ㅁ

03 다음 (가)~(다)에 대한 학생들의 반응으로 적절하지 않은 것은?

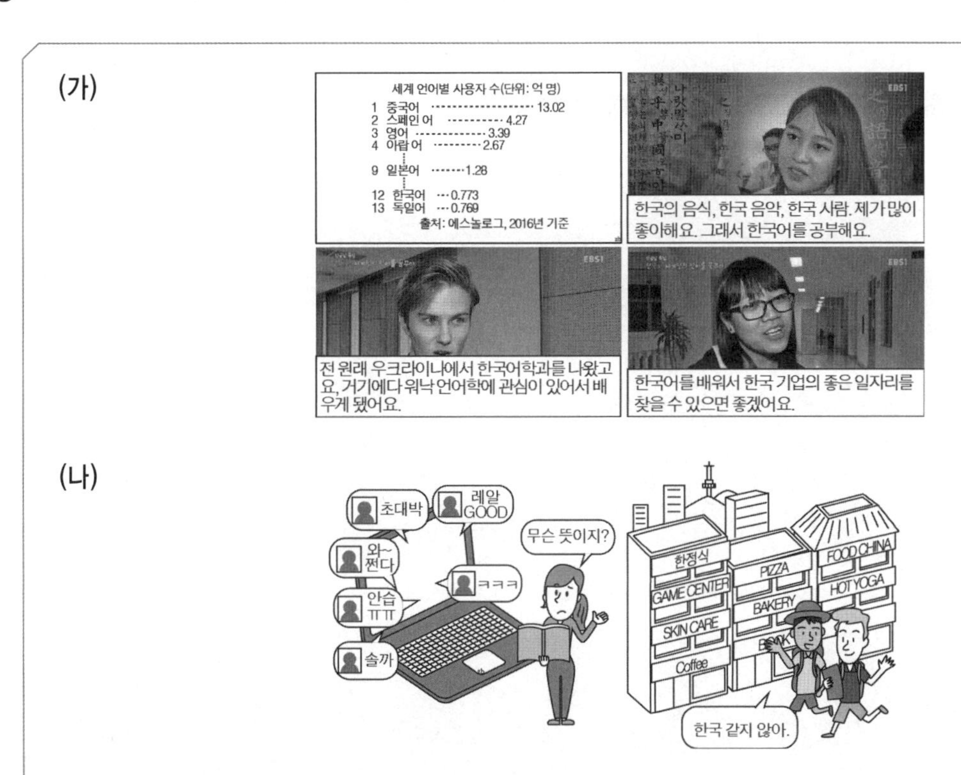

(다) 외래어란, 국어 어휘의 결함을 보충하는 것이므로 꼭 필요한 것에 한해서 받아들이는 것이 바람직하다. 그리고 가능하다면 외래어를 직접 받아들이는 대신, 이미 국어에 존재하는 단어를 쓰거나 새로운 복합어나 파생어를 만들어 쓰는 지혜가 필요하다.

– 이기문, 「국어의 현실과 이상」 –

① 우리나라는 땅덩어리도 작은데 세계에서 한국어를 사용하는 사람의 수가 12번째로 많다니 진짜 대단하네.
② 외국인들이 다양한 이유로 우리말에 관심을 기울이고 한국어를 배우고 있구나.
③ 우리 스스로가 줄임말이나 외계어를 사용하여 한글을 파괴하거나, 외국어나 외래어의 남발로 한국어의 위상을 떨어뜨리고 있어.
④ 외래어가 국어의 어휘체계에 포함되지 않기 때문에 무분별한 남용을 지양해야 돼.
⑤ 외래어의 무분별한 사용을 막기 위해 새로운 복합어, 파생어로 만들어 사용하는 예로 '타임캡슐'은 '기억상자', '네티즌'은 '누리꾼'으로 순화하여 사용할 수 있어.

[04~05] 다음 글을 읽고 물음에 답하시오.

(가) 같은 언어를 사용하며 의사소통하는 사회 집단을 언어 공동체라고 한다. 언어 공동체는 가족, 지역, 세대, 성별 외에도 다양하게 구분할 수 있다. 언어 공동체는 내용과 형식은 물론 의사소통 방식에서도 다른 공동체와 구별되는 담화 관습을 가지고 있다. 예를 들어 법조인들로 구성된 언어 공동체는 법률적 언어를 사용하는 등 다른 공동체와 구별되는 고유한 담화 관습을 가지고 있다.

(나) 다른 사람에게 자신을 과시하기 위한 말은 하지 않아야 하고, 다른 사람을 헐뜯는 말 또한 하지 않아야 한다. 진실이 아니면 말하지 않아야 하고, 바르지 못하면 말하지 않아야 한다. 말을 할 때 이 네 가지를 경계한다면, 말을 적게 하려고 애쓰지 않아도 저절로 그렇게 된다.

옛사람들은 "군자는 부득이한 경우가 아니면 말하지 않는다."고 했고, 또한 "선한 사람은 말수가 적다."라고 했다. [㉠]이 바로 말을 적게 하는 것이다. 나는 이 말을 익혀 외운 지 오래되었는데도 제대로 지키지 못해 항상 부끄러움을 느낀다.

04 (가)에서 설명하는 '언어 공동체'를 분류하는 기준으로 가장 적절하지 않은 것은?

① 종교 ② 학력 ③ 사상 ④ 성별 ⑤ 취미

05 (나)의 ㉠에 들어갈 말로 가장 적절한 것은?

① 무조건 의사를 표현하지 않은 것
② 최대한 말수를 줄여서 말하는 것
③ 꼭 말을 해야만 할 때 말하는 것
④ 말할 내용의 요점만 간단히 말하는 것
⑤ 비유나 반어적 표현으로 비교적 짧게 말하는 것

[06~08] 다음 글을 읽고 물음에 답하시오.

(가) 다른 사람에게 자신을 과시하기 위한 말은 하지 않아야 하고, 다른 사람을 헐뜯는 말 또한 하지 않아야 한다. 진실이 아니면 말하지 않아야 하고, 바르지 못하면 말하지 않아야 한다. 말을 할 때 이 네 가지를 경계한다면, 말을 적게 하려고 애쓰지 않아도 저절로 그렇게 된다.

옛사람들은 "군자는 부득이한 경우가 아니면 말하지 않는다."라고 했고, 또한 "선한 사람은 말수가 적다."라고 했다.

(나)

태호 : 아까 이수진 환자 보호자한테 설명한 거 그대로 해 봐.

경준 : (기가 죽어 더듬거리며) 예……. 머, 머리에 이데마가 있고 디컴프레션해야 해서……. 우선, 머리는 열어 놨어요…….

태호 : (경준의 말을 끊으며) 됐어! 여기서 문제점이 뭔가? 피영국!

영국 : 문제점은 알지만……. 대답할 수 없습니다.

태호 : (격앙된 어조로) 이것들이 진짜……. 환자한테 의학 용어 우리말로 풀어서 얘기하라고 몇 번이나 말했어? 이 병원 신경외과 과장으로 나 김태호가 있는 한 그게 원칙이야. 그렇게 가르쳤는데! 내 눈앞에서 버젓이 그러고 있어? 자기들끼리만 아는 용어로 환자와 난 다르다는 의식 갖지 말라고!

(다) 예전과 달리 요새는 '병신'이나 '귀머거리', '장님' 같은 말을 좀처럼 쓰지 않는다. 그런 말을 쓰는 것이 부끄러운 일이라는 인식이 이제는 정착된 듯하다. 그러나 비유적 표현에서는 사정이 다르다. 신문이나 방송 같은 데서도 '벙어리 냉가슴'이니 '장님 코끼리 만지듯'이니 하는 표현들을 일상적으로 쓴다.

물론 나쁜 의도는 없으며 예전부터 사용하던 속담이나 관용 표현을 쓴 것뿐이라고 할 수도 있다. 그렇더라도 이런 표현에 상처받는 사람들이 있다면 피하는 것이 옳다.

06 (가)~(다)의 공통점을 설명한 내용으로 가장 적절한 것은?

① 다양한 담화 관습의 중요함과 그 가치를 설명하고 있다.
② 언어공동체마다 서로 다른 담화 관습이 있음을 밝히고 있다.
③ 보다 합리적이고 경제적인 담화 관습의 방법을 제시하고 있다.
④ 우리 민족의 바람직한 담화 관습의 방법을 예를 들며 설명하고 있다.
⑤ 우리 민족이 지향해야할 바람직한 담화 관습의 필요성을 말하고 있다.

07 (가)의 글쓴이가 (나)의 '태호'에게 할 수 있는 말로 가장 적절한 것은?

① 다른 사람에게 바르지 못한 말은 하지 않아야 한다는 걸 잘 알고 있으시군요.
② 다른 사람에게 가급적 말을 많이 하지 않아야 한다는 걸 잘 알고 있으시군요.
③ 다른 사람에게 진실이 아니면 말하지 않아야 한다는 걸 잘 알고 있으시군요.
④ 다른 사람에게 자신을 과시하기 위한 말은 하지 않아야 한다는 걸 잘 알고 있으시군요.
⑤ 다른 사람을 헐뜯는 말이나 비판하는 말 또한 하지 않아야 한다는 걸 잘 알고 있으시군요.

08 다음 〈보기〉를 보고 가상공간에서 사용하는 언어의 특징을 살핀 것으로 적절하지 <u>않은</u> 것은?

보기

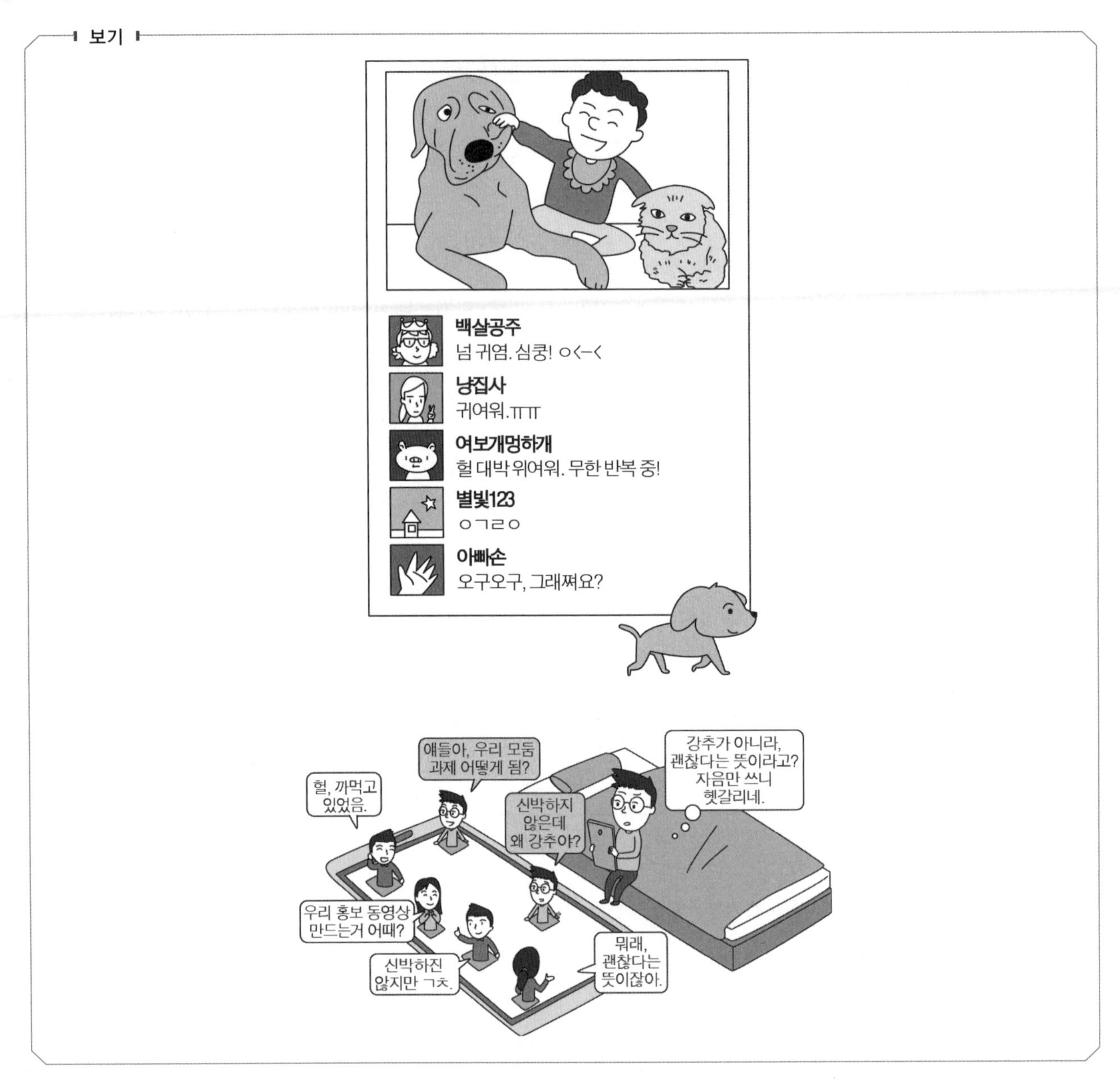

① 소리 나는 대로 쓴 말들이 많다.
② 원래의 어휘를 줄여서 쓰는 경향이 강하다.
③ 새로 만든 말이나 이모티콘을 자주 사용한다.
④ 자음만을 쓰거나 형태를 바꾸어 쓰는 말이 있다.
⑤ 문장의 종결형을 동사형으로 짧게 쓰는 경향이 많다.

[09~10] **다음 글을 읽고 물음에 답하시오.**

(가) 옛사람들은 말을 적게 하는 것을 소중하게 여겼다. 말을 하는 이유는 자신의 뜻을 표현하기 위해서인데, 왜 말을 적게 해야 한다고 여겼겠는가? 단지 말할 만한 것은 말해야 하고, 말해서는 안 되는 것은 말하지 않아야 한다는 사실을 지적한 것일 뿐이다. 다른 사람에게 자신을 과시하기 위한 말은 하지 않아야 하고, 다른 사람을 헐뜯는 말 또한 하지 않아야 한다. 진실이 아니면 말하지 않아야 하고, 바르지 못하면 말하지 않아야 한다. 말을 할 때 이 네 가지를 경계한다면, 말을 적게 하려고 애쓰지 않아도 저절로 그렇게 된다.

옛사람들은 "군자는 부득이한 경우가 아니면 말하지 않는다."라고 했고, 또한 "선한 사람은 말수가 적다."라고 했다. 꼭 말을 해야만 할 때 말하는 것이 바로 말을 적게 하는 것이다. 나는 이 말을 익혀 외운 지 오래되었는데도 제대로 지키지 못해 항상 부끄러움을 느낀다. 그래서 이 글을 적어 스스로 마음속에 새기고자 한다.

– 윤휴, 〈백호전서〉 –

(나)

태호 : 강경준.

경준 : 네?

태호 : 아까 이수진 환자 보호자한테 설명한 거 그대로 해 봐.

경준 : (기가 죽어 더듬거리며) 예……. 머, 머리에 이데마가 있고 디컴프레션해야 해서……. 우선, 머리는 열어 놨어요…….

태호 : (경준의 말을 끊으며) 됐어! 여기서 문제점이 뭔가? 피영국!

영국 : 문제점은 알지만……. 대답할 수 없습니다.

태호 : (격앙된 어조로) 이것들이 진짜……. 환자한테 의학 용어 우리말로 풀어서 얘기하라고 몇 번이나 말했어? 이 병원 신경외과 과장으로 나 김태호가 있는 한 그게 원칙이야. 그렇게 가르쳤는데! 내 눈앞에서 버젓이 그러고 있어? 자기들끼리만 아는 용어로 환자와 난 다르다는 의식 갖지 말라고!

경준 : 죄송합니다.

태호 : 너희들은 전공의다. 말 그대로 수련 과정에 있는 의사들이야. 기술만 배우지 말고 정신도 같이 배워야 돼!

전공의들 : 네!

– 하명의 각본, 오충환 연출, 〈닥터스〉 제6회 –

(다) 예전과 달리 요새는 '병신'이나 '귀머거리', '장님' 같은 말을 좀처럼 쓰지 않는다. 그런 말을 쓰는 것이 부끄러운 일이라는 인식이 이제는 정착된 듯하다. 그러나 비유적 표현에서는 사정이 다르다. 신문이나 방송 같은 데서도 ㉠'벙어리 냉가슴'이니 ㉡'장님 코끼리 만지듯'이니 하는 표현들을 일상적으로 쓴다.

물론 나쁜 의도는 없으며 예전부터 사용하던 속담이나 관용 표현을 쓴 것뿐이라고 할 수도 있다. 그렇더라도 이런 표현에 상처받는 사람들이 있다면 피하는 것이 옳다. ㉮'말 못 할 고민에 빠졌다'든가 ㉯'주먹구구식' 등 그것을 대체할 새로운 표현들을 궁리해 봐야겠다.

09 **(가)~(다)의 공통점으로 적절한 것은?**

① 언어 공동체를 살아가는 사람들이 지양해야 할 담화 관습을 말하고 있다.
② 상대를 배려하지 못한 담화 관습으로 인한 갈등상황을 제시하고 있다.
③ 각각의 언어 공동체에 따라 다르게 적용되는 다양한 담화 관습에 대해 설명하고 있다.
④ 상황에 따른 효과적인 담화 관습을 말하고 있다.
⑤ 바람직한 담화 관습에 대해 말하고 있다.

10 (다)의 ㉠, ㉡을 ㉮, ㉯로 바꾸는 것처럼 우리 주변에서 개선이 필요한 표현에 대한 설명으로 적절하지 않은 것은?

	개선 전	사유	개선 후
ⓐ	환쟁이	'-쟁이'는 해당 직업에 종사하는 사람을 낮추어 부르는 것으로 인식됨	미술가
ⓑ	잡상인	'잡(雜)'이라는 말에 공동체의 결속을 방해하는 차별적 의미가 있음	상인
ⓒ	청소부	사회적 인식이 변화함에 따라 표현법이 달라짐	환경미화원
ⓓ	살색	인종차별적 용어로써 인종별 다양한 피부색을 인정함	살구색
ⓔ	촌스럽다	시골을 부정적으로 바라보던 인식이 깔려 있음	세련되지 못하다

① ⓐ ② ⓑ ③ ⓒ ④ ⓓ ⑤ ⓔ

11 다음 글을 읽고 만화가 보여 주는 상황으로 적절한 것은?

보기

외국인들이 한국어에 관심을 두는 데는 복합적인 이유가 있다. 우선 한국의 국가 위상이 높아졌다. 지구촌을 휩쓴 한류가 이를 상징한다. 한국 경제가 한강의 기적으로 일컬어지는 눈부신 성장을 이뤄 냈고, 문화 · 외교 · 스포츠 분야의 한국인 활동이 국제 무대에서 두각을 나타낸 덕분이다.

그러나 정작 한국어의 본고장인 한국에서는 한국어가 제대로 평가 받지 못하는 게 현실이다. 한국어에 대한 자긍심도 많이 부족한 것 같다. 우리 사회에 외래어 · 외계어가 범람하고 모국어보다는 외국어 학습에 지나친 투자를 한 나머지 각종 사회 문제가 발생하기도 한다.

① 외래어, 외국어를 남발함으로써 한국어의 위상을 떨어뜨리고 있다.
② 외국어, 외래어로 된 간판을 사용함으로써 세계화된 우리나라의 위상을 보여주고 있다.
③ 고유어보다 외래어를 사용함으로써 세련되고 품격있는 인상을 보여준다.
④ 상점의 간판을 적절한 고유어로 대체하기 어려워 외래어 명칭을 많이 사용한다.
⑤ 세계화 시대를 맞이하여 이에 대응할 외래어가 필요해졌음을 보여준다.

12 다음 가상 공간에서의 언어 생활에 대한 설명으로 적절하지 않은 것은?

> **가은** : 얘들아, 우리 모둠 과제 어떻게 됨?
> **나은** : 헐, 까먹고 있었음.
> **다은** : 우리 홍보 동영상 만드는 거 어때?
> **라은**: 신박하진 않지만, ㄱㅊ.
> **마은** : 신박하지 않은데 왜 강추야?
> **바은** : 뭐래. 괜찮다는 뜻이잖아.

① '됨', '음'처럼 명사형으로 짧게 줄임말을 쓰고 있다.
② '헐'은 마음 속 생각을 소리나는 대로 쓴 말이다.
③ '산박하진'은 게임에서 비롯된 은어로 '신기하다', '참신하다'의 의미로 쓰는 말이다.
④ 'ㄱㅊ'처럼 자음만 사용하여 말하면 간략하면서도 의미를 정확하게 알 수 있다.
⑤ 가상 공간의 어휘를 제대로 이해하지 못하면 의사소통에 어려움이 생길 수 있다.

13 다음 대화에 대한 학생들의 감상으로 적절하지 않은 것은?

> **정국** : 현우야, 이따 저녁에 우리 모둠 그룹 채팅 확인해!
> **현우** : 아, 나 이따 운동화 사러 갈 거라 메시지 못 볼 수도 있어.
> **지석** : 현우야, 운동화 사러 간다며? 좋겠다. 어떤 스타일? 브랜드는? 어떤 컬러?
> **현우** : 딱히 생각 안 했어. 용돈이 별로 없어서 그냥 세일하는 모델 사려고.

① **해인** : 평소에 일상 생활에서 무의식적으로 사용하는 외래어가 많은 것 같아.
② **나래** : 위의 대화에서 사용한 외래어를 대체할 적절한 고유어가 없는 것 같아.
③ **성훈** : 무분별한 외래어 사용을 줄이고 대체할 만한 고유어나 순화어를 만들어 보급해야 해.
④ **현무** : 지나친 외래어 사용은 고유어를 사라지게 할 수도 있어.
⑤ **혜진** : 외래어를 지나치게 사용하다 보면 외국의 문화와 문명에 종속되거나 의존할 수 있어.

14 다음 글에서 말하는 태도와 관련 있는 속담으로 적절한 것은?

> 옛사람들은 말을 적게 하는 것을 소중하게 여겼다. 말을 하는 이유는 자기 뜻을 표현하기 위해서인데, 왜 말을 적게 해야 한다고 여겼겠는가? 단지 말할 만한 것은 말해야 하고, 말해서는 안 되는 것은 말하지 않아야 한다는 사실을 지적한 것일 뿐이다. 다른 사람에게 자신을 과시하기 위한 말은 하지 않아야 하고, 다른 사람을 헐뜯는 말 또한 하지 않아야 한다. 진실이 아니면 말하지 않아야 하고, 바르지 못하면 말하지 않아야 한다. 말을 할 때 이 네 가지를 경계한다면, 말을 적게 하려고 애쓰지 않아도 저절로 그렇게 된다. 옛사람들은 "군자는 부득이한 경우가 아니면 말하지 않는다."라고 했고, 또한 "선한 사람은 말수가 적다."라고 했다. 꼭 말을 해야만 할 때 말하는 것이 바로 말을 적게 하는 것이다. 나는 이 말을 익혀 외운 지 오래되었는데도 제대로 지키지 못해 항상 부끄러움을 느낀다. 그래서 이 글을 적어 스스로 마음속에 새기고자 한다.

① 가재는 게 편이다.
② 강 건너 불 구경 하듯 한다.
③ 개 같이 벌어 정승같이 쓴다.
④ 간에 붙었다 쓸개에 붙어다 한다.
⑤ 가루는 칠수록 고와지고 말은 할수록 거칠어진다.

15 밑줄 친 부분의 예시에 해당하지 않는 것은?

> 사람들의 다양한 차이를 바탕으로 명시적 또는 암묵적으로 편을 나누고 다른 편에게 부정적이고 공격적인 태도를 드러내거나 다른 편을 불평등하게 대우하는 과정에서 쓰는 언어 표현을 차별적 언어라고 한다. 우리가 흔히 쓰는 차별적 언어의 유형에는 성차별, 인종차별, 장애차별 등이 있다.

① 남자미용사　② 검둥이　③ 청소부　④ 여의사　⑤ 벙어리

16 ㉠~㉤ 중 표현하는 방식이 나머지 넷과 다른 것은?

① (추운 겨울, 실내로 들어오는 선생님을 맞이하면서)
제자 : 선생님, ㉠여기 따뜻한 차입니다.
선생님 : 그래, 잘 마실게.

② (밤늦게까지 게임을 하는 아들에게)
엄마 : ㉡내일 학교에 안 가니?
아들 : 그만하고 잘게요.

③ (귀가한 후 동생에게)
누나 : ㉢아, 목마르다.
동생 : 자, 물 여기 있어.

④ (사장이 실수가 잦은 사원에게)
사장 : ㉣우리 회사에서 일한 지 몇 년이 되었죠?
사원 : 앞으로 조심하겠습니다.

⑤ (주말에 동생이 언니에게)
동생 : ㉤뮤지컬 함께 보러 가자.
언니 : 내일 시험 있어서 갈 수 없어.

17 〈보기〉에 나타난 언어 공동체의 담화 관습의 특징으로 적절하지 않은 것은?

보기

갑자기 쓰러져서 병원에 실려 온 환자를 진찰한 후
의사 1 : 이 환자의 상태는 어떻지?
의사 2 : 아직 확진할 순 없지만, 스트레스로 인하여 심계항진에 문제가 보이고, 안구진탕과 연하곤란까지 왔어. 육안 검사로는 힘드니까 자세한 이학적 검사를 해봐야 알 것 같아.
의사 1 : CT 촬영만으로는 판단이 어렵겠는걸. MRI 촬영 검사를 추가하여 검사해 봐야겠군.
의사 2 : 그렇게 하지.

① 직업에 의해 구분되는 언어 공동체이다.
② 업무를 효과적으로 수행하는 데 도움을 준다.
③ 듣는 사람에 따라 의미를 이해하는 수준이 다르다.
④ 일상적으로 쓰이는 말에 전문적 의미를 부여한 것이다.
⑤ 같은 담화 관습을 가진 사람들끼리 원활하게 의사소통 할 수 있다.

18 〈보기〉의 '학생 2'에게 해 줄 수 있는 충고로 가장 적절한 것은?

보기

학생 1 : (아무 생각 없는 표정으로) 너, 모둠 과제 할 때, 네가 맡은 건 하나도 제대로 안 한다며?
학생 2 : (놀라며) 뭐? 무슨 소리야?
학생 1 : (아차 하는 표정으로) 아, 아니야.
학생 2 : (화가 나서) 또 내 짝이 그랬지? 뭐라고 했다구? (얼굴이 벌겋게 되며) 어휴, 누가 할 소리 누가 하네. (코웃음 치며) 자기가 그러면서. 또 뭐라고 했어?
학생 1 : (보며) 아니야. 그냥 그 말밖에 안 했어.
학생 2 : (약이 올라서) 그럴 리가 없어. 야! (소리 지르며) 너 솔직히 말 안 해?
학생 1 : (소리 지르며) 몰라!

① 나를 나쁘게 말하는 사람이 있을 때에는 반드시 자신을 돌이켜 왜 그런가를 생각해 보아야 한다. 만일 내가 정말 뭔가 그런 소리를 들을 행동을 했다면, 스스로 자신을 꾸짖어 그런 허물을 고쳐야 한다.

– 이이, 격몽요결 –

② 옛사람들은 "군자는 부득이한 경우가 아니면 말하지 않는다."라고 했고, 또한 "선한 사람은 말수가 적다."라고 했다. 꼭 말을 해야만 할 때 말하는 것이 바로 말을 적게 하는 것이다. 나는 이 말을 익혀 외운 지 오래되었는데도 제대로 지키지 못해 항상 부끄러움을 느낀다. 그래서 이 글을 적어 스스로 마음속에 새기고자 한다.

– 윤휴, 백호전서 –

③ 공서화(公西華) : 자로(子路)가 옳은 일을 들으면 바로 실천해도 되느냐 물으니 선생님께서는 부형(父兄)이 계신데 어떻게 바로 실천하느냐 하시고, 염유(冉有)가 옳은 일을 들으면 바로 실천해야 되느냐고 물으니 선생님께서는 바로 실천하라 대답하셨습니다. 저는 매우 의심이 나서 이 점에 대하여 여쭙니다.
공자(孔子) : 염유는 물러서는 성질이라 좀 과단성 있게 실천하게 하였고, 자로는 과단성이 지나친 사람이라 좀 눌러 물러나게 한 것이다.

– 논어 –

④ 사내아이들은 입이 가볍다. 모름지기 경계하여 신중을 기해야 한다. 이를테면, 걸인을 대할 때 비렁뱅이라 부르지 말고, 애꾸눈이를 대할 때 외눈박이라 부르지 말며, 참혹하고 해괴하고 원통한 말을 가벼이 입 밖에 내지 말아야 한다.

– 이덕무, 사소절 –

⑤ 각자가 자기 마음속의 생각에 따라 그것을 시비의 표준으로 삼는다면 누군들 표준이 없으랴! 어찌하여 반드시 생성 변화하는 우주의 법칙을 알아서 마음에 깨달음이 있는 사람만이 마음속의 생각을 가진단 말인가. 어리석은 사람도 자기 생각을 가지고 있다.

– 장자 –

19 〈보기〉의 ㉠의 예시로 적절한 것은?

보기

진행자 : 오늘은 국립국어원에서 국어 순화 연구를 담당하고 계신 박○○ 연구관님을 모시고 말씀을 나누어 보겠습니다. 선생님, 요즘 국어 순화에 대한 관심이 높아지고 있는데요. 주로 어떤 말이 순화의 대상이 되나요?

연구관 : 아무래도 최근에는 서구 외래어, 특히 영어를 순화하는 경우가 많습니다.

진행자 : 그럼, 외국어를 순수 우리말, 즉 고유어로 바꾸는 것이 국어 순화 작업인가요?

연구관 : 꼭 그렇지는 않습니다. 고유어를 활용할 수도 있고 한자어를 활용할 수도 있지요. 또 이 ㉠<u>두 가지를 조합한 순화어</u>도 있지요.

① 그룹 → 단체 ② 컨트롤타워 → 가온머리 ③ 로밍 → 어울통신
④ 컬러 → 색상 ⑤ 세일 → 할인 판매

[20~21] 다음 글을 읽고 물음에 답하시오.

'외래어'와 '외국어'를 혼동해 사용하는 경우가 많다. '외래어(外來語)'는 '외국에서 들어온 말로 국어처럼 쓰이는 단어'를 말하는데, '버스', '컴퓨터', '피아노' 등이 있다. 이는 우리 국민들 사이에서 널리 사용되면서 국어로 인정을 받아 국어사전에 우리말로 등재되었다.

그런데 '외국어(外國語)'는 '외국에서 들어온 말로 아직 국어로 정착되지 않은 단어'를 말한다. 예를 들면 '임팩트(impact)', '포커스(focus)' 등이 그것이다. 일부 국민들이 '임팩트', '포커스' 등을 마치 우리말처럼 사용하고 있지만 이는 국어로 인정을 받지 못한 외국어이다.

'외래어'는 국어의 지위를 인정받은 것이기 때문에 이를 사용하는 것에 문제가 없다고 생각할 수도 있지만, 외래어를 남용(濫用)하게 되면 표현이 어색해지거나 뜻이 잘 드러나지 않아 문제가 생기기도 한다.

"서울 ○○구청 관계자가 2일 ○○동 ○○ 고등학교에서 어린이집 차량 30여 대에 '슬리핑차일드체크 시스템'을 설치하고 있다."

지난여름 어린이 통학차량 안전사고가 잇따라 서울 ○○구에서 안전장치를 한발 앞서 도입한 뒤, 언론에 보도된 내용이다. 이 '어린이 보호장치'는 미국, 캐나다에서 시작됐다고 한다. 우리에겐 낯선, 처음 도입되는 장치다. 외래 용어가 따라 들어오는 것이 불가피한 측면이 있다. 하지만 처음 시작할 때 잘해야 한다. ㉠<u>그래야 우리 문화로 소화해 더 좋은 방식으로 바꿀 수 있다.</u>

외래어 사용을 가능한 한 줄이자는 것은 단순히 영어투라서 또는 일어투라서 그런 게 아니다. '민족주의적 관점'에서 그런 주장을 펴던 시대는 이미 지나갔다. 요즘 우리말에 대한 인식이 꽤 높아졌기 때문이다. 그보다는 우리말다운, 자연스러운 글의 흐름을 방해한다는 점에 주목해야 한다. 외래어 남용은 '건강한 글쓰기' 관점에서 병적 요소다. 글의 명료성과 간결성을 떨어뜨린다. 특히 의미 전달 자체가 잘 안 되는 경우가 많다. '슬리핑차일드체크 시스템' 같은 게 그렇다.

좋은 글이란 어떤 것일까? 간단하다. 자기가 말하고자 하는 의미를 정확히, 효율적으로 전하는 글이다. 글쓴이는 정교한 '문장 구성'이 필요하고 읽는이는 올바른 '문해력'을 갖춰야 한다. 이때 효과적인 소통을 방해하는 '잡음'이 끊임없이 작용한다. 외래어 남발은 글쓴이는 편할지 모르지만 독자에겐 정상적인 해독을 방해한다. 공급자 관점에서 벗어나 수용자 관점에서 글쓰기를 해야 하는 이유다.

20 윗글을 바탕으로 학생들이 나눈 대화 중 적절하지 않은 것은? (답 2개)

① **대희** : '버스'는 'bus'에서, '피아노'는 'piano'에서 나온 단어라 당연히 외국어인 줄 알았는데, 우리 국어 어휘였구나.

② **재한** : 맞아. '센터, 바나나'와 같은 외래어는 국어 어휘의 부족한 부분을 보충해 주기도 하니까 꼭 필요한 것 한해서는 받아들이는 것도 괜찮다고 생각해.

③ **희건** : '슬리핑차일드체크 시스템'도 최근에 우리나라에 처음 도입된 장치이니까 받아들이는 것이 큰 문제는 아니지.

④ **현민** : 우리 동네에 얼마 전에 새로 지은 아파트 이름이 '센트럴프라디움칸타빌'인데 처음 들었을 때는 아파트 이름인지도 몰랐어. 이런 건 지양해야 하지 않을까?

⑤ **진우** : 맞아. 영어투나 일어투를 사용하면 글쓴이의 의도를 정확하게 전달할 수 있지만, 민족 고유의 가치를 훼손하게 될 수도 있다는 점을 잊지 말아야 해.

21 ㉠을 고려하여 밑줄 친 말을 바르게 순화하지 못한 것은?

① 국어 선생님께서 기말 고사를 잘 보라고 '하이파이브(→맞장구)'를 쳐 주셨다.
② 민기와 혜리는 하얀 점퍼를 '커플룩(→짝꿍차림)'으로 맞춰서 입고 다닌다.
③ 날씨가 너무 추워서 교실 창문에 '에어캡(→뽁뽁이)'를 붙여야 겠다.
④ 은우는 공부할 때 '후크송(→맴돌이곡)'을 들으면 집중이 더 잘된다고 한다.
⑤ 박○○ 교사는 요즘 매일 같이 야간근무를 하느라 '다크서클(→눈그늘)'이 심해졌다.

[22~24] **다음 글을 읽고 물음에 답하시오.**

(가) 말하기 좋다 하고 남의 말을 말을 것이
남의 말 내 하면 남도 내 말 하는 것이
말로써 말이 많으니 말 말을까 하노라.

(나) 김 선생이 어느 날 친구 집을 방문했다. 친구 가 그를 반겨 맞으며 술을 대접하는데 술상의 안주가 채소밖에 없었다. 친구가 겉치레 인사로, "형편이 어려워 대접 이 이러하니 미안하네."라고 말하는데, 마침 뜰을 보니 여러 마리의 닭이 모여 여기저기 모이를 쪼고 있었다. 그 모습을 보다 말고 김 선생은 헛기침을 하며 이렇게 말했다. "대장부가 어찌 천금을 아끼겠는가? 내 말을 잡아서 술안주로 하세." 그러자 그 친구가, "말을 잡으면 무엇을 타고 돌아간단 말인가?"라고 하자, "그야 닭을 빌려 타고 돌아가면 되지 않겠나." 이 소리를 들은 친구는 크게 웃으며 곧 뜰에 있는 닭을 잡아 대접했다고 한다.

(다) 언어철학자 비트겐슈타인은 "내 언어의 한계가 내 세계의 한계"라는 명제로 유명하다. 언어는 말하는 사람의 생각과 세계를 반영하고, 한 사회에서 통용되는 말 역시 그 사회의 수준을 대변한다. 장애를 조롱하고 막말로 비난하는 사회는 그만큼 폭력적이고, 억압적이며, 반인권적일 수밖에 없다. 언어가 거칠어지고 품위를 상실할 때, 그 언어를 구사하는 인간도 오염된다. 언어와 현실은 거울처럼 서로를 반영한다.

(라) 사전적 의미로 혐오는 매우 싫어하고 미워한다는 뜻이다. 한국어에서는 혐오는 '혐오시설', '혐오식품 '처럼 시설이나 음식을 수식하는 말로 주로 쓰여 왔다. 혐오표현은 '헤이트 스피치'를 번역한 말인데, 영어에서 '헤이트'도 극도의 싫음, 역겨움, 적대감을 뜻한다. 헤이트나 혐오 모두 상당히 강한 뉘앙스를 가지고 있다고 할 수 있다. 그런데 혐오표현에서의 혐오는 이러한 일상적 의미와는 조금 다르다. 여기서 혐오는 그냥 감정적으로 싫은 것을 넘어서 어떤 집단에 속하는 사람들의 고유한 정체성을 부정하거나 차별하고 배제하려는 태도를 뜻한다.

혐오표현은 '차별'과 밀접하게 연관되어 있고, 소수자를 사회에서 배제하고 차별하는 효과를 낳는다. 소수자는 역사적으로 불평등한 대우를 받아왔고 현재도 사회에서 불이익을 받고 있는 집단으로서 인종, 성별, 장애, 성적 지향 등 고유의 특성을 함께 가지고 있는 집단 또는 그 집단에 속한 개인을 뜻한다. 성소수자라는 이유로 승진시험에 탈락시키는 것도 차별이지만, 회사 내에서 성소수자에 대한 혐오표현을 하는 것 역시 차별과 다름없다. 혐오표현 자체가 성소수자에게 정신적 고통을 줄 뿐만 아니라 차별로 직결되는 '다리' 역할을 하기 때문이다.

---

22 (가)에서 강조하고 있는 담화 관습으로 가장 적절한 것은?

① 다른 사람의 말을 끝까지 공감하며 들어주기
② 말을 길게 하지 않고 꼭 필요한 것만 말하기
③ 자신을 낮추고 상대방에게 예의를 갖추어 말하기
④ 남을 헐뜯는 말을 하지 말고 신중하게 가려서 말하기
⑤ 원하는 바를 직접 요구하지 않고 완곡하게 돌려 말하기

23 (나)의 김 선생의 말하기 방식과 가장 거리가 먼 것을 고르면?

①

②

③

④

⑤

24 (다), (라)를 고려할 때, 부정적 언어 표현과 그 유형을 연결한 것으로 적절하지 않은 것은?

	비하 · 차별의 유형	부정적 언어 표현
㉠	성별	된장녀, 김여사, 처녀작
㉡	직업	잡상인, 공돌이, 진지충
㉢	민족, 인종	쪽발이, 짱깨, 흑형
㉣	장애	병신, 장님, 벙어리
㉤	지역	전라디언, 고담대구, 멍청도

① ㉠　② ㉡　③ ㉢　④ ㉣　⑤ ㉤

25 〈보기〉의 (A)와 (B)에 대한 설명으로 적절하지 않은 것은?

보기

(A)

전공의 : 머리에 이데마가 있고, 디컴프레션해야 해서 우선 머리는 열어 놨어요. 교통사고 환자라......, 미드라인도 다 밀려 있던 상태라, 의식이 돌아와도 예전처럼 생활하기 힘들 수 있습니다.

보호자 : (잘 모르겠다는 표정으로) 이데마가 뭐예요?

전공의 : 아...... 저기, 이데마가 뭐냐면....... 아, 부종!

보호자 : (긴가민가하여) 아무튼, 경과를 더 지켜봐야 한단 말이죠?

전공의 : 예, 그렇죠.

(B)

신경외과과장 : 이데마는 좀 어때?

전공의 : 시티상 조금 줄어들긴 했지만 아직 많이 부어서 만나톨 100CC씩 여섯 번 나눠 주고 있습니다.

신경외과과장 : 통증 조절은?

전공의 : 에이에이피로 하고 있습니다.

① 신경외과과장 전공의는 다른 언어 공동체와 구별되는 담화 관습을 가지고 있다.
② 해당 분야의 전문 용어를 사용할 때에는 대화 상황과 상대를 고려해야 한다.
③ (A)에서 전공의는 일반인이 알기 어려운 의학 전문 용어를 사용해 환자의 상태를 설명해서 보호자의 이해를 어렵게 하고 있다.
④ (B)를 통해 지나친 전문 용어의 사용이 인간관계를 삭막하게 함을 알 수 있다.
⑤ 의사들은 효과적으로 의사소통을 하기 위해 의학 전문 용어들을 일상적으로 사용한다.

26 다음 자료를 분석하여 ⓐ~ⓔ를 가장 적절하게 연결된 것은?

ㄱ. 고유어
흔히 순우리말이라고도 부르는 단어들로서, 다른 나라의 말에서 들여온 것이 아니라 예부터 우리의 것인 단어, 그것에 기초하여 새로 만들어진 단어이다.

ㄴ. 외래어
외국에서 들어온 말로 국어처럼 쓰이는 단어이다.

보기

ⓐ 요가하고 올게요.
ⓑ 피아노 잘 치니?
ⓒ 어린이집에 다녀오렴.
ⓓ 메시지 못 볼 수도 있어.
ⓔ 맛나 분식집에서 만나자.

① ⓐ - ㄱ ② ⓑ - ㄱ ③ ⓒ - ㄴ ④ ⓓ - ㄴ ⑤ ⓔ - ㄴ

27 다음 글에 나타나는 언어의 특징과 예를 적절하게 연결한 것만을 〈보기〉에서 있는 대로 고른 것은?

애완견과 고양이의 모습을 보며
누리소통망(SNS)에서의 대화 내용

[백살공주] 넘 귀염. 심쿵! ㅇ<-<
[냥집사] 귀여워. ㅠㅠ
[여보개멍하개] 헐 대박 귀여워. 무한 반복 중!
[별빛123] ㅇㄱㄹㅇ
[아빠손] 오구오구, 그래쪄요?

보기

ㄱ. 단어나 문장을 줄여 사용한다. -귀여워
ㄴ. 신조어나 은어를 사용한다. -대박
ㄷ. 이모티콘을 사용하다. -ㅠㅠ
ㄹ. 단어나 문장을 소리 나는 대로 사용한다. -넘
ㅁ. 자음만을 쓰거나 형태를 바꾸어 사용한다. -ㅇㄱㄹㅇ

① ㄱ, ㄴ ② ㄱ, ㄷ ③ ㄴ, ㄹ ④ ㄴ, ㄷ, ㄹ ⑤ ㄴ, ㄷ, ㅁ

28 다음을 참고하여 알 수 있는 가상공간의 언어생활에 대한 설명으로 적절하지 않은 것은?

① 명사형으로 짧게 쓰는 경우가 있다.
② 올바른 문장 표현을 하지 않고 있다.
③ 게임에서 비롯된 은어를 사용하고 있다.
④ 과도한 국어 파괴 현상을 가져올 수 있다.
⑤ 자음만 써서 소통하기 때문에 의사소통이 원활하게 이루어진다.

29 다음을 통해 알 수 있는 내용으로 적절하지 않은 것은?

세계 언어별 사용자 수(단위: 억 명)

순위	언어	사용자 수
1	중국어	13.02
2	스페인 어	4.27
3	영어	3.39
4	아랍 어	2.67
⋮		
9	일본어	1.28
⋮		
12	한국어	0.773
13	독일어	0.769

출처: 에스놀로그, 2016년 기준

"한국의 음식, 한국 음악, 한국 사람, 제가 좋아해요. 그래서 한국어를 공부해요."

–〈이비에스(EBS) 2016년 10월 9일 자 방송 –

외국인들이 한국어에 관심을 두는 데는 복합적인 이유가 있다. 우선 한국의 위상이 높아졌다. 지구촌을 휩쓴 한류가 이를 상징한다. 한국 경제가 한강의 기적으로 일컬어지는 눈부신 성장을 이뤄 냈고, 문화 · 외교 · 스포츠 분야의 한국인 활동이 국제무대에서 두각을 나타낸 덕분이다.

문자 자체로 한글이 가진 과학성 · 편리성 · 독창성 · 보편성 · 아름다움도 한국어의 매력이다. 해외 명사들은 한글의 우수성을 극찬한다. 그러나 정작 한국어의 본고장인 한국에서는 한국어가 제대로 평가받지 못하는 게 현실이다. 한국어에 대한 자긍심도 많이 부족한 것 같다. 우리 사회에 외래어 · 외계어가 범람하고 모국어보다는 외국어 학습에 지나친 투자를 한 나머지 각종 사회 문제가 발생하기도 한다.

다가오는 한글날을 계기로 우리 모두 자랑스러운 한국어에 긍지를 가지고 한국어를 아끼고 다듬는 일에 앞장섰으면 한다.

– 〈서울경제〉 2015년 10월 6일 자 칼럼 –

① 한국어를 사용하는 사람의 수가 세계에서 12번째로 많다.
② 한국어의 본고장인 한국에서도 외국어보다는 모국어에 더 투자한다.
③ 해외 명사들도 문자 자체로의 매력을 가진 한글의 우성을 극찬했다.
④ 한국의 국가위상이 높아지면서 외국인들이 한국어에 대한 관심이 많아졌다.
⑤ 외국인들은 한국 음악, 한국 사랑 등에 대한 관심 등 다양한 이유로 한국어를 배운다.

30 다음 글에서 발견할 수 있는 문제를 해결할 수 있는 방법으로 적절하지 않은 것은?

① 한국어에 대한 자긍심을 지닌다.
② 우리말을 가꾸는 일에 힘쓰도록 한다.
③ 외래어와 외국어의 사용을 금지하도록 한다.
④ 고유어를 널리 사용하는 일에 앞장서도록 한다.
⑤ 가상 공간에서도 국어의 어문 규정을 지키도록 한다.

[31~32] **다음 글을 읽고 물음에 답하시오.**

(가) 같은 언어를 사용하며 의사소통하는 사회 집단을 언어 공동체라고 한다. 언어 공동체는 가족, 지역, 세대, 성별 외에도 다양하게 구분할 수 있다. 언어 공동체는 내용과 형식은 물론 의사소통 방식에서도 다른 공동체와 구별되는 담화 관습을 가지고 있다. 예를 들어 법조인들로 구성된 언어 공동체는 법률적 언어를 사용하는 등 다른 공동체와 구별되는 고유한 담화 관습을 가지고 있다. 이처럼 담화 관습은 언어 공동체마다 다르다.

(나) 옛사람들은 말을 적게 하는 것을 소중하게 여겼다. 말을 하는 이유는 자신의 뜻을 표현하기 위해서인데, 왜 말을 적게 해야 한다고 여겼겠는가? 단지 말할 만한 것은 말해야 하고, 말해서는 안 되는 것은 말하지 않아야 한다는 사실을 지적한 것일 뿐이다.

다른 사람에게 자신을 과시하기 위한 말은 하지 않아야 하고, 다른 사람을 헐뜯는 말 또한 하지 않아야 한다. 진실이 아니면 말하지 않아야 하고, 바르지 못하면 말하지 않아야 한다. 말을 할 때 이 네 가지를 경계한다면, 말을 적게 하려고 애쓰지 않아도 저절로 그렇게 된다.

옛사람들은 "군자는 부득이한 경우가 아니면 말하지 않는다."고 했고, 또한 "선한 사람은 말수가 적다."라고 했다. 꼭 말을 해야만 할 때 말하는 것이 바로 말을 적게 하는 것이다. 나는 이 말을 익혀 외운 지 오래되었는데도 제대로 지키지 못해 항상 부끄러움을 느낀다. 그래서 이 글을 적어 스스로 마음속에 새기고자 한다.

(다) 우중충한 하늘에서 비가 내리기 시작했다. 지금 며느리는 아이를 업고 다림질을 하고 있다. 이웃 방에 있던 시어머니가 말을 건네 온다.

"아가, 할미가 업어 줄까."

이 말은 할미가 손자에게 하는 말이 아니라 비가 뿌리는 밖에 널려 있는 빨래를 빨리 거둬들이라는, 시어머니가 며느리에게 하는 분부이다. 며느리는 그 말을 통찰력으로 알아듣고 빨래를 거둬들인다.

(라)

경준, 병실 밖 복도에서 보호자에게 환자의 상태를 설명한다.

경준 : 머리에 이데마(edema, 부종)가 있고, 디컴프레션(decompression, 감압)해야 해서 우선 머리는 열이 놨어요.

태호, 병원 복도를 지나가다가 경준이 보호자에게 환자 상태를 설명하는 모습을 보고 걸음을 멈춘다.

경준 : 교통사고 환자라……, 미드 라인(mid line, 뇌 중심선)도 다 밀려 있던 상태라, 의식이 돌아와도 예전처럼 생활하기 힘들 수 있습니다.

보호자 : (잘 모르겠다는 표정으로) 이테마가 뭐예요?

경준 : 아……. 저기, 이 테마가 뭐냐면……. 아, 부종!

보호자 : 그럼 머리가 부었단 말이에요?

경준 : 예, 그렇죠.

보호자 : (긴가민가하여) 아무튼, 경과를 더 지켜봐야 한단 말이죠?

〈중략〉

태호 : (격앙된 어조로) 이것들이 진짜……. 환자한테 의학 용어 우리말로 풀어서 얘기하라고 몇 번이나 말했어? 이 병원 신경외과 과장으로 나 김태호가 있는 한 그게 원칙이야. 그렇게 가르쳤는데! 내 눈앞에서 버젓이 그러고 있어? 자기들끼리만 아는 용어로 환자와 난 다르다는 의식 갖지 말라고!

경준 : 죄송합니다.

– 하명의 각본, 오충환 연출, 〈닥터스〉 제6회 –

---

31 (가)~(라)에서 알 수 있는 내용으로 적절하지 않은 것은?

① (가)를 통해 언어 공동체의 개념을 알 수 있다.
② (가)에서 설명한 다른 공동체와 구별되는 담화 관습을 (라)를 통해 확인할 수 있다.
③ 선조들의 언어 공동체의 관습을 (나)를 통해 짐작해 볼 수 있다.
④ (다)의 내용을 통해 어떻게 전달하느냐에 따라 말하는 의미가 달라질 수 있음을 알 수 있다.
⑤ (가)~(라)를 통해 볼 때 담화 관습은 언어 공동체마다 다름을 알 수 있다.

32 (나)의 글쓴이의 생각을 참고하여 (라)의 '태호'가 하고 싶은 말로 가장 적절한 것은?

① 말을 적게 해서 자신의 뜻을 감춰야 한다.
② 확실한 진실이 아니면 말하지 않아야 한다.
③ 다른 사람을 헐뜯는 말은 하지 말아야 한다.
④ 바르지 못한 말이면 입으로 내뱉지 말아야 한다.
⑤ 다른 사람에게 자신을 과시하기 위한 말은 하지 않아야 한다.

[33~35] 다음 글을 읽고 물음에 답하시오.

(가) 옛사람들은 ⓐ말을 적게 하는 것을 소중하게 여겼다. 말을 하는 이유는 ⓑ자기 뜻을 표현하기 위한 것인데, 왜 말을 적게 해야 한다고 여겼겠는가? 단지 ⓒ말할 만한 것은 말해야 하고, ⓓ말해서는 안 되는 것은 말하지 않아야 한다는 사실을 지적한 것일 뿐이다. 다른 사람에게 자신을 과시하기 위한 말은 하지 않아야 한다. 진실이 아니면 말하지 않아야 하고, 바르지 못하면 말하지 않아야 한다. 말을 할 때 이 네 가지를 경계한다면, 말을 적게 하려고 애쓰지 않아도 저절로 그렇게 된다.

옛사람들은 "ⓔ군자는 부득이한 경우가 아니면 말하지 않는다."라고 했고, 또한 "선한 사람은 말수가 적다."라고 했다. 꼭 말을 해야만 할 때 말하는 것이 바로 말을 적게 하는 것이다. 나는 이 말을 익혀 외운 지 오래되었는데도 제대로 지키지 못해 항상 부끄러움을 느낀다. 그래서 이 글을 적어 스스로 마음속에 새기고자 한다.

– 윤휴, 〈백호전서〉 –

(나) 우중충한 하늘에서 비가 내리기 시작했다. 지금 며느리는 아이를 업고 다림질을 하고 있다. 이웃 방에 있던 시어머니가 말을 건네 온다.

"아가, 할미가 업어 줄까."

이 말은 할미가 손자에게 하는 말이 아니라 비가 뿌리는 밖에 널려 있는 빨래를 빨리 거둬들이라는, 시어머니가 며느리에게 하는 분부이다. 며느리는 그 말을 통찰력으로 알아듣고 빨래를 거둬들인다.

– 이규태, 〈헛기침으로 백 마디 말을 한다〉 –

33 (가)의 ⓐ~ⓔ 중에서 문맥적 의미가 다른 것은?

① ⓐ ② ⓑ ③ ⓒ ④ ⓓ ⑤ ⓔ

34 다음 중 말(言)에 대한 글쓴이의 관점이 (가)와 가장 거리가 먼 것은?

① 말(言)만 귀양 보낸다
② 말(言)이 많으면 쓸 말이 적다.
③ 입과 돈주머니는 동여매야 한다.
④ 말하면 백 냥 금이요, 입 다물면 천 냥 금이라.
⑤ 가루는 칠수록 고와지고 말(言)은 할수록 거칠어진다.

35 (나)에 나타난 담화 관습으로 보기 어려운 것은?

① 시어머니의 말뜻은 아이를 내려놓고 빨래가 젖지 않도록 며느리에게 빨래를 걷게 하려는 의도이다.
② 자신이 원하는 바를 직접 요구하기보다는 간접적으로 드러내는 담화 관습을 발견할 수 있다.
③ 명령의 의도를 돌려 말함으로써 상대방의 능동적인 행동을 유발하게 한다.
④ 완곡어법이라고 하며 말 그대로의 표면적 의미를 중요시한다.
⑤ 청자는 화자의 의도를 꿰뚫어 보는 능력이 필요하다.

36 다음 〈보기〉를 참고할 때, 부정적 언어 표현의 유형이 <u>다른</u> 하나는?

보기

부정적 언어 표현의 유형
- 비하 표현 : 욕설이나 비속어와 같이 상대를 비하하는 표현
- 차별 표현 : 성, 지역, 민족, 인종, 장애 등을 차별하여 공동체의 결속을 방해하는 표현

① 신사숙녀 여러분!
② 여의사 OO씨를 소개합니다.
③ 네 옷차림이 촌스럽다.
④ 쟤는 혼혈아인가 봐.
⑤ 너는 왜 등신같이 그러니?

37 다음 〈보기〉를 참고할 때 외래어로 보기 <u>어려운</u> 것은?

보기

외래어는 외국 문물이 유입되며 함께 들어온 말이다. 외래어는 그것을 대체할 고유어나 한자어가 없어 국어처럼 쓰이는 말이라는 점에서 국어의 일부이다. 이에 비해, 다른 나라의 말을 이르는 외국어는 국어의 지위를 얻지 못한 말이다.

① <u>볼펜</u>으로 그림을 그렸다.
② <u>컴퓨터</u>의 마우스를 움직였다.
③ 옆 건물에 <u>요가</u> 학원이 생겼다.
④ <u>택시</u>를 타고 지하철역으로 향했다.
⑤ <u>스포츠</u> 활동은 몸을 건강하게 한다.

38 다음 〈보기〉의 (　　)에 들어갈 말로 적절한 것은?

보기

나쁜 의도는 전혀 없으며 예전부터 사용하던 속담이나 관용 표현을 쓴 것뿐이라고 할 수도 있다. 그렇더라도 이런 표현에 상처받는 사람들이 있다면 피하는 것이 옳다. '절름발이 성장이라는 평가를 받는다.' 대신 '(　　　　) 성장이라는 평가를 받는다.'로 고쳐 쓰는 노력이 필요하다.

① 불균형　② 장애인　③ 느림보　④ 불확실한　⑤ 불가능

39 〈보기〉를 참고하여 가상공간의 언어 사용과 언어 생활에 대해 설명한 것으로 적절하지 않은 것은?

보기

① ‘ㄱㅊ’과 같이 자음만을 쓴 것이 ‘강추’인지 ‘괜찮다’인지 헷갈려 의사소통이 원활하지 않을 수도 있다.
② 대화 상대를 잘 아느냐 모르느냐에 따라 확실한 내용과 불확실한 내용을 구분해서 말한다.
③ ‘있었음’과 같이 명사형으로 짧게 쓰거나, ‘헐’과 같이 소리나는 대로 쓰기도 한다.
④ 내 이름이 드러나지 않는 공간이라 하더라도 언어 예절을 반드시 지킨다.
⑤ 과도한 국어 파괴현상을 삼가며 기본적인 어문 규범을 준수한다.

40 〈보기〉의 밑줄 친 말과 같은 담화 관습이 나타나지 않은 것은?

보기

우중충한 하늘에서 비가 내리기 시작했다. 지금 며느리는 아이를 업고 다림질을 하고 있다. 이웃 방에 있던 시어머니가 말을 건네 온다.
<u>“아가, 할미가 업어 줄까?”</u>
이 말은 할미가 손자에게 하는 말이 아니라 비가 뿌리는 밖에 널려 있는 빨래를 빨리 거둬들이라는, 시어머니가 며느리에게 하는 분부이다. 며느리는 그 말을 통찰력으로 알아듣고 빨래를 거둬들인다.

① (상사가 지각한 부하 직원을 향해) “지금 몇 시입니까?”
② (배가 몹시 고픈 상황에서) “저녁 시간이 되지 않았나요?”
③ (더운 여름 날 창 쪽에 앉은 사람을 향하여) “날이 꽤 덥네요.”
④ (만원 버스에서 빼곡이 서 있는 사람들을 향해) “저 이번에 내립니다.”
⑤ (선생님이 수업 시간에 떠드는 학생들에게) “좀 조용히 해주면 좋겠구나”

41 <보기>를 고려하여 우리 주변에서 개선이 필요한 표현을 찾아 적절한 표현으로 고친 것 중, 그 성격이 다른 하나는?

보기

예전과 달리 요새는 '병신'이나 '귀머거리', '장님' 같은 말을 좀처럼 쓰지 않는다. 그런 말을 쓰는 것이 부끄러운 일이라는 인식이 이제는 정착된 듯하다. 그러나 비유적 표현에서는 사정이 다르다. 신문이나 방송 같은 데서도 '벙어리 냉가슴'이니 '장님 코끼리 만지듯'이니 하는 표현들을 일상적으로 쓴다.

물론 나쁜 의도는 전혀 없으며 예전부터 사용하던 속담이나 관용 표현을 쓴 것뿐이라고 할 수도 있다. 그렇더라도 이런 표현에 상처받는 사람들이 있다면 피하는 것이 옳다. '말 못 할 고민에 빠졌다'든지 '주먹구구식' 등 그것을 대체할 새로운 표현들을 궁리해 봐야겠다.

① 죽다 → 떠나다
② 간호원 → 간호사
③ 청소부 → 환경 미화원
④ 보험아줌마 → 생활설계사
⑤ 촌스럽다 → 세련되지 못하다

42 <보기2>를 참고하여 <보기1>의 밑줄 친 고유어를 한자어로 바꿀 때 가장 적절한 것은?

보기 1

은수는 새로운 발명품을 생각해 내었다.

보기 2

우리말의 고유어와 한자어는 한 개의 고유어에 둘 이상의 한자어들이 폭넓게 대응 관계를 형성한다. 대개 고유어는 의미의 폭이 넓고, 한자어는 고유어에 비해 좀 더 정확하고 분화된 의미를 가지고 있어 고유어를 보완하는 역할을 한다.

• 동굴 속에 고립되어 있던 사람들은 구조자들의 말소리가 들리자 안심을 하였다.
  → 동굴 속에 고립되어 있던 사람들은 구조자들의 음성(音聲)이 들리자 안심을 하였다.
• 말 : 언어(言語), 단어(單語), 어휘(語彙), 발화(發話), 음성(音聲), 설명(說明), 해명(解明)

① 사색(思索) ② 창안(創案) ③ 기억(記憶) ④ 의도(意圖) ⑤ 의견(意見)

서술형 심화문제

[01~03] 다음 글을 읽고 물음에 답하시오.

(가) 같은 언어를 사용하며 의사소통하는 사회 집단을 언어 공동체라고 한다. 언어 공동체는 가족, 지역, 세대, 성별 외에도 다양하게 구분할 수 있다. 언어 공동체는 내용과 형식은 물론 의사소통 방식에서도 다른 공동체와 구별되는 담화 관습을 가지고 있다. 예를 들어 법조인들로 구성된 언어 공동체는 법률적 언어를 사용하는 등 다른 공동체와 구별되는 고유한 담화 관습을 가지고 있다.

(나) 옛사람들은 말을 적게 하는 것을 소중하게 여겼다. 말을 하는 이유는 자신의 뜻을 표현하기 위해서인데, 왜 말을 적게 해야 한다고 여겼겠는가? 단지 말할 만한 것은 말해야 하고, 말해서는 안 되는 것은 말하지 않아야 한다는 사실을 지적한 것일 뿐이다.

다른 사람에게 자신을 과시하기 위한 말은 하지 않아야 하고, 다른 사람을 헐뜯는 말 또한 하지 않아야 한다. 진실이 아니면 말하지 않아야 하고, 바르지 못하면 말하지 않아야 한다. 말을 할 때 이 네 가지를 경계한다면, 말을 적게 하려고 애쓰지 않아도 저절로 그렇게 된다.

옛사람들은 "군자는 부득이한 경우가 아니면 말하지 않는다."고 했고, 또한 "선한 사람은 말수가 적다."라고 했다. 꼭 말을 해야만 할 때 말하는 것이 바로 말을 적게 하는 것이다. 나는 이 말을 익혀 외운 지 오래되었는데도 제대로 지키지 못해 항상 부끄러움을 느낀다. 그래서 이 글을 적어 스스로 마음속에 새기고자 한다.

(다) 우중충한 하늘에서 비가 내리기 시작했다. 지금 며느리는 아이를 업고 다림질을 하고 있다. 이웃 방에 있던 시어머니가 말을 건네 온다.

㉠"아가, 할미가 업어 줄까."

이 말은 할미가 손자에게 하는 말이 아니라 비가 뿌리는 밖에 널려 있는 빨래를 빨리 거둬들이라는, 시어머니가 며느리에게 하는 분부이다. 며느리는 그 말을 통찰력으로 알아듣고 빨래를 거둬들인다.

01 (나)에서 선인들이 경계해야 한다는 말들 중, 자신이 가장 중요하다고 생각하는 것을 두 가지만 쓰시오.

02 (1)㉠에 담긴 표면적 의미와 이면적 의도를 서술하고, (2)이러한 말하기 방식을 무엇이라고 하는지 쓰시오.

03 (다)를 참고하여 다음 상황을 〈조건〉에 맞게 고쳐 쓰시오.

상황 : 쉬는 시간, 교실 뒷문이 열려있다.
미진 : (뒷문 옆에 앉아있는 민수에게) 민수야, 춥지 않니?

조건

• 미진이 민수에게 말하고자 하는 의도가 직접적으로 드러나도록 서술하시오.

"민수야, 춥지 않니?" → ______________________

[04] 다음 글을 읽고 물음에 답하시오.

(가) 방과 후 모둠원끼리 누리소통망(SNS)에서의 대화 내용
[갑] 얘들아, 우리 모둠 과제 어떻게 됨?
[을] 헐, 까먹고 있었음.
[갑] 우리 홍보 동영상 만드는 거 어때?
[을] 신박하진 않지만 ㄱㅊ.
[갑] 신박하지 않은데 왜 강추야?
[을] 뭐래. 괜찮다는 뜻이잖아.

(나) 애완견과 고양이의 모습을 보며 누리소통망(SNS)에서의 대화 내용
[백살공주] 넘 귀염. 심쿵! ㅇ<-<
[냥집사] 귀여워. ㅠㅠ
[여보개멍하개] 헐 대박 귀여워. 무한 반복 중!
[별빛123] ㅇㄱㄹㅇ
[아빠손] 오구오구, 그래쪄요?

04 (1) (가)의 [갑]이 누리소통망(SNS)에서 의사소통에 어려움을 느낀 까닭을 서술하시오.

(2) (가)와 (나)에 공통적으로 나타나는 누리소통망(SNS)에서의 언어의 특징 3가지를 각각 한 문장으로 서술하시오.

05 다음은 한국어 언어 공동체의 전통적 담화 관습에 대한 설명이다. ㉠, ㉡에 들어갈 알맞은 말을 쓰시오.

(㉠) 말하기	자신의 감정을 직접 드러내지 않고 구체적인 사물에 이입하여 표현함 예 '층암절벽 높은 바위 바람 분들 무너지며, 청송녹죽 푸른 남기 눈이 온들 변하리까?' → 춘향이 자신의 절개를 표현함
(㉡)의 말하기	자신에 대한 칭찬은 줄여서 스스로를 낮추고 상대방에게 예의를 갖추어 그를 높여서 말함 예 "별로 차린 것이 없습니다."

[06~07] 다음 글을 읽고 물음에 답하시오.

우중충한 하늘에서 비가 내리기 시작했다. 지금 며느리는 아이를 입고 다림질을 하고 있고, 마당의 빨랫줄에는 빨래가 널려 있다. 이웃 방에 있던 시어머니가 말을 건네 온다.

"아가, 할미가 업어 줄까."

이 말은 할미가 손자에게 하는 말이 아니라 시어머니가 며느리에게 하는 분부이다. 며느리는 그 말을 통찰력으로 알아듣고 어떤 행동을 했다.

06 밑줄 친 시어머니의 말에서 그 ㉠표면적 의미와 ㉡이면적 의미를 서술하시오.

07 윗글에서 알 수 있는 우리 민족의 전통적인 담화 관습이 무엇인지 그 명칭을 서술하시오.

08 〈보기〉는 드라마의 대사이다. (1) 이러한 표현들이 가진 문제점을 서술하고, (2) 이러한 사례와 관련하여 우리가 앞으로 어떤 언어를 사용해야 할지 서술하시오.

보기

- "대를 못 이으니 이혼시켜야겠어요."

  - SBS 〈아임 쏘리 강남구〉 -

- "안주인 되려면 식구들 끼니는 챙겨야지. 못하면 배워. 분만 뽀얗게 바르고 입술만 빨갛게 칠하고 있으면 되는 줄 아니"

  - MBC 〈당신은 너무합니다〉 -

- "야, 남자가 깎으면 당도가 반으로 줄어든다는 연구결과 모르냐?"

  - tvN 〈그녀는 거짓말을 너무 사랑해〉 -

단원 종합평가

[01~03] 다음 글을 읽고, 물음에 답하시오.

·솅·종·엉·졩·훈·민·졍·흠

ⓐ나·랏:말ᄊᆞ·미中듕國·귁ⓑ·에달·아文문字·ᄍᆞᆼ·와·로서르ᄉᆞᄆᆞᆺ·디아·니ᄒᆞᆯ·ᄊᆡ·이런젼·ᄎᆞ·로㉮어·린百·ᄇᆡᆨ姓·셩·이 니르·고·져·홇ⓒ·배이·셔·도ᄆᆞ·ᄎᆞᆷ:내㉠제·ᄠᅳ·들시·러ⓓ펴·디:몯홇·노·미하·니·라ⓛ·내·이·ᄅᆞᆯ爲·윙·ᄒᆞ·야:어엿·비 너·겨·새·로·스·믈여·듧字·ᄍᆞᆼ·ᄅᆞᆯᄆᆡᇰ·ᄀᆞ노·니:사ᄅᆞᆷ:마·다:ᄒᆡ·ᅇᅧ:수·ᄫᅵ니·겨·날·로ⓔ·ᄡᅮ·메便뼌安한·킈ᄒᆞ·고·져ᄒᆞᇙᄯᆞ ᄅᆞ·미니·라

01 윗글에서 의미가 변천한 양상이 ㉮와 같은 것을 찾으면?

① ᄉᆞᄆᆞᆺ·디 ② 젼·ᄎᆞ ③ ᄆᆞ·ᄎᆞᆷ:내 ④ :어엿·비 ⑤ ·노·미

02 〈보기〉에서 ㉠과 ㉡에 대한 설명으로 적절한 것을 모두 고르면?

보기

ㄱ. ㉠과 ㉡은 모두 체언에 격 조사가 결합한 형태이다.
ㄴ. ㉠과 ㉡에 쓰인 문법형태소의 구체적 기능은 다르다.
ㄷ. ㉠과 달리 ㉡에 쓰인 문법형태소는 모음 조화를 고려하여 표기한다.
ㄹ. ㉠과 달리 ㉡에 이어지는 서술어에는 주체 높임 표현이 나타난다.
ㅁ. ㉡과 달리 ㉠은 1인칭을 낮추는 의미가 드러나며 현대의 쓰임과 같다.

① ㄱ, ㄴ ② ㄴ, ㄷ ③ ㄹ, ㅁ ④ ㄱ, ㄹ, ㅁ ⑤ ㄴ, ㄷ, ㄹ

03 ⓐ~ⓔ에 대한 설명으로 적절하지 않은 것을 고르면? (정답 2개)

① ⓐ : 무정명사와 결합하는 관형격 조사 'ㅅ'이 나타나며 현대의 '의'에 대응된다.
② ⓑ : 현대 국어와 비교할 때 문장 구성의 양상이 다르지만 용언의 활용 형태는 같다.
③ ⓒ : 관형어의 수식을 받는 체언으로 초성을 된소리로 발음한다.
④ ⓓ : 현대에 나타나는 음운의 변동이 나타나지 않는다.
⑤ ⓔ : 용언에 부사형 어미가 결합하여 문장 내에서 부사어로 쓰였다.

[04~05] 다음 글을 읽고, 물음에 답하시오.

(가) 海東(해동)六龍(육룡)·이ᄂᆞᄅᆞ·샤㉠<u>:일</u>:마다天福(천복)·이시·니古聖(고성)·이同符(동부)·ᄒᆞ시·니

〈제1장〉

(나) 불·휘기·픈남·ᄀᆞᆫᄇᆞᄅᆞ·매아·니:뮐·ᄊᆡ곶:됴·코여·름·하ᄂᆞ·니
:ᄉᆡ·미기·픈·므·른·ᄀᆞᄆᆞ·래아·니그·츨·ᄊᆡ㉡<u>:내·히</u>이·러바·ᄅᆞ·래·가ᄂᆞ·니

〈제2장〉

–「용비어천가」, 세종 29년(1447) –

04 (가)의 ㉠'일'의 의미를 가장 적절하게 이해한 사람은?

① **미영** : 육룡이 날아 하는 일이니 천상계의 일인 것 같아.
② **선주** : 이 노래가 조선 초에 지어진 거니까 조선 건국과 관련된 일일 거야.
③ **연미** : 태조 이전 조상들의 무공업적만을 찬양하고 신선계에 오른 일을 말하는 거야.
④ **주선** : 세종 당시 창작된 노래니까 훈민정음 창제와 관련된 일을 말하고 있는 것 같아.
⑤ **정희** : 세종 이후 여섯 임금이 나라를 다스리는 일에 관한 내용을 말하고 있는 거지.

05 다음 밑줄 친 단어 중 ㉡과 같은 'ㅎ종성 체언'인 것을 고른다면?

① 불근 새 그를 므러 寢室(침실) <u>이페</u> 안ᄌᆞ니
② 머리셔 ᄇᆞ라매 노피 <u>하ᄂᆞᆯ해</u> 다핫고 갓가이셔 보니 아ᄉᆞ라히 하ᄂᆞᆯ햇 ᄆᆞ레 ᄌᆞᆷ겻나니
③ 고경명은 광쥬ㅣ 사ᄅᆞᆷ이니 임진왜난의 의병을 <u>슈창ᄒᆞ야</u> 금산 도적글 티다가 패ᄒᆞ여
④ 붉은 기운이 하ᄂᆞᆯ을 ᄣᅱ노더니 이랑이 소ᄅᆡ를 <u>놉히ᄒᆞ</u>야 나를 불러 져긔 믈 밋츨 보라 웨거ᄂᆞᆯ
⑤ 聖神(성신=聖子神孫, 왕손)이 니ᄉᆞ샤도 <u>敬天勤民(경천근민)ᄒᆞ샤</u>사, 더욱 (국운이, 왕권이) 구드리시이다.

06 〈보기〉에서 ㉠과 ㉡에 해당하는 예로 적절한 것을 고르면?

보기

국어의 어휘 체계는 삼중 체계로 분류할 수 있다. 고유어, 한자어, 외래어가 그것이다. 처음부터 ㉠<u>순 우리말</u>이 있고, 한자를 기원으로 하는 말도 있고, ㉡<u>다른 나라에서 들어와 변화를 겪어 고유어처럼 굳어진 말</u>도 있고, 우리말에 없어서 빌려 쓰는 말도 있다.

	㉠	㉡
①	배추	리메이크
②	쏠	빵
③	고무	멘토
④	김치	레시피
⑤	모꼬지	디톡스

[07~08] 다음 글을 읽고 물음에 답하시오.

옛사람들은 말을 적게 하는 것을 소중하게 여겼다. 말을 하는 이유는 자신의 뜻을 표현하기 위해서인데, 왜 말을 적게 해야 한다고 여겼겠는가? 단지 말할 만한 것은 말해야 하고, 말해서는 안 되는 것은 말하지 않아야 한다는 사실을 지적한 것일 뿐이다. 다른 사람에게 자신을 과시하기 위한 말은 하지 않아야 하고, 다른 사람을 헐뜯는 말 또한 하지 않아야 한다. 진실이 아니면 말하지 않아야 하고, 바르지 못하면 말하지 않아야 한다. 말을 할 때 이 네 가지를 경계한다면, 말을 적게 하려고 애쓰지 않아도 저절로 그렇게 된다.

옛사람들은 "㉮군자는 부득이한 경우가 아니면 말하지 않는다."라고 했고, 또한 "선한 사람은 말수가 적다."라고 했다. 꼭 말을 해야만 할 때 말하는 것이 바로 말을 적게 하는 것이다. 나는 이 말을 익혀 외운 지 오래되었는데도 제대로 지키지 못해 항상 부끄러움을 느낀다. 그래서 이 글을 적어 스스로 마음속에 새기고자 한다.

– 윤휴, 「백호전서」 –

07 다음 중, 우리가 사용하는 속담 가운데 ㉮의 관점과 가장 유사한 것은?

① 군말이 많으면 쓸 말이 적다.
② 들으면 병이요 안 들으면 약이다.
③ 밤새도록 울고 누가 죽었느냐고 한다.
④ 얌전한 고양이 부뚜막에 먼저 올라간다.
⑤ 개가 콩엿 사 먹고 버드나무에 올라간다.

08 다음은 윗글에 대한 [학습 활동] 과제이다. 이를 수행한 결과로 적절하지 않은 것은?

[학습 활동] ㉠~㉤에 들어갈 수 있는 학습 내용을 서술하시오.

전통적 담화 관습	설명	관련 예시 및 속담
돌려 말하기	그대로 표현하면 감정을 해치거나 좋지 못한 의미를 줄 수 있는 사실이나 생각을 부드럽게 돌려서 표현함	㉠
빗대어 말하기	자신의 감정을 직접 드러내지 않고 구체적인 사물에 이입하여 표현함	㉡
겸양의 말하기	자신에 대한 칭찬은 줄여서 스스로를 낮추고 상대방에게 예의를 갖추어 그를 높여서 말함	㉢
언행일치의 말하기	말과 행동, 또는 말과 실질이 부합하지 않는 언어 사용을 경계함	㉣
귀기울여 듣고 선택적으로 듣기	다른 사람의 말을 끝까지 주의 깊게 들어야 하고, 들을 말과 듣지 않을 말을 가려들어야 함을 강조함	㉤

① ㉠ "(비가 오자 며느리 등에 업힌 손자에게) 할미가 업어줄까."
② ㉡ '푸른 계절을 잃어버린 이 몹쓸 지구에 서서 도시 봄을 부르는 자는 누구냐?'
③ ㉢ (장모가 사위에게) "차린 것이 없지만 많이 들게."
④ ㉣ '가루는 칠수록 고와지고 말은 할수록 거칠어진다.'
⑤ ㉤ '길이 아니거든 가지 말고 말이 아니거든 듣지 말라.'

[09~10] 다음 글을 읽고 물음에 답하시오.

(가)

선생님 : 오늘은 친구들과의 대화를 녹음하여 자신의 언어생활을 되돌아보는 활동을 하겠습니다. 바람직한 의사소통 문화 발전을 위해 어떤 점을 개선해야 할까요?

학생들 : [ ]

(나)

[A] 경준, 병실 밖 복도에서 보호자에게 환자의 상태를 설명한다.

경준 : 머리에 이데마(edema, 부종)가 있고, 디컴프레션(decompression, 감압)해야 해서 우선 머리는 열어 놨어요.

[B] 태호, 병원 복도를 지나가다가 경준이 보호자에게 환자 상태를 설명하는 모습을 보고 걸음을 멈춘다.

[C] **경준** : 교통사고 환자라……, 미드 라인(mid line, 뇌 중심선)도 다 밀려 있던 상태라, 의식이 돌아와도 예전처럼 생활하기 힘들 수 있습니다.

보호자 : (잘 모르겠다는 표정으로) 이데마가 뭐예요?

경준 : 아……. 저기, 이데마가 뭐냐면……. 아, 부종!

보호자 : 그럼 머리가 부었단 말이에요?

경준 : 예, 그렇죠.

보호자 : (긴가민가하여) 아무튼, 경과를 더 지켜봐야 한단 말이죠?

경준 : 예, 그렇죠.

보호자 : 알겠어요. (살짝 웃으며) 감사합니다. 선생님.

[D] 이를 지켜보던 태호, 언짢은 표정으로 중대에게 지시한다.

태호 : 전공의들 다 회의실로 모이라고 해!

중대 : (태호의 눈치 보며) 네.

전공의들, 회의실로 하나둘 모인다.

태호 : 강경준.

경준 : 네?

태호 : 아까 이수진 환자 보호자한테 설명한 거 그대로 해 봐.

경준 : (기가 죽어 더듬거리며) 예……. 머, 머리에 이데마가 있고 디컴프레션해야 해서……. 우선, 머리는 열어 놨어요…….

[E] **태호** : (경준의 말을 끊으며) 됐어! 여기서 문제점이 뭔가 피영국!

영국 : 문제점은 알지만……. 대답할 수 없습니다.

태호 : (격앙된 어조로) 이것들이 진짜……. 환자한테 의학 용어 우리말로 풀어서 얘기하라고 몇 번이나 말했어? 이 병원 신경외과 과장으로 나 김태호가 있는 한 그게 원칙이야. 그렇게 가르쳤는데! 내 눈앞에서 버젓이 그러고 있어? 자기들끼리만 아는 용어로 환자와 난 다르다, 난 환자보다 뛰어나다는 의식 갖지 말라고!

경준 : 죄송합니다.

태호 : 너희들은 전공의다. 말 그대로 수련 과정에 있는 의사들이야. 기술만 배우지 말고 정신도 같이 배워야 돼!

전공의들 : 네!

– 하명희 각본, 오충환 연출, 「닥터스」 제6회 –

09 (가)의 학생들이 개선점으로 발표하기에 적절하지 않은 것은?

① 분명한 표현으로 오해와 편견을 부르지 않도록 한다.
② 이야기를 끝까지 듣고 이해와 공감의 반응을 보여준다.
③ 상대를 존중하고 배려하며 그에 걸맞은 언어를 사용한다.
④ 상대를 비하하거나 차별하는 의미가 담긴 표현을 사용하지 않는다.
⑤ 항상 타인의 언어생활을 성찰하여 더 나은 방향으로 나아가도록 한다.

10 (나)의 [A] ~ [E]에 대한 설명으로 적절하지 않은 것은?

① [A] : 경준은 자신의 권위를 세우는 담화 관습을 보이다.
② [B] : 태호는 경준의 언어 사용에 문제가 있다고 생각한다.
③ [C] : 경준은 보호자와 구별되는 담화 관습을 가지고 있음을 알 수 있다.
④ [D] : 어떤 담화 공동체는 다른 집단과 구별되는 고유한 담화 관습을 사용하기도 한다.
⑤ [E] : 경준은 태호가 이해하기 힘든 의학 전문 용어를 많이 사용한다.

HIGH SCHOOL

실전기출 문제은행

정답 및 해설

미래엔 | 신유식

(1) 작품을 감상하는 눈

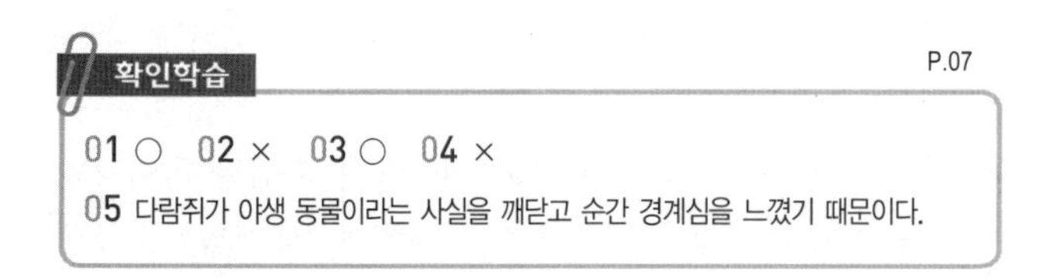

확인학습 P.07

01 ○ 02 × 03 ○ 04 ×

05 다람쥐가 야생 동물이라는 사실을 깨닫고 순간 경계심을 느꼈기 때문이다.

02 다람쥐와의 일화가 중심이 되지만 다람쥐를 의인화하거나 주인공으로 내세운 우화라고 볼 수는 없다.

03 '고구마를 좋아하는 자식 은 둘째인 나다.'에서 서술자는 주인공인 '어머니'의 둘째 자식인 '나'라는 것을 알 수 있다.

04 '다람쥐가 어머니 눈치를 살폈다.'라는 구절에서 알 수 있듯 다람쥐는 첫 만남에서 어머니를 경계했다.

확인학습 P.09

01 × 02 ○

01 어머니는 다람쥐에게 여러 이야기를 하며 외로움을 달래고 있다.

02 '이쪽으로 와 보세요.'에서 확인 할 수 있다.

확인학습 P.10

01 어미 다람쥐의 죽음 02 ○ 03 ○ 04 ○ 05 ×

02 '어미 다람쥐는 애타게 어머니를 기다렸으리라.'와 같은 구절에서 알 수 있다.

03 어머니가 신을 원망하며 한 말이 직접 인용되어있다.

05 어머니는 약한 동물의 새끼가 강하게 태어나야 된다고 생각하는 것이지, 모든 동물의 새끼가 강하게 태어나야 된다고 생각하는 것은 아니다.

확인학습 P.11

01 ○ 02 × 03 ○ 04 × 05 ×

01 '신이야말로 공평하십니다.'를 통해 확인할 수 있다.

02 고양이는 다람쥐 어미의 방식이 아닌, 자신의 방식에 따라 다람쥐 새끼를 키운다.

04 어머니는 어미 다람쥐가 죽은 후에도 새끼 다람쥐에게 정성을 다하고 있다.

05 어머니는 다람쥐가 스스로 자신의 몸을 보호할 수 있도록 야생 본능을 회복하기를 바라고 있다.

확인학습 P.14

01 ○ 02 × 03 ○ 04 × 05 × 06 × 07 × 08 ○

01 "사람은 죽어서 다른 생명체로 태어난단다. 뱀으로 태어날 수도 있고, 소로 태어날 수도 있지……."에서 확인 할 수 있다.

02 '사람하고 가까워질수록 너는 나약해져.'를 통해 사람과 거리를 두어야 한다고 생각하고 있음을 알 수 있다

04 이 글은 1인칭 관찰자 시점의 소설로 장면마다 서술자가 달라지는 부분은 없다.

06 동물 보호를 위해 찾아온 것 아니다.

07 다람쥐를 애완동물로 생각하여 기르기 쉽고 귀엽다는 이유를 들어 키워 보고 싶다고 이야기하고 있다.

확인학습 P.15

01 ○ 02 ○ 03 ○ 04 ×

01 '그 후 어머니는~이상한 오해를 받기도 하였다'에서 '그후'는 면장 집에 초대된 후이다.

02 '사람하고 가까워질수록 너는 나약해져.'를 통해 사람과 거리를 두어야 한다고 생각하고 있음을 알 수 있다

04 작품에서 다람쥐는 인간의 이기적인 가치관에 의해 본성을 잃어버리는 연약한 존재이며, 이 작품의 중심 소재이다

객관식 기본문제 P.16~28

01 ②	02 ③	03 ②	04 ⑤
05 ③	06 ③	07 ④	08 ②
09 ①	10 ①	11 ⑤	12 ①
13 ②	14 ③	15 ②	16 ⑤

01 이 글은 1인칭 관찰자 시점으로 장면마다 서술자를 달리하고 있지 않다.

02 동물들을 인간 중심적으로 바라보며 사람의 소유로 취급하는 사고방식을 비판하고 있다.

03 다람쥐는 이빨에 독이 있고, 물리면 잘 낫지도 않아서 경계하고 있는 어머니의 속마음과 감정을 직접적으로 전달하고 있다.

04 동물을 사람들의 소유로 생각하지 않는 사람은 어머니뿐이다. 다른 사람들은 애완동물처럼 사람들의 소유물로 생각하고 있다.

05 (다)는 새끼 다람쥐가 고양이처럼 자라서 사냥을 하지만 고양이에 비해 날카롭지 않은 발톱과 무딘 코로 인해 사냥에 실패하는 부분이다. 공격을 당하는 부분은 나오지 않았다.

06 표현론적 관점은 작품을 작가에 맞춰 감상하는 관점이다. [갑]이 '작가는~가치관이 드러나고 있어'라는 부분에서 연결 할 수 있고, [을]은 소설 속 내용에 대해 얘기하고 있으므로 내재적 관점인 절대론적 관점과 연결하고, [병]은 "나는~반성하게 되었

어"에서 독자에 초점을 두고 있는 효용론적 관점과 연결시키는 것이 적절하다.

07 (마)에서는 야생 암다람쥐가 수다람쥐에게 다람쥐 본연의 습성을 익히게 가르침을 주는 부분이다.

08 윗글에서 어머니는 야생 동물이 사람의 손을 타지 않고 야생의 본성을 시키며 살아가야 한다고 주장하고, 〈보기〉에서도 등산객들에게 곰이 많이 노출되어서 사람을 경계하지 않고 선물에 길들여졌다는 점을 심각한 문제로 받아들이며 야생의 본성을 지키며 살아가야한다고 주장한다.

09 '편지나 물건 따위를 일정한 수단이나 방법을 써서 상대에게로 보내다.'의 의미이다.

10 주인공 '어머니'의 자식인 '나'를 서술자로 하여 이야기가 전개되고 있다. 서술자가 직접 겪은 경험은 아니다.

11 신을 원망한 것이 신이 공평한 것의 원인이 될 수 없다.

12 수컷 다람쥐가 죽으면서 비극이 시작되기 때문에 죽음과 무관하다는 것은 적절하지 않다.

13 (나)에서는 다람쥐가 죽었다고 생각했다가 아니라는 것을 알게 되는 부분으로 어머니의 감정 기복이 가장 큰 곳이라고 할 수 있다.

14 (다)는 다람쥐가 어머니에게 의존하기 시작하면서 야생의 습성을 잃어버리면서 일어나는 비극이다. 결국 본인의 본능을 잃어버리면 안된다는 것이다.

15 야생 동물을 인간 중심적으로 생각하지 말고 생태 중심적 사고를 가져야한다.

16 ①~④은 다람쥐를 사람처럼 취급하는 것이다. 그게 아니라 아무 것도 하지 않고 냅두어야 하는 것이 야생의 본성을 지켜주는 것이다.

객관식 심화문제 P.29~47

01 ②	02 ⑤	03 ①	04 ③
05 ②	06 ③	07 ②	08 ③
09 ①	10 ④	11 ②	12 ③
13 ③	14 ⑤	15 ①	16 ③
17 ④	18 ⑤	19 ②	20 ③
21 ③	22 ③	23 ④	24 ②
25 ④			

01 "어머니는 갑자기 눈시울~그리움을 불러낸 셈이다"에서 확인할 수 있다.

02 "돈 주고 사겠다"라는 것에서 다람쥐를 소유물로 생각하며 애완동물로 키우고 싶어하는 사람들의 심리가 드러난다.

03 어머니는 다람쥐를 따뜻한 시선으로 바라보고 있고(ㄱ), 인간 중심적으로 대했다가 생각이 바뀌는 모습을 보여주면서 동물에 대한 인간 중심적 사고를 비판하고 있다.(ㄴ)

04 길 고양이를 돌보다보면 고양이가 사람 손에 익숙해지기 때문에 고양이가 야생 본능을 잃어버릴 수도 있다.

05 윗글에서 어머니가 다람쥐에게 밥그릇을 주는 장면이 제시되어 있지 않다. 그러므로 적절하지 않은 질문이다.

06 다람쥐를 사람처럼 대하지 말고 스스로 먹이를 구하고 새끼를 낳는 야생의 본성을 잃지 않게 하는 것이 자연을 존중해 주는 것이다.

07 새끼 다람쥐와 개, 고양이는 습성이 다르다. 다람쥐 한 마리는 이웃집 고양이한테 물려 죽고, 나머지 한 마리도 부엉이의 공격을 받은 부분에서 알 수 있듯이, 잘 어울려 살 수 있는 이유라는 선지는 적절하지 않다.

08 [A]에서는 동물이 애완동물로서가 아니라 야생 동물의 자유를 알아야만 사람도 진정으로 자유로울 수 있다고 말하고 있다. 가장 적절한 것은 ③이다.

09 서술자인 '내'가 어머니의 행위를 해설하거나 사건의 의미를 제시하고 있다.

10 쳇바퀴는 자유로운 숲 속과 대비되는 갇힌 공간으로 인간이 다람쥐를 애완동물로 키우고자 하는 탐욕이 집약된 곳이다.

11 인간과 공생하며 살아가는 길은 다람쥐에게 아무런 행동을 하지 않고 가만히 두는 것이다. 야생의 본성을 헤치지 않아야 하므로 끊임없는 보살핌은 적절하지 않다.

12 (가)의 어머니는 동물에게 사람처럼 대하지 않고 그대로 두어야 한다고 주장하고 있다. 인간이든 동물이든 도움을 주어야한다는 것은 '어머니'의 입장이 아니다.

13 '나'가 어머니의 이야기를 전달해주는 1인칭 관찰자 시점이다.

14 서술자가 작품의 주인공으로 자신의 이야기를 할 때는 '나'라고 한다. 가장 적절한 것은 ⑤이다.

15 어머니의 정서는 그리움이다. ①은 사랑하는 님을 여의고 혼자 냇가에 앉아 울며 밤을 지내는 내용으로 가장 적절하다.

16 전전긍긍은 '몹시 두려워서 벌벌 떨며 조심함'의 뜻이다. 혹시나 다람쥐에서 무슨 일이 생길까 걱정하는 부분으로 가장 적절한 사자성어이다.

17 어머니의 생각은 동물들에게 야생의 본능대로 살게 해야한다고 얘기하고 있다. ⓐ처럼 사람이 돕는다면 그 본능을 잃어버리고 독립적으로 살아갈 때 어려움이 있을 수 있다.

18 풍자와 교훈의 뜻을 전달하는 우화 아니고, 날카로운 비판과 냉소적인 분석을 바탕으로 하고 있지 않다. 윗글은 수필이 아니라 소설이다. 역순행적 구성을 통해 다각도로 분석하고 있지도 않다.

19 그 동안 다람쥐에게 정을 주었던 것을 후회하고 있는 부분은 나오지 않는다.

20 길고양이의 본성과 야생을 지켜주려고 배려하는 것이 결국 길고양이에게 해로움을 줄 수 있는 일이다. 가만히 두는 것이 결국 길고양이를 위하는 일이다.

21 '다람쥐도 마찬가지였다'에서 알 수 있듯이 결국 다람쥐에게도 큰 불행이 올 것이라고 암시하고 있다.

22 인물 간의 갈등 나오지 않고(ㄱ), 빠른 장면 전환으로 긴박한 분

위기를 조성하고 있지도 않다(ㄴ). 내부의 이야기와 외부의 이야기를 교차하고 있지도 않다(ㄷ). 서술자인 '나'가 '어머니'를 관찰하고 추측한 내용이 마치 사실인 듯 서술하고 있다.

23 '어머니에 대한 이야기는 읍내에서 발행되는 지역 신문에도 소개 되었다.'에서 어머니의 유명세를 이용하려고 사진 찍으려한다는 것은 확인 할 수 있다.

24 비 온 뒤에 땅이 굳는다는 것은 '어떤 어려운 일을 겪고 나면 그 다음에는 단련이 되어 더욱더 강해진다는 뜻'이다. ⓐ는 어머니가 다람쥐를 보면서 생각하는 부분으로 본인이 단련이 되어 더욱 강해진다는 것이 아니기에 적절하지 않다.

25 어머니는 다람쥐를 마치 애완동물처럼 대하는 사람들의 반응에 부정적이다.

서술형 심화문제 P.48~53

01 (1) 어미 다람쥐의 죽음
(2) 사건 이전에는 다람쥐의 먹이를 챙겨 주고 함께 있으면서 보살펴 주어야 한다고 생각했으나, 사건 이후에는 다람쥐가 본성을 잃지 않고 스스로 그 본성에 따라 살아갈 수 있도록 배려해야 한다고 생각한다.

02 (가): 오랜만에 나타난 다람쥐를 보고 반가워 하다가 자신 때문에 다람쥐가 죽었다고 생각하며 자책한다.
(나): 고양이가 어미를 잃은 다람쥐 새끼들을 키우고, 다람쥐는 고양이의 습성을 배우게 된다.
(다): 어머니는 자신을 고양이로 생각하는 다람쥐의 본성을 찾아주기 위해 야생 암다람쥐를 술독에 함께 넣는다.
(라): 어머니와 다람쥐의 이야기가 유명해져 사람들이 다람쥐를 달라고 부탁하지만 어머니는 다람쥐들이 애완동물로 사는 것을 보고 안타까워 했다.

03 어머니는 다람쥐 새끼를 한 마리도 사람들에게 주지 않았다.

04 복선

05 동물을 인간 중심적인 관점으로 대한다

(2) 가치의 발견

단원 종합평가 P.61~68

01 ⑤	02 ④	03 ③	04 ①
05 ⑤	06 ④	07 ②	08 ②, ④
09 ④	10 ②		

01 앞으로 전개될 사건에 대한 암시하는 부분은 맞지만, 앞으로 일어날 일은 어머니와 다람쥐 사이의 갈등이 아니다.

02 윗글에서 어머니의 의견은 동물들이 야생의 본성을 잃지 않도록 배려하는 것이 중요하다는 것이다. 이에 가장 가까운 것은 ④이다.

03 반영론의 관점이란 문학작품이 쓰인 시대적 배경을 반영하는 것이다. 실제의 상황을 조사하는 도현과, 사회적 관심을 받는 생태주의를 조사하는 민희가 적절하게 감상하였다. 준호는 표현론적 관점, 승연은 절대론적 관점이다.

04 특정인물인 '어머니'의 심리를 중심으로 사건을 서술하고 있다.

05 어머니는 다람쥐들이 본연의 습성대로 살아가지 못하고 인간의 욕심에 맞춰 길들여지고 있는 모습에 대한 안타까움에 눈물이 난 것이다.

06 나무 위로 도망가도록 교육한 것은 야생 다람쥐가 아니라 어머니가 다람쥐에게 말해준 것이다.

07 순행적 구성 속에서 중심인물인 '어머니'의 태도 변화가 드러난다. 처음에는 어미 다람쥐에게 먹이를 구해 주며 다람쥐를 길렀는데 어미 다람쥐가 죽은 후 동물들이 본래의 습성을 잃게 되는 것의 심각성을 알고 인간 중심적 사고에서 벗어나 다람쥐가 본래 습성을 지키며 살아갈 수 있도록 도와준다.

08 생태계의 약육강식의 논리에 대해 이야기 하고 있지 않고, 어머니가 다람쥐의 죽음 이후에 먹이를 주지 않은 이유는 다람쥐에게서 마음이 떠난 것이 아니라 야생 동물의 본성을 지켜주기 위해서 이다. 나동, 라동이 적절하지 않다.

09 ⓐ는 생태계를 구성하는 존재로서 존중하고 있는 것이 아니다.

10 어머니는 자연이 본연의 습성을 지킬 수 있도록 도울 때, 인간도 함께 행복해질 수 있음을 이야기 하고 있다. 가장 적절한 반응은 ②이다.

(1) 국어의 어제와 오늘

확인학습

P.72

01 ○ 02 ○ 03 × 04 × 05 ○ 06 × 07 ○ 08 ○
09 × 10 ○

03 현대 국어에서 더욱 축소되었다. 사람 →남자를 낮추는 말
04 오늘 날 사용되지 않는 단어는 없다.
06 새로운 글자를 만든 원리, 즉 상형의 원리나 합용의 원리와 같은 자음, 모음을 만든 원리는 이 글에서 밝히고 있지 않다.
08 '해동 육룡이~'에서 확인할 수 있다.
09 조선 왕조가 어떤 종교를 근간으로 창업되었는지는 드러나지 않는다.
10 조선 건국과 관련하여 하는 일마다 하늘의 복이 따른다는 점을 강조하는 것은 조선 건국이 하늘의 뜻임을 의미하는 것이라고 할 수 있다.

객관식 기본문제

P.73~80

01 ⑤	02 ②	03 ③	04 ⑤
05 ④	06 ①	07 ①	08 ③
09 ⑤	10 ⑤	11 ③	12 ④
13 ④	14 ①	15 ②	16 ⑤
17 ③	18 ④	19 ③	20 ②
21 ①	22 ⑤	23 ②	

01 ㅂ과 ㄷ을 써서 ㅳ로 사용했다.
02 ㉠'니'에서 두음법칙이 없었다는 것을 확인. ㉡ 어리다(어리석다 → 나이가 적다) 의미의 이동, ㉢'바+주격조사 ㅣ'
03 원형을 밝혀 적지 않고 소리나는 대로 적었다.
04 현대 국어에서 쓰일 수 없고 중세 국어에선 어두자음군이라는 명칭으로 쓰인다.
05 양성모음 'ㆍ, ㅗ, ㅏ, ㅛ, ㅑ'가 있는데 'ㆍ, ㅑ'로 모음 조화가 제대로 지켜졌다.
06 '배'에 쓰인 조사는 주격조사이다. ①의 '우리나라'가 주어이므로 적절하게 쓰였다.
07 '말씀'은 의미의 축소의 예이다.
08 '노·미'에서 이어적기가 사용되었는데 '어엿비'에만 쓰이지 않았다.
09 ㉠은 ㅸ, ㉡은 초성자 밑에 모음을 쓰라는 설명으로 'ㅗ,ㆍ'가 해당이되며, ㉢은 초성자 오른쪽에 모음을 붙여써야 하는 점으로 'ㅏ, ㅣ,'가 해당된다.
10 사룸은 의미가 변화된 단어가 아니다.
11 'ᄉᆞ뭋·디'처럼 어휘가 사라진 것은 음운 측면이 아니라 어휘 면에서 변화를 보이는 것이다.
12 평성은 방점이 없으며 낮은 소리를 나타낸다.
13 '나+ㅣ'로 주격조사 'ㅣ'가 사용되었지만, '제'에는 쓰이지 않았다.
14 일정한 음보율을 가지고 있지 않다.
15 '시'는 주체 높임 선어말 어미이다.
16 ⑤는 '내ㅎ+이'이므로 ㅎ종성체언이다.
17 입술소리 'ㅁ' 뒤에서 평순모음 'ㅡ'가 원순모음'ㅜ'로 바뀌었다.
18 (나)의 '불휘'는 모음' ㅣ'로 끝났기 때문에 '불휘+∅'로 주격 조사가 생략되었고, (라)의 '내히'는 '내ㅎ+이'로 '이'가 사용되었다.
19 세종대왕이 직접 지은 작품이 아니라 훈민정음으로 기록된 최초의 작품이다. 용비어천가는 여러 사대부들이 지은 작품이다.
20 (나)는 '여름', 'ᄀᆞ뭄' 등 고유어를 사용하였다.
21 ':됴·코'에서 구개음화가 일어나지 않은 것을 확인할 수 있다.
22 ⑤는 '가－＋－ᄂᆞ－＋니'로 이어적기가 쓰이지 않았다.
23 '古聖(고성)·이'에서 받침 'ㅇ' 인 자음 뒤에서 주격조사 '이'가 사용된 것이다.

객관식 심화문제

P.81~99

01 ②	02 ③	03 ③	04 ③
05 ②	06 ⑤	07 ③	08 ④
09 ③	10 ⑤	11 ①, ③	12 ①
13 ⑤	14 ③	15 ④	16 ③
17 ⑤	18 ②	19 ③	20 ⑤
21 ④	22 ⑤	23 ①	24 ④
25 ②	26 ③	27 ④	28 ①
29 ④	30 ④	31 ⑤	32 ③
33 ①	34 ②	35 ③	36 ④
37 ②	38 ③	39 ⑤	40 ⑤
41 ①	42 ③	43 ①	44 ③

01 '·뜯+·을'이다.
02 ㉠이 자주정신이 나타난 부분이고,㉤부분을 보면 모든 사람이 쉽게 익혀서 날마나 쓰는 데 편하게 하고자 한다 했으니 실용정신이 나타나고, ㉢은 이것을 가엾게 생각한다는 부분에서 애민정신이 나타난다.
03 중세에는 띄어쓰기를 하지 않았다.(엄지) 'ᄯᆞ르미니라'는 '따름이니라'를 연철한 것이다.(신비)
04 성조는 총 세 가지가 있다. 평성, 거성, 상성
주이는 적절하지 않다.
05 '어리다'는 의미가 이동된 경우이고, '놈'은 '사람 → 남자'를 낮잡아 이르는 말로 의미의 축소이다.
06 '바+주격조사ㅣ'를 사용했기 때문에 '가'가 없음을 알 수 있고, '야'를 '여'로 쓴 이유는 모음조화를 지키기 위해 같은 양성모음끼리 사용하였다.
07 ①새로 만든 글자는 자음17, 모음11자이다. ② 3대 정신은 자주, 애민, 실용 정신이다. 이 글은 훈민정음의 창제 이유를 밝히

고 있다.

08 고려 건국부터 16세기 말까지의 국어를 중세 국어라 한다.

09 '밍ᄀᆞᆯ+ᄂᆞ+오+니' ㄹ과 ㆍ가 탈락되었다.

10 방점은 의미의 높낮이를 표시하기 위한 것이다. 동국정운식 표기와는 상관이 없다.

11 말씀은 의미의 축소이다, ᄉᆞᄆᆞᆺ디는 의미의 소멸이다.

12 '에'를 현대어로 옮기면 '과'가 된다.

13 '이셔도'는 이어적기가 쓰인 것이다.

14 '이체자'는 획은 더했으나 소리의 세기와는 무관하다.

15 'ㆍ+ㅡ=ㅗ', 'ㅣ+ㆍ=ㅏ'로 합용의 원리가 적용되었다.

16 입성은 방점의 개수와 상관이 없다.

17 'ᄉᆞᄆᆞᆺ다'는 원래 '통하다'를 뜻하는 말이었으나 지금은 사라진 단어이다. '말ᄊᆞᆷ'은 원래 '일반적인 말 전체 → 남의 말을 높여 이르거나 자기의 말을 낮추어 이름'. '어엿브다' '불쌍하다 → 예쁘다'

18 '바+주격조사 ㅣ'의 결합이다. 생략되지 않았다.

19 ③은 이어적기가 쓰인 것이고 다른 어형의 변화가 일어난 것은 아니다.

20 ㉮ '쁟+을' – 'ㅡ'같은 음성 모음끼리, '믈+은' – 'ㅡ'같은 음성 모음끼리 쓰였다.

21 방점은 글자 왼쪽에 찍는 것이다.

22 ⓐ에 쓰인 주격 조사는 '바+ㅣ'에 'ㅣ'이다.

23 구개음화가 일어나지 않은 표기를 찾아야한다. '됴코'의 '됴'에서 구개음화가 일어나지 않았다.

24 '밠에', 'ᄇᆞᄅᆞᆷ애', '믈은', '곶올' 다 이어적기가 쓰였고 ④는 이어적기 표기가 아니다.

25 관형격 조사, '말'의 적절한 표기, 'ㄹㅇ활용형'이 적절하게 다 사용된 것은 ②이다.

26 ⓐ : ㅵ , ⓑ : ㅸ

27 '내 우름'처럼 이어적기가 완전히 사라진 건 아니다.

28 시간의 흐름, 역사에 따라 의미가 변화를 겪는다.

29 'ᄉᆞᄆᆞᆺ디, 펴디'에서 구개음화가 지켜지지 않았고, '니르고져' 등 두음법칙도 지켜지지 않았다.

30 주격조사 '이'는 자음으로 끝난, 즉 받침이 있을 때 사용된다.

31 'ㆍ, ㅗ'는 양성 'ㅕ'는 음성으로 모음조화가 지켜지지 않았다.

32 (나)에 '수ᄫᅵ'에서 ㅸ이 사용되었고, (다)에서 사용되지 않았다.

33 용비어천가는 조선 건국의 정당성과 후대 왕에 대한 권계를 이야기한 내용인데 〈1장〉은 조선 건국의 정당성을 얘기하고 있다.

34 '이'는 비교 부사격 조사(와/과)로 쓰였다.

35 ㉠은 양성모음 'ㆍ'가 사용되었고, ㉮는 음성모음 'ㅓ'계열에 맞게 'ㅡ'를 사용하였다.

36 어두자음군은 쓰이지 않았다.

37 (가)는 조선 건국의 정당성을 노래하고 있고 (나)는 자연 현상을 통해 인간사를 노래하고 있다.

38 '海東(해동)六龍(육룡)·이'라고 권위 있는 사례를 근거를 삼고, '아·니:뮐·ᄊᆡ','아·니그·츨·ᄊᆡ'와 같이 앞의 내용을 원인으로 뒤를 결과로 순차적으로 제시하고 있다.

39 샘이 내를 이루어서 바다로 도달하게 될 것이라는 내용으로 조선의 무궁한 발전의 이야기 한다.

40 내히는 체언에 주격 조사 '이'가 결합한 것이다.

41 〈제1장〉은 2절이 아니다. 1절이다.

42 '샤'는 주체 높임 선어말 어미로, ③에서 '주셔서'에 사용되었다.

43 모음'ㅣ'뒤에는 주격조사가 생략된다. '불휘+∅'와 같은 형태는 '머리+∅'이다.

44 '갏' 뒤에 나오는 'ㅅ'으로 인해 ⓐ에선 'ㅎ'이 드러나지 않고, '않' 뒤에는 모음이 나오기 때문에 'ㅎ'이 드러난다. ⓒ는 'ㅎ'과 'ㄷ'이 축약되어서 'ㅌ'라고 쓰인다.

서술형 심화문제

P.100~107

01 ㉠ ㄱ, ㄴ, ㅁ, ㅅ, ㅇ ㉡ ㆍ, ㅡ, ㅣ

02 이어적기(연철)

03 '爲윙ᄒᆞ야'에서 보듯이 중세 국어에서 잘 지켜지던 모음조화가 현대 국어에서는 '위하여'에서처럼 잘 지켜지지 않는다. '中듕國귁에'의 '에'는 비교 부사격 조사로 현대 국어에서 '과'로 쓰인다. '스믈'이 현대 국어에서는 원순 모음화가 일어나 '스물'로 쓰인다. '홁배'에서 보듯이 현대 국어에서 쓰이는 주격조사 '가'가 중세 국어에서는 쓰이지 않았다.

04 중세 국어에서는 소리 나는 대로 적었으나 현대 국어에서는 어법에 맞게 표기한다.

05 어휘 면에서 기존 어휘가 없어지기도 하고, 형태나 의미가 바뀌기도 하며 새로운 어휘가 만들어지거나 외부에서 들어오기도 한다. 어휘 소멸은 '젼ᄎᆞ, ᄉᆞᄆᆞᆺ디', 의미 이동은 '어린, 어엿비', 의미 축소는 '말씀, 놈'이 그 예이다.

06 공통적으로 설명한 문법 원리는 모음조화이다. 모음조화는 'ㅏ, ㅗ, ㆍ' 따위의 양성 모음은 양성 모음끼리, 'ㅓ, ㅜ, ㅡ' 따위의 음성 모음은 음성 모음끼리 어울리는 현상이다.

07 훈민정음에는 나라의 말이 중국과 다르니 우리 것이 필요하다는 '자주정신', 한자가 어려워 백성들이 자기 생각을 표현할 수 없음을 안타깝게 여긴 '애민정신', 새로 28자를 만든 '창조정신', 백성들이 쉽게 익혀 쓰기에 편하게 만들고자 했던 '실용정신'이 나타난다.

08 종성법으로 'ㄱ, ㄴ, ㄷ, ㄹ, ㅁ, ㅂ, ㅅ, ㆁ'의 여덟 자만 받침으로 사용하는 것이다.

09 초성은 상형의 원리에 의해 'ㄱ, ㄴ, ㅁ, ㅅ, ㅇ'을 만들었고, 가획의 원리에 따라 'ㅋ, ㄷ, ㅌ, ㅂ, ㅍ, ㅈ, ㅊ, ㆆ, ㅎ', 이체자로 'ㆁ, ㄹ, ㅿ'을 만들었다. 중성은 상형의 원리에 의해 'ㆍ, ㅡ, ㅣ'를 만들었고, 합성의 원리에 의해 'ㅗ, ㅏ, ㅜ, ㅓ, ㅛ, ㅑ, ㅠ, ㅕ'를 만들었다. 종성은 종성부용초성에 의해 종성의 글자를 별도로 만들지 않고 초성으로 쓰는 글자를 다시 사용했다.

10 밍ᄀᆞᄂᆞ니 : 밍ᄀᆞᆯ- + -ᄂᆞ- + -오- + -니

11 (1) ㉠ 소리 나는 대로, ㉡ 어법에 맞게 (2) ⓐ 말씀, 놈 ⓑ 축소

12 ㉢, ㉣, ㉠, ㉥, ㉡, ㉤

13 앞의 모음이 양성모음이면 'ᄋᆞᆫ', 음성모음이면 '은'이 쓰였다.

14 ㉥ 열매 많으니 ㉦ 가뭄에 아니 그치므로

15 ㉠ 옛날의 성인과 서로 꼭 들어맞으시니 ㉡ 바람에 아니 움직이므로 ㉢ 바다에 가느니

16 식미기픈므른ᄀᆞᄆᆞ래

17 말ᄊᆞ미, 노미

18 사람들로 하여금 쉽게 익혀서 날마다 쓰는 데 편하게 하고자 할 따름이다.

19 ㉠ 17

㉡ ㄱ, ㅋ, ㄴ, ㄷ, ㅌ, ㅁ, ㅂ, ㅍ, ㅅ, ㅈ, ㅊ, ㅇ, ㆆ, ㅎ, ㆁ, ㄹ, ㅿ

㉢ 11

ⓡ ·, ㅡ, ㅣ ㅗ, ㅏ, ㅜ, ㅓ, ㅛ, ㅑ, ㅠ, ㅕ
ⓜ 4
ⓑ ㆁ, ㆆ, ㅿ, ·

20 (1) 스믈, 므른 (2) 펴디, 됴코

21 (1) 중세 국어에서는 자음으로 끝난 체언 뒤에는 주격 조사 '이'가, 'ㅣ' 이외의 모음으로 끝난 체언 뒤에는 'ㅣ'가, 'ㅣ' 모음으로 끝난 체언 뒤에는 ∅이 쓰였다.
(2) 주격 조사'이': 말ᄊᆞ미>말씀이, ᄉᆡ미>샘이, 주격 조사'ㅣ': 배>바가, 내>내가, 주격 조사 '∅': 불휘>뿌리가

22 ᄇᆞᄅᆞ매아니뮐씨곶됴ᄒᆞᆫ나모

23 (1) 블: 원순모음화가 일어나 현대 국어에서는 '불'로 바뀐다.
(2) 썸, 씨: 어두자음군이 현대 국어에서는 된소리로 바뀐다.
(3) 뎌: 현대 국어에서는 구개음화가 일어나 '저'로 바뀐다.
(4) 너겨: 현대 국어에서는 두음법칙에 따라 '여겨'로 바뀐다.

(2) 국어가 더 아름다워지려면

확인학습 P.110

01 ○ 02 × 03 ○ 04 × 05 × 06 ×

02 다양한 언어, 언어 관습, 언어 공동체가 존재하는 이유를 고려할 때 단일한 언어 공동체나 담화 관습을 지향하는 것은 바람직하지 않다.
04 이 글에서 타인의 말을 어떻게 들어야 하는지는 언급되지 않았다
05 우리의 전통적 담화 관습은 직접적인 명령 표현을 피해 듣는이에게 부담을 덜어줄 수 있다는 특징이 있다.
06 불필요한 내용을 줄이는 담화 관습이라고는 할 수 없다.

객관식 기본문제 P.111~121

01 ⑤	02 ⑤	03 ④	04 ②
05 ⑤	06 ③	07 ③	08 ①
09 ②	10 ④	11 ⑤	12 ②
13 ④	14 ②	15 ②	16 ②
17 ①	18 ①	19 ③	20 ③
21 ①	22 ⑤	23 ④	

01 (다)는 고부간의 담화 단절을 말하는 것이 아니라 간접적인 담화 관습을 보여주는 것이다.
02 ㉠을 통해서 알 수 있다. 의도를 명료하게 드러내지 않고 돌려 말하고 있다.
03 위인의 말을 답습하라는 내용은 나오지 않았다.
04 ㉠은 돌려 말하는 담화 방식인데 ②은 직설적으로 말하고 있다.
05 장애인을 비하하거나 차별하는 말이다. 듣는 사람에게 상처를 줄 수 있기에 주의해야 한다.
06 '장님 코끼리 만지기'는 '일부분만 알면서 전체를 안다고 생각하는 어리석음을 비유적으로 이르는 말'이다.
07 '경준'은 자신이 속한 공동체가 관습적으로 사용하는 표현을 사용했다. '보호자'의 상황을 배려하지 않았다.
08 집단 내에서의 담화 관습은 적절하다.
09 (나)는 말 할 때 경계할 점에 대해 말하고 있는데 '가는 말이 고와야 오는 말이 곱다'라는 속담이 적절하다.
10 타인의 말을 경청해야 한다는 내용은 나오지 않았다.
11 ㉠은 완곡어법으로 돌려 말하는 방식인데 ⑤은 직설적으로 말하고 있다.
12 신조어와 외래어를 모두 사용하고 있는 학생은 D,E로 두 명이다.
13 (다)의 할머니는 자기만 아는 표현을 사용한 것이 아니다 돌려 말한 것이다.
14 〈보기〉에서 개인적인 의견을 말할 수 있다고 ' 자신의 참신함과 창의력을 뽐내어 자신이 다른 사람보다 우수하다는 것을 드러낼 수 있다는 점에서도 큰 장점을 가지고 있다'에서 확인 할 수 있기에 ㄴ이 적절하지 않고, (다)의 담화 관습은 지인과 친근하고 격의 없게 의사소통하는 것을 중시하는 것이 아니라 돌려 말하는 관습을 말하는 것으로 ㄷ도 적절하지 않다.
15 경준은 환자를 배려하지 않은 담화 관습을 사용하였다.
16 (가)에서 "아가, 할미가 업어 줄까." 은 아이를 내려놓고 하라는 완곡 어법으로 자신의 의도와 문장의 종류가 일치하지 않는다.
17 ㉠은 차별적인 단어로 상대에게 상처를 줄 수 있다.
18 ①은 '필요 없는 말은 되도록 하지 아니하는 것이 좋음을 이르는 말.'의 의미이다.
19 장애인을 비판하거나 차별하는 표현이다.
20 빗대어 말하는 것은 직접 드러내는 것이 아니라 돌려 말하는 것이다.
21 '구두'는 고유어가 아니다.
22 외래어를 직접 받아들이는 대신, 이미 국어에 존재하는 단어를 쓰거나 새로운 복합어나 파생어를 만들어 쓰는 지혜가 필요하다.
23 가상공간에서 사용하는 언어는 한국어를 윤리적으로 활용하는 것이 아니다.

객관식 심화문제 P.122~144

01 ①	02 ③	03 ④	04 ②
05 ③	06 ⑤	07 ④	08 ⑤
09 ⑤	10 ②	11 ①	12 ④
13 ②	14 ⑤	15 ③	16 ⑤
17 ④	18 ①	19 ③	20 ③, ⑤
21 ①	22 ④	23 ①	24 ②
25 ④	26 ④	27 ⑤	28 ⑤
29 ②	30 ③	31 ④	32 ⑤
33 ②	34 ①	35 ④	36 ⑤
37 ⑤	38 ①	39 ④	40 ⑤
41 ①	42 ②		

01 ㉠은 명료하게 말하는 것이 아니라 돌려 말하기의 화법이다.

02 (가)의 경준은 다른 언어 공동체와 소통할 때 필요한 태도를 모르고 보호자에게 이야기를 하고 있으므로 ㄴ은 적절하지 않다. (가)의 보호자는 '경준'이 속한 공동체가 사용하는 표현을 잘 이해하지 못하고 있으므로 ㄷ도 적절하지 않다.

03 외래어는 외국에서 들어온 말로 국어처럼 쓰이는 단어로 국어의 어휘체계에 포함된다.

04 언어 공동체를 분류하는 기준에 학력은 들어가지 않는다.

05 부득이한 경우가 아니면 말하지 않는다는 것은 꼭 말을 해야만 할 때 말하는 것을 의미한다.

06 (가)~(다) 모두 우리 민족이 나아가야 할 바람직한 담화 관습을 말하고 있다.

07 '다른 사람에게 자신을 과시하기 위한 말은 하지 않아야 하고'에서 확인 할 수 있듯이 다른 사람에게 과시하는 듯한 그들만의 공동체 담화 관습을 사용해선 안 된다.

08 줄임말이나, 소리 나는 대로, 신조어 등을 사용하고 있다. 동사형으로 짧게 쓰는 경향은 많지 않다.

09 우리가 지향해야 하는 바람직한 담화 관습에 대해 말하고 있다.

10 잡상인은 '이동 상인'으로 개선해야 한다.

11 외래어나 외국어를 남용하면 한국어의 위상을 떨어뜨린다.

12 자음만 사용하면 의미를 정확하게 알 수 없다.

13 '그룹'을 '단체'로 대체할 수 있듯이 위의 대화에서 사용한 외래어를 대체할 적절한 고유어가 있다.

14 ⑤는 '이러쿵저러쿵 시비가 길어지면 말다툼에까지 이를 수 있음을 경계하여 이르는 말.'이다

15 청소부는 청소를 하는 남자, 여자를 모두 포함함으로 성차별, 인종차별, 장애차별에 해당하지 않는다.

16 ㉤은 직설적으로 표현하는 방식이다.

17 〈보기〉의 담화 관습은 특정 공동체의 관습적인 표현이다. 일상적으로 쓰이는 말이 아니다.

18 '네가 맡은 건 하나도 제대로 안 한다며?'와 같이 자신을 나쁘게 말하는 사람이 있을 땐 본인을 돌아보라는 ①이 가장 적절하다.

19 '어울'은 고유어, '통신'은 한자어이다.

20 본문 내용 중 '특히 의미 전달 자체가 잘 안 되는 경우가 많다. '슬리핑차일드체크 시스템' 같은 게 그렇다.'에서 ③이 적절하지 않음을 확인할 수 있다. 영어투나 일어투를 사용하면 의도를 정확하게 전달할 수 없을 수도 있기에 ⑤도 적절하지 않다.

21 하이파이브의 순화어는 '손뼉맞장구'이다.

22 남의 말을 하면 남도 내 말을 하니 말을 신중하게 가려서 해야 한다는 내용이다.

23 김선생의 말하기 기법은 완곡어법이다. 적절한 것은 ①이다.

24 진지충은 직업에 관련된 것이 아니다.

25 (B)를 통해 공통의 공동체 안에서는 의사소통이 원활하게 이루어짐을 알 수 있다. 인간관계를 삭막하게 하는 것이 아니다.

26 ⓐ-ㄴ, ⓑ-ㄴ, ⓒ-ㄱ, ⓔ-ㄱ이다.

27 '귀여워'는 문장을 줄여 사용한 것이 아니다. '넘'은 소리 나는 대로 사용한 것이 아니라 줄여 사용한 것이다.

28 자음만 사용하면 의사소통이 원활하게 이루어지지 않는다.

29 '그러나 정작 한국어의 본고장인 한국에서는 한국어가 제대로 평가받지 못하는 게 현실이다.'에서 확인 할 수 있다.

30 외래어는 국어처럼 쓰이는 말로 금지할 수 없다.

31 (다)는 돌려 말하기 방식으로 의미가 달라지는 것이 아니다.

32 다른 사람에게 전문 용어를 남용하며 과시하면 안 된다.

33 자기 뜻을 표현하기 위해(ⓑ) ⓐⓒⓓⓔ를 이야기하고 있다.

34 '말을 하여도 상대편의 반응이 없으므로, 기껏 한 말이 소용없게 되는 경우를 이르는 말'의 의미이다.

35 완곡어법은 돌려 말하는 방식으로 말 그대로의 표면적 의미를 중요시하는 것이 아니다.

36 나머지는 차별 표현이고 ⑤만 비하 표현이다.

37 스포츠는 외래어가 아니라 외국어이다. 운동으로 바꿔쓸 수 있다.

38 '절름발이'에는 '사물을 구성하는 요소들이 균형을 이루지 못하고 조화가 되지 아니한 상태를 비유적으로 이르는 말'의 의미가 있으므로 적절한 것은 ①이다.

39 익명을 이용해서 언어 예절을 지키지 않은 예시가 〈보기〉에 드러나 있지 않다.

40 〈보기〉에서 사용된 담화 관습은 완곡 어법이고 ⑤은 직설적으로 말하고 있다.

41 나머지는 차별적인 언어를 순화시킨 예시이고, ①은 완곡하게 표현한 방식이다.

42 창안은 '어떤 방안, 물건 따위를 처음으로 생각하여 냄. 또는 그런 생각이나 방안.'의 뜻이다.

서술형 심화문제 P.145~147

01 (예시) 다른 사람에게 자신을 과시하기 위한 말은 하지 않아야 한다. 다른 사람을 헐뜯는 말을 하지 않아야 한다.

02 (1)표면적 의미: 며느리 대신 자신이 아이를 업겠다. 이면적 의도: 비가 내리기 시작했으므로 며느리에게 아이를 내려놓고 빨래를 걷으라고 명령한다.
(2)돌려 말하기, 완곡어법

03 민수야, 추우니까 뒷문 좀 닫아 줄래?

04 (1) 자음만 쓰는 말의 의미를 이해하지 못 하기 때문이다.
(2) 시간과 장소에 구애받지 않고 실시간 소통이 가능하다. 여러 사람이 동시에 이야기를 나눌 수 있다. 초성만을 써서 빠르고 간단하게 감정이나 태도를 표현하려 한다.

05 ㉠ 빗대어 ㉡ 겸양

06 ㉠ 아기를 내가 업겠다. ㉡ 비가 오는데 아기를 내려놓고 빨래를 걷어라

07 돌려 말하기(완곡어법)

08 (1) 성 차별적 표현
(2) 남녀에 대한 차별적인 태도가 드러나는 언어 사용을 하지 않는다.

단원 종합평가 P.148~152

01 ④	02 ①	03 ②, ⑤	04 ②
05 ②	06 ②	07 ①	08 ④
09 ⑤	10 ⑤		

01 ㉮는 의미가 이동한 단어이다. ':어엿·비'는 '가엾다'에서 '예쁘다'로 의미가 이동하였다.

02 ㉠엔 관형격 조사가 쓰였고, ㉡에는 주격조사가 쓰였다.(ㄱ, ㄴ)

03 ⓑ:용언의 활용 형태가 다르다. 현대국어에서는 ㄹㄹ활용형이고, 중세국어에서는 ㄹㅇ활용형이다. ⓔ: 용언에 명사형 어미가 결합하였고 부사격조사가 뒤에 쓰인 것이다.

04 조선 건국의 정당성을 노래한 것으로 '일'은 조선 건국과 관련된 일이 맞다.

05 '하늘ㅎ+애'로 ㅎ종성 체언이 쓰였다.

06 '쏠'은 '작은 폭포'라는 순 우리말이고, '빵'은 외래어이다.

07 ①은 '하지 않아도 될 말을 이것저것 많이 늘어놓으면 그만큼 쓸 말은 적어진다는 뜻으로, 말을 삼가라는 말'이다.

08 ④은 '이러쿵저러쿵 시비가 길어지면 말다툼에까지 이를 수 있음을 경계하여 이르는 말.'이다. ㉣의 관련 속담에 적절하지 않다.

09 타인이 아니라 자신의 언어생활을 성찰하여 나은 방향으로 나아가도록 한다.

10 경순이 환자들 앞에서 의학 용어로 얘기한 것을 태호가 지적한 것이다. 태호가 이해하기 어려운 용어를 사용했다는 것은 적절하지 않다.

고등 국어

HIGH SCHOOL

실전 기출 문제은행